W9-CNS-881

ДЕТЕКТИВ
ЛАБИРИНТ

Марго Ленская и дьякон Андрей Берсенев.
Преступления из прошлого:

Портрет-призрак

Дневник тайных пророчеств

Фреска судьбы

Чёрный король

Белое станет черным

Под завесой мистических тайн:

Перстень чернокнижника

Особняк у реки забвения

Клиника в роще

Отель на краю ночи

Замок на Воробьевых горах

Приют вечного сна

Лицо в темной воде

Я – твой сон

Код от чужой жизни

Маша Любимова и Глеб Корсак.
Следствие ведут профессионалы:

Последняя загадка парфюмера

Иероглиф смерти

Никто не придет

Место, где все заканчивается

Не смотри ей в глаза

Покидая царство мертвых

Демоны райского сада

Конец пути

Ведьма придет за тобой

Сон с четверга на пятницу

Заблудшая душа

Евгения и Антон

ГРАНОВСКИЕ

КОД ОТ ЧУЖОЙ ЖИЗНИ

Москва
2015

УДК 821.161.1-312.4
ББК 84(2Рос=Рус)6-44
Г75

Оформление серии *С. Груздева*

Грановская, Евгения.

Г75 Код от чужой жизни : [роман] / Евгения и Антон Грановские. — Москва : Эксмо, 2015. — 320 с. — (Детектив-лабиринт Е. и А. Грановских).

ISBN 978-5-699-81620-0

Профессор-нейрофизиолог Старостин изобрел препарат, способный качественно улучшить мозг человека — многократно усилить память и умственные способности. Но на лабораторию внезапно напали неизвестные! Старостину удалось бежать, прихватив шприц с последним образцом. Чтобы изобретение не попало в руки преследователей, профессор ввел препарат попавшей под его машину незнакомой женщине...

Жизнь Риты Суханкиной была хуже некуда: пьющий муж, безработица, беспросветная нищета... Когда муж за гроши продал их квартиру «черным» риелторам, Рита с детьми сбежала в другой город в надежде начать новую жизнь, но там череда неприятностей только продолжилась. Казалось, у Риты не осталось никакого выхода. Но после случайной аварии ее жизнь невероятным образом изменилась...

**УДК 821.161.1-312.4
ББК 84(2Рос=Рус)6-44**

ISBN 978-5-699-81620-0

ПРОЛОГ

Рита вскрикнула от боли, схватилась рукой за парапет моста, но пальцы ее соскользнули с холодной гладкой поверхности, и она рухнула на колени. Из носа у нее закапала на асфальт кровь, перед глазами засверкали всполохи.

— Пожалуйста... — прошептала Рита. — Не надо...

— Не сопротивляйтесь, — услышала она голос своего врага. — Этим вы делаете себе только хуже.

От следующего удара она повалилась на асфальт и, сжав голову ладонями, громко застонала. Ей показалось, что в голове у нее что-то взорвалось и череп вот-вот разлетится на куски.

Она с трудом приоткрыла глаза и посмотрела на своего врага. Перед глазами у нее стояла пелена, и сквозь эту пелену она увидела не лицо человека, но морду чудовища с хищным, плотоядным оскалом. Враг шагнул вперед. Сумочка «Гуччи» из крокодиловой кожи хрустнула у него под ногой. Он сделал еще шаг и наступил ботинком на край ее норковой шубки от «Блэкглама».

— Ноль-восемь-один-один... — зашептала она.

Монстр насторожился и отступил на шаг.

— Что вы задумали? — подозрительно спросил он.

— Пять-ноль-три-шесть.

Оглушительный скрежет взорвал тишину зимней ночи...

ЧАСТЬ ПЕРВАЯ

●

КАТАСТРОФА

1

Тремя месяцами ранее

— Стой, пока не нажимай, — сказала Рита Суханкина сыну Лешке, который поднял руку, чтобы нажать на кнопку вызова лифта. — Я почту гляну.

Лешка опустил руку, Рита поставила пакеты на пол и перевела дух. Пакеты выглядели внушительно и громоздко, но ничего особенного в них не было. Пакет дешевого молока, хлеб, две пачки гречки, пачка сахара, полтора килограмма яблок по скидке — вот и все, что удалось Рите купить за триста рублей, которые ей выделил на продукты муж.

— Мамочка, а можно мне яблоко? — попросила шестилетняя Лиза.

— Они немытые, подожди до дома, — сказала Рита.

Лиза покорно вздохнула, а Лешка, который был на три года старше сестры, тут же сунул руку в пакет.

— Я кому сказала! — прикрикнула на него Рита.

Лешка нехотя вынул руку из пакета, а Рита повернулась к почтовым ящикам и открыла гнутую жестяную дверцу с надписью «13». В ящике оказалась пара счетов — за газ и телефон, и еще куча рекламных листков, которые Рита бросила, не глядя, в картонную коробку, стоящую рядом.

— Мам, можно уже? — нетерпеливо спросил Лешка.

— Вызывай.

Лешка нажал на кнопку лифта. Рита закрыла жестяную дверцу почтового ящика и со вздохом взяла пакеты с пола.

Когда они поднялись наверх, Рита сразу почувствовала неладное. Дверь квартиры была приоткрыта, оттуда доносились мужские голоса — бу-бу-бу, бу-бу, бу-бу-бу, тянуло табачным дымом и водочным перегаром.

— Папка опять с друзьями бухает, — мрачно констатировал Лешка.

— Не бухает, а пьет, — поправила Лиза. — Бухает — это грубое слово, да ведь, мама?

Рита, не отвечая, толкнула дверь и первой вошла в прихожую. Лешка и Лиза проскользнули следом за ней.

— Разувайтесь и марш к себе в комнату, — приказала им Рита, поставив пакеты с продуктами на пол.

Лешка глянул на мать волчонком, Лиза вздохнула, но оба не стали перечить. Все трое разулись и скинули куртки. Дождавшись, пока дети уйдут, Лиза прошла в гостиную. Запах перегара и табака удушливой волной ударил ей в лицо.

Муж Коля сидел на обшарпанном диване в компании двух незнакомых мужчин, черноволосого и лысого. Редкие волосы Коли были всклокочены, лицо — припухшее и пьяное. На хромоногом журнальном столике перед ним выстроились тарелки с закусками и початая литровка водки. Увидев Риту, Коля осклабил щербатые, проникотиненные зубы.

— О, женушка пришла! Садись, Ритуха, выпей с нами!

Рита шагнула в комнату и тут же споткнулась о груду пустых бутылок из-под водки и пива, валяющуюся на полу. Собутыльники мужа посмотрела на нее с насмешливым любопытством.

— Опять навел в квартиру дружков? — привычно и сокрушенно завела Рита.

Но тут же осеклась, а лицо ее вытянулось от изумления, когда она разглядела закуски, разложенные по тарелкам. Там были красные кружочки копченой колбасы — сочные, в белых прожилках нежного сала, свежие полукружья дорогого мяса — не то буженины, не то... (Рита плохо разбиралась в дорогой еде), в треснувшей стеклянной вазочке, которую Рита много раз собиралась выбросить, лежали, матово мерцая, черные маслины. Картину дополняли три открытые консервные банки: с крабовым мясом, белорусской тушенкой и одна маленькая, зеленая — с красной икрой.

Сердце женщины испуганно заколотилось, предчувствуя беду.

— Откуда все это? — сипло, с трудом вымолвила Рита.

— Могу себе позволить, — горделиво объявил Коля с глупой, пьяной ухмылкой на губах.

Его собутыльники засмеялись.

— Ритуся, — обратился к ней панибратски черноволосый собутыльник мужа. — Ваш Колян — мужик! Коля, держи пять!

Он выставил ладонь, Коля ее пожал.

— Коля, откуда у тебя деньги? — дрогнувшим голосом спросила Рита.

— Угомонись, — строго сказал муж. — Могу я... — Он икнул. — Могу я пригласить друзей на пару рюмашек?

— Коля, я тебя спросила — откуда деньги на выпивку и закуски?

Коля не ответил, лишь пьяно хмыкнул, а второй его собутыльник, лысый, круглоголовый, со шрамом на лбу, улыбнулся и примирительно сказал:

— Ритусь, не злись на своего мужа. Ну, устроил пирушку. Но ведь он сегодня король!

Рита вскинула к груди неухоженные руки со сломанными ногтями.

— Коля, у нас ведь дети. Прошу тебя...

— Цыц! — громыхнул он кулаком по столу. — Я твой муж. И мне тут решать. Ясно?

— Коля...

— Милая, хватит его пилить, — со смехом сказал черноволосый. — Он мужчина и делает то, что хочет.

— Коля, — снова с мольбой заговорила Рита, — детям нечего есть, а ты тут... устроил. Ты уже четыре месяца нигде не работаешь...

— Хватит меня пилить, — огрызнулся муж.

— Но Коль!

— Заткнись, сказал! — Он яростно глянул на нее. — Праздник портишь, выдра!

Собутыльники мужа засмеялись.

— Молодец, Колян, — похвалил черноволосый. — Так и надо с бабами.

— Да че ты с ней вообще говоришь? — глядя на Риту раздевающим взглядом и криво ухмыльнувшись, поддакнул лысый. — Дай раз в рыло, она и заткнется. Баба должна знать свое место.

— Слыхала? — пророкотал муж. — Закрой рот или я тебе врежу! Всю жизнь мне испортила, гадина! — вдруг взбеленился он.

— Я? — изумилась Рита.

— Ты, не я же. Чего уставилась, дура? Фу! — Он скривился. — Рожу твою постную больше видеть не могу.

Лысый взял со стола бутылку.

— Давай, Коля, выпьем за нашу выгодную сделку! — провозгласил он и разлил водку по стаканам.

Мужчины чокнулись стаканами. Коля опрокинул водку в рот, крякнул и заел колбасой, а черноволосый с лысым лишь чуток пригубили и поставили стаканы обратно на стол. Рита это заметила, и сердце ее провалилось в пустоту от сознания того, что происходит что-то страшное и неправильное. Она шагнула к мужу и предостерегающе схватила его за плечо.

— Коля!

Муж резко развернулся и коротко, почти без замаха, ударил ее кулаком по скуле. Рита отшатнулась, но устояла на ногах. Схватилась за распухающую щеку и заплакала. Лысый ткнул в ее сторону пальцем и насмешливо сказал:

— Колян, а ты не прав. Может, рожа у нее и постная, но зад классный!

— Таким задом можно торговать! — со смехом поддакнул ему черноволосый.

— Да кто на нее позарится, — со злой усмешкой отозвался Коля.

— А ты дорого не запрашивай! — со смехом сказал черноволосый. — На бутылку водки потянет! А то и на две!

Рита покраснела от стыда и обиды.

— Сволочь же ты! — в сердцах крикнула она мужу. — Твою жену поносят, а ты слушаешь?

Глаза Коли сузились.

— Сволочишь меня при друзьях? — прорычал он, пристально, не мигая глядя на жену.

— Ну-ка, Колян, научи ее мужа любить! — подбодрил лысый.

— Давай, Колян, покажи ей, кто в доме хозяин! — поддержал со смехом черноволосый.

Лысый ободряюще хлопнул его по плечу. Коля сидел на диване в некоторой нерешительности, соображая, чего же от него хотят новые друзья.

— Давай-давай! — сказал лысый, глядя на Риту все тем же бесцеремонным и похотливым взглядом. — Мужик ты или нет? Она тебя хочет — посмотри!

— Хочет — аж трясется! — со смехом поддакнул черноволосый.

Коля сидел со слегка растерянным видом, не совсем понимая, чего от него хотят.

— Если ты не можешь, я это сделаю! — продолжал куражиться лысый. — Ну!

Коля встал с дивана, отпихнул ногою край стола и, пошатываясь, двинулся на Риту.

— Коля, ты чего? — Рита, прижимая ладонь к щеке, стала пятиться. — Коля?

— Давай, Колян! — подначивал черноволосый. — Покажи ей, какой ты мужик!

Пятясь от мужа, Рита наткнулась спиной на стену, дальше отступать было некуда. Он шагнул к ней, схватил ее сильной рукой за шею, рывком оттащил от стены и швырнул на пол. А затем шагнул к Рите и пнул ее ногой по ребрам. Она вскрикнула. Он пнул еще. Рита, скорчившись на полу, заплакала. Черноволосый и рыжий переглянулись, затем поднялись с дивана.

— Колян, нам пора, — сказал черноволосый. — Надо уладить формальности.

Оба двинулись к выходу из комнаты.

— Че, уже уходите? — разочарованно проговорил Коля. — Может, еще выпьем?

— Как-нибудь потом, — сказал лысый и, проходя мимо Коли, хлопнул его ладонью по плечу.

— А ты помни — у тебя два дня на то, чтобы съехать, — сказал черноволосый и сунул ему ладонь. — Ну, бывай.

Оба вышли из комнаты. Через несколько секунд дверь в прихожей хлопнула — гости ушли.

— Видишь, дура, че ты сделала, — хмуро, с досадой сказал Рите муж. — А ведь так хорошо сидели!

Рита вытерла ладонью кровь, выступившую под носом, всхлипнула и тихо сказала:

— Коля, почему они сказали, что нам надо съехать?

— Не твое дело, — огрызнулся муж. Он подошел к столику и потянулся за бутылкой.

И вдруг Рита все поняла.

— Это были *те торговцы?* — с ужасом, боясь поверить в свою догадку, проговорила она. — Это были они?

Коля не ответил, лишь плеснул себе водки в стакан. Рука его дрогнула, когда он поднимал стакан, да он уже и сам нетвердо стоял на ногах.

— Сколько они тебе дали? — сипло спросила Рита. — Где деньги?

— Сколько дали — все мое.

Муж выпил. Вытер рот рукавом грязной рубашки.

И вдруг Рита вскочила на ноги, бросилась на мужа и принялась колотить его кулаками по спине.

— Сволочь! Гад! А о нас с детьми ты подумал?!

Муж повернул к Рите небритое, темное от злости лицо — одной пятерней он схватил Ритино запястье, а вторую сжал в кулак и с размаху ударил им Риту в лицо.

Ноги Риты подкосились, она рухнула на ковер и потеряла сознание.

2

Когда Рита пришла в себя, уже стемнело. Открыв глаза, она тихо застонала от боли. Возле ее разбитого лица на пол натекла лужица крови. Постанывая, она медленно поднялась на ноги. Посмотрела на мужа. Тот громко и беззаботно храпел на диване.

Рита неверной походкой подошла к зеркалу, висящему на стене, включила бра и посмотрела на свое отражение. Левый глаз заплыл, на правой щеке темнел синяк, губа распухла, под носом запеклась кровь. Рита повернулась к дивану и посмотрела на мужа. Под его головой вместо подушки лежал пластиковый пакет из магазина «Двушка».

Рита, пошатываясь, подошла к мужу. Протянула руку, взялась за край пакета и потянула его на себя. Пакет не поддался. Тогда она взяла мужа за реденькие волосы и приподняла его тяжелую, распухшую от пьянства голову, затем снова ухватила пакет и выволокла его из-под мужниной головы.

Потом она заглянула в пакет и почти не удивилась, увидев там деньги. Сотенные, пятисотенные и тысячные бумажки, навскидку тысяч тридцать рублей. Рита подумала, что это, наверное, все деньги, которые муж получил за проданную проходимцам квартиру. У нее заболело сердце и засвербило в душе, а к горлу подкатил комок.

С пакетом в руке Рита прошла в комнату детей. Лешка и Лиза спали на своих кроватях. Лешка — укрывшись с головой, Лиза — разметавшись по кровати, с босыми ногами на подушке.

Рита прошла к кровати дочери и присела на край. Посидела немного молча, пытаясь прийти в себя и придумать, что делать дальше. В голове было пусто до тошноты. И тут Рита кое-что вспомнила. Она положила пакет с деньгами на кровать, затем нагнулась к тумбочке и открыла ящичек. Достала из ящичка несколько потрепанных конвертов. Нашла нужный, вынула из него письмо, прошлась по странице взглядом, всхлипнула, вытерла рукою разбитый нос и перечитала конец письма.

«Приизжай падруга! Здесь у нас город бальшой и есть работа для всех. И для тебя будит, и для твоего Кольки.

Хотя он конешно непутейный, но как знать. Ритка я очень по тебе саскучилась. Люблю тебя и скучаю. Твоя подруга Аля».

Лизка что-то забормотала во сне. Рита прислушалась.

— Папочка, не надо... Милый, не надо... — невнятно бормотала Лиза, а может быть, Рите это только показалось. Дочка зашевелила ногами, пнула Риту маленькой ступней в бедро и перевернулась на другой бок.

Рита снова перечитала письмо, потом еще раз и крепко задумалась. А когда через минуту она вложила письмо обратно в конверт, решение уже было найдено.

Сперва она собрала вещи в большую зеленую сумку, которую когда-то Коля брал на рыбалку, тогда, когда еще был способен на что-либо другое, кроме пьянки.

Разбудить детей оказалось непросто, а проснувшись, они глядели на Риту сонными, ошалелыми глазами, не понимая, зачем она одевает их посреди ночи, Лешка пробовал возражать, но Рита шепотом ругнулась на него, и он замолчал — но не столько от ругани, сколько от этого ее предостерегающего шепота, и от того, что он наконец-то разглядел синяки на лице матери.

— Мамочка, можно мне еще немножечко поспать? — позевывая и протирая кулачками глаза, спросила Лиза.

— Не сейчас, — тихо сказала Рита. — Поспишь в автобусе.

— В каком автобусе? — хмуро спросил Лешка.

— В таком, в каком надо, — сказала Рита. И смягчившись, пояснила: — Мы едем в гости к тете Але. — Рита взяла с кровати пакет с деньгами. — Идемте.

В прихожей она быстро оделась сама, помогла одеться Лизе, Лешка от помощи отказался, недовольно пыхтя и с трудом натягивая курточку на два свитера, которые она заставила его надеть.

— А папу мы не возьмем? — спросила Лиза сонным голоском.

— Пока нет, — сказала Рита. — Потом ему позвоним.

— Когда? — простодушно спросила дочка.

— Когда он выспится. Ты же видела, папка устал.

— Он опять надрался, — сказал Лешка, пытаясь застегнуть края капюшона.

— Не надрался, а немного выпил, — с упреком поправила Лиза. — «Надрался» — это грубое слово, да ведь, мама?

— Да, — сказала Рита.

Она засунула пакет с деньгами в боковой карман зеленой сумки и повернулась к двери.

— Ну, все. Пошли!

Рита открыла дверь, распахнула ее, пропустила детей мимо себя, затем вышла сама и защелкнула за собой замок.

* * *

«Сашенька, я виновата. Но я исправлюсь. Ты видишь, я увезла от него Лизу и Лешку. Ты же это видишь?»

Саша стоял перед ней, тонкий, как веточка, молчаливый и спокойный; белое рассеянное солнце светило у него за спиной, и она не могла разглядеть черт его лица.

«Саша, что же ты молчишь? Я ведь стараюсь. Ты видишь, я стараюсь».

Он еще несколько секунд постоял на месте, потом, так ничего и не сказав, развернулся и пошел от нее, к белому солнцу, и фигурка его с каждым шагом теряла четкость, сливаясь с белым, рассеянным светом, и через несколько секунд полностью слилась с ним. Внутри Риты стала разрастаться тоска, сдавила ей грудь и горло, обложила сердце.

«Саша!» — крикнула Рита.

Автобус подпрыгнул на ухабе, и Рита открыла глаза. Лешка и Лиза смотрели на нее строгими глазами.

— Что случилось? — сипло спросила она.

Лешка молча нахмурился, а Лиза сказала:

— Мамочка, ты опять разговаривала с Сашей во сне.

— Правда? — Она попыталась улыбнуться, но получилось плохо.

— Ты сказала ему, что ты виновата, — сказал Лешка.

— В том, что он помер, — сказала Лиза.

Рита протерла пальцами глаза, с удивлением обнаружив, что они мокрые от слез. Потом посмотрела на детей и, через силу улыбнувшись, сказала:

— Это был сон. Всего лишь сон.

— Тебе слишком часто снится этот сон, — сказал Лешка.

— Ничего, — вздохнула Рита. — Ничего. Это даже хорошо, что часто.

Лешка нахмурился.

— Алеша боится, что ты любишь нас меньше, чем любила Сашу, — объяснила Лиза.

— Вот еще! — воскликнул Лешка, багровея.

Рита повернулась к окну. Оставшиеся полчаса пути она не спала, а смотрела на проплывающие мимо черные, влажные перелески, поля с жухлой травой и редкие домики, огороженные темным штакетником заборов.

3

Они двинулись по гулкому, наполненному снующими людьми, тускло освещенному зданию автовокзала. Со стороны кафе доносился звон посуды, пахло котлетами и борщом.

— Ма, как вкусно пахнет! — прикрыв глаза и вдыхая воздух, проговорил Лешка.

А Лиза дернула Риту за руку и спросила, оглядывая высокий потолок и длинные серые стены.

— Это что, мам?

— Это автовокзал, — ответила она. И поскорее потащила детей от вкусных запахов еды. — Идемте!

Они пересекли наконец зал и вышли на улицу. Серый утренний воздух, словно бисером, был прошит невидимыми капельками влаги.

Лиза обернулась на здание автовокзала.

— Мам, смотри, как красиво! — восторженно сказала она.

Рита тоже обернулась. С замиранием сердца посмотрела на автовокзал, потом на окружающие площадь большие коричневатые дома, ей стало хорошо и страшно одновременно. В последний раз Рита была в городе лет шесть назад. Казалось, за эти годы здания стали еще выше, а площадь перед автовокзалом еще шире. Быть может, поэтому Рита ощутила себя маленькой и беспомощной, но быстро осадила себя, вспомнив, что обещала Саше заботиться о младших.

Дом, где жила Аля, находился почти у самого автовокзала. Рита хорошо помнила, как к нему идти, но на дороге построили магазин и разбили вещевой рынок, поэтому ей и детям пришлось немного поплутать. В итоге они вышли к дому Али с другой стороны, но сразу нашли нужный подъезд (третий и слева, и справа). На двери был кодовый замок, но, по счастью, он оказался сломан. Рита и дети вошли в подъезд, пешком поднялись на второй этаж и остановились перед дверью, обшитой темно-коричневым поцарапанным дерматином.

— Мам, а если ее нет дома? — спросил Лешка. — Ты же ей не звонила?

— Она дома, — сказала Рита, думая о том, что сын прав, и удивляясь, как она сама не догадалась позвонить подруге, ведь номер ее телефона был записан на обложке старенького телефонного справочника.

Рита нажала на черную кнопку звонка. Сигнал был резкий и хриплый. Рита невольно отдернула руку. Второй раз звонить не стала, решила просто подождать.

Прошло, наверное, полминуты, но, наконец, замок сухо и тихо щелкнул, и дверь приоткрылась. Рита увидела рослого, коротко стриженного парня в майке и шортах. Она ожидала увидеть Алю, поэтому слегка растерялась.

— Вы кто? — спросил ее парень.

— Я... Рита. Рита Суханкина.

— Поздравляю, — сказал парень. — И чего вам надо?

— Мне бы это... — Рита запнулась, не зная, как сказать, чтобы не раздражать и без того недовольного парня. — Мне бы Алю увидеть, — выговорила она после секундной паузы. — То есть Алевтину. Я ее старая подруга.

— Вижу, что не молодая, — сказал парень с легкой усмешкой. Потом повернулся и крикнул в глубину комнаты: — Насть! Тут какая-то тетка хочет видеть какую-то Алевтину!

Зашлепали босые ноги, и Рита увидела полноватую девушку, одетую в обтягивающую футболку. Та встала рядом с парнем.

— Здравствуйте! — вежливо сказал ей Рита.

Та оглядела Риту с головы до ног, выдула изо рта пузырь жвачки и лопнула его.

— Мне бы Алевтину увидеть, — сказала Рита. — Я ее подруга. Она здесь?

— Нет, — сказала девушка, окидывая ее подозрительным взглядом.

Рита вежливо улыбнулась.

— А где она?

— В гробу, — сказала девушка и тоже усмехнулась. — Под толстым-толстым слоем земли.

Лицо Риты чуть вытянулось, а в глазах появилось недоумение.

— Чего же вы так шутите? — с упреком сказала она. — Нельзя же так шутить.

— А кто сказал, что я шучу? Я ее племянница. Тетка померла от пневмонии полгода назад, а квартира теперь моя. Есть еще вопросы?

Рита молчала, потрясенная известием. Девушка чуть подалась вперед, вперила в нее взгляд холодных голубых взгляд и вдруг по-кошачьи прошипела:

— Хотела отхапать квартиру? Опоздала, тетя. Иди гуляй.

Рита попятилась, с ужасом глядя на девушку и парня.

— Что вы... — забормотала она. — Я не хотела...

— Вот и топай. И волосы помой. — Девушка наморщила нос. — От тебя за километр несет Мухосранском.

Дверь захлопнулась перед носами Риты и детей.

— Мам, пойдем, — сказал Лешка.

Рита не отозвалась. Лиза дернула ее за край куртки:

— Пошли, мам.

Рита всхлипнула.

— Алечка... — пробормотала она. — Как же так?

4

Облачное небо навалилось на Риту всей своей тяжестью, едва она вышла из подъезда. Улица, окружающие дома, деревья, лужи — все казалось черно-белым и каким-то выцветшим, словно обескровленным, как в старом-старом кино. Рита повесила сумку на плечо, взяла детей за руки и потащила их прочь от дома.

— Мам, куда мы идем? — спросила Лиза.

Рита не ответила. Она просто шла вперед, ради того лишь, чтобы хоть куда-то идти, стараясь убежать от горя и тоски и от чувства безысходности, которое охватило ее.

Свернув за угол, они снова увидели автовокзал, но уже с другой стороны. Рита машинально повела детей к автовокзалу — единственному хорошо знакомому ей месту в городе.

Откуда-то сбоку появилась и преградила им дорогу пожилая полная цыганка с неприятным темным лицом.

— Ай, милая, ай, красивая, дай погадаю — всю правду расскажу! — затараторила цыганка.

Рита обошла цыганку стороной и потащила детей дальше. Лиза повернула голову и с любопытством смотрела на цыганку.

— Под ноги гляди! — проворчала на нее Рита.

— Муж твой плохой! — крикнула им вслед цыганка. — Все продал, деньги пропил, вас по миру пустил!

Рита остановилась — как на невидимую стену наткнулась.

— Ты с детьми уехала, мужу не сказала! — громко проговорила цыганка.

Рита медленно обернулась.

— Откуда вы... все это знаете? — спросила она.

Цыганка улыбнулась, блеснув золотым зубом.

— Судьбу твою вижу, красавица! Все, что было, и все, что будет!

— И... что у меня будет? — запнувшись, спросила Рита.

— Дай руку, погадаю — разгадаю! — добродушно сказала цыганка, подходя к ней и протягивая ладонь. — Не бойся, красавица, дорого не возьму — нравишься ты мне, хорошая ты!

Рита недоверчиво смотрела на цыганку, не подавая ей руки.

— Почему это я вам нравлюсь? — негромко спросила она.

Цыганка улыбнулась — мягко, по-сестрински:

— А потому нравишься, милая, что одна ты. Одна с детьми, как и я. Мой тоже пил, пил, меня, детей бил, и я тоже ушла. Ушла — и себя нашла! И ты тоже себя найдешь, милая. Дай руку. Сто рублей всего возьму и всю судьбу твою расскажу.

Рита нерешительно посмотрела на смуглую руку цыганки, так же нерешительно протянула свою. Цыганка подтянула ее ладонь к своим близоруким глазам, пару секунд разглядывала линии и вдруг зацокала языком, закачала головой:

— Ай цеге, ай цеге-е... Много плохого тебя ждет, милая.

— Пло...хого? — еле выговорила Рита.

Цыганка пристальнее вгляделась в ее ладонь, нахмурилась и сказала:

— Недели не пройдет, как в зеркале себя не узнаешь. Будет все новое, будет у тебя мужчина, в золоте станешь купаться и с серебра есть...

Рита вырвала руку.

— Глупости какие говоришь, цыганка, — сердито сказала она. — Какое еще золото? Сбрендила ты, что ли, совсем?

Цыганка подняла голову и посмотрела Рите в глаза.

— Золото не съешь, и серебро не съешь — только зубы обломаешь, — непонятно изрекла она.

Еще пару секунд они смотрели друг другу в глаза, а потом цыганка вдруг запрокинул голову и засмеялась, смачно, нагло, страшно.

— Дура какая! — выругалась Рита.

Она схватила детей за руки и потащила их прочь от цыганки. А та все смеялась ей вслед, и от смеха ее, похожего на зловещее воронье карканье, по коже Риты бегали холодные мурашки, как предвестники близкого несчастья.

Когда они проходили мимо кафе «Росбутер», Лиза дернула мать за руку и объявила:

— Хочу есть!

Рита остановилась, посмотрела на требовательное личико дочери, на хмурое лицо сына, перевела рассеянный взгляд на вывеску кафе, секунду думала, затем решительно сказала:

— Поедим тут.

— Может, батон и кефир купим? Дешевле выйдет, — предложил Лешка.

— Нет. Поедим тут. Только деньги достану.

Рита подошла к серой покосившейся скамейке и поставила на нее сумку. Расстегнула боковой кармашек, намереваясь достать пакет с деньгами, и вдруг замерла.

— А где...

Она осеклась. Стала быстро и испуганно перебирать карманы сумки. Один, второй и от отчаяния третий — совсем маленький, в котором ничего бы не уместилось.

— Мам? — насторожился Лешка.

— Мамуль, ты чего? — удивленно спросила Лиза.

Рита остановилась, повернула голову, посмотрела на детей расширившимися от ужаса глазами.

— Деньги... — хрипло пробормотала она. — Их... нет.

— Потеряла? — удивилась Лиза.

А Лешка, уже взрослый и все понимающий, побледнев, уточнил:

— А сколько пропало?

— Все, — сказала Рита тем же упавшим голосом. — Все деньги пропали.

Еще секунду Рита смотрела на детей ошалевшим, полубезумным взглядом, а потом опустилась на скамейку, закрыла лицо ладонями и зарыдала.

Лешка с Лизой переглянулись. Оба нахмурились и вздохнули. Вдруг Рита отняла от лица ладони и хрипло воскликнула:

— Цыганка!

— Мам... — заговорил было Лешка.

Не слушая сына, Рита вскочила на ноги.

...Почти час Рита и дети петляли по кварталу, заглядывая в каждый двор, дергая двери подъездов, приставая с расспросами к дворникам-таджикам. Цыганки след простыл.

— Мам, это бесполезно, — сказал наконец Лешка. — Мы ее не найдем.

Рита не отозвалась.

— Мам, я есть хочу, — обиженно шмыгнув носом, сказала Лиза. — И устала. Ноги уже не ходят. ...Мама?

Рита стояла посреди двора, глядя на свое черное отражение в луже, и о чем-то размышляла.

— Мам? — спросил Лешка. — Ты чего?

— Чего ты, мамуль? — удивленно пролепетала Лиза, прижимая к себе тряпичную куклу.

И Рита сбросила с себя оцепенение.

— Да пошло оно все! — в сердцах выругалась она. — Все равно не вернуся! Пусть сдохнет там от своей водки, а я не вернуся! — Рита посмотрела на детей. — И вам не дам, поняли?

Лешка и Лиза поспешно закивали, с изумлением глядя на мать.

— Хотели в «Росбутер»? — Она протянула им руки. — Пошлите!

5

Они выбрали крайний столик в кафе «Росбутер». Столик был красивый — красный, пластиковый, блестящий, и от этого выглядевший таким чистым, что Рите стало неудобно за то, что одежда на ней и детях старая.

— Мам, а что мы закажем? — спросила Лиза, устроившись за столиком. — Я хочу курицу и картошку фри!

— А мне росбутер «Курица-шашлык», — объявил Лешка.

— Тише, — оборвала их Рита, быстро оглядывая зал.

Девушка, сидящая за соседним столиком, встала, надела курточку и зашагала к выходу. Поднос с недоедеными росбутером и картошкой остался на столе. Рита быстро поднялась, отслеживая взглядом уборщиков, чтобы — если придется — быстро их опередить, шагнула к столику, взяла поднос и поставила его на стол перед детьми.

— Ешьте, — сказала она, усаживаясь на стул.

Лешка и Лиза посмотрели на поднос с остатками еды подозрительными взглядами.

— Мам, это же чужие объедки, — сказал Лешка.

— Она их не кусала, — заверила его Рита. — Просто отламывала пальцами, я видела.

Лешка и Лиза переглянулись, потом уставились на мать недоверчивыми взглядами. Рита нахмурилась.

— Хватит нос воротить. Ешьте! Быстро!

Дети все еще пребывала в сомнении. Рита погрозила им пальцем:

— Вот не найду работу, и придется нам с вами мурцовку хряпать. Вспомните тогда, как от вкусноты отказывались.

Губы Лизки задрожали.

— Не хочу мурцовку хряпать, — занюнила она.

— Никто не хочет, — сказала Рита. — Ешьте!

Еще несколько секунд дети колебались, но потом голод победил брезгливость, Лизка взяла пакетик с картошкой, а Лешка — росбутер. Ели они с аппетитом, а Рита смотрела на детей и думала о том, что все это ничего. Она обязательно найдет, где заработать. Руки есть, желание — тоже. Как-нибудь образуется.

— Доели? — спросила Рита.

— Да, — с довольным видом сказала Лиза.

— Давно уже, — пробурчал Лешка.

Губы и щеки Лизы были испачканы кетчупом. Рита достала из холщовой сумки платок, вытерла дочери мордашку.

— Мам, а мы нищие? — спросила вдруг Лиза.

Рита замерла, сжала в руке платок, потом нахмурилась и сказала строго:

— Нет. С чего ты взяла?

— Дурочка, мы не нищие, — назидательно сказал сестре Лешка. — Мы бомжи. Поняла?

— Перестаньте, — сердито сказала Рита. — Мы не нищие и не бомжи. У нас с вами эти... как их... временные трудности, ясно?

— Ясно, — сказала Лизка.

— И сколько времени они будут длиться, эти трудности? — спросил Лешка.

— Пока я не найду работу, — ответила Рита. — Вот как только найду, так они сразу и закончатся.

— А если вообще не найдешь? — поинтересовалась Лиза.

— Типун тебе на язык, — строго сказала Рита. — Найду, никуда не денусь.

Потом они вышли на улицу, и пошли по улице, и пару минут шли в молчании, а потом Лиза подняла голову и спросила:

— Мам, а что такое типун?

Рита не ответила. Она увидела церковь — белую, с золотым куполом, и рука ее сама собой поднялась ко лбу. Она стыдливо перекрестилась, потом взяла детей за руки и торопливо повела их мимо церкви. Когда они поравнялись с церковными воротами, безногий нищий, сидевший на плитках тротуара, громко сказал ей:

— Благослови тебя господь, добрая женщина!

— Вы бы не сидели на холодном, — сказала Рита. — Сильнее ведь заболеете.

— Да мне уже все одно, — усмехнулся нищий и махнул черной от грязи рукой. — Денек протяну — и хорошо. Нет — значит, так тому и быть.

Рита секунду раздумывала, затем достала из кармана завернутый в салфетку кусочек росбургера, который она подхватила с какого-то столика перед уходом из кафе, и протянула его нищему. Тот взял и чинно поблагодарил:

— Благодарствую.

— Мам, ты же говорила, что у нас мало денег, — запротестовал Лешка. — А сама дала этому дяденьке росбургер. Почему?

Рита погладила сына по голове и, чуть наклонившись к нему, тихо проговорила:

— Нужно делиться с теми, кому хуже, чем нам.

Нищий насторожился, вслушиваясь в тихий голос Риты. И вдруг спросил, кивнув на тряпичную куклу, которую прижимала к груди Лиза.

— Как ее зовут?

Лиза посмотрела на куклу, потом на нищего и сказала серьезным голосом:

— Ее зовут Васька.

— Но это ведь девочка, — сказал нищий.

— И что?

— Васька ей не подходит.

— Васька это сокращенно — от Василисы, — объяснила Лиза.

Нищий улыбнулся:

— Вот оно что! А вы сами-то откуда? — спросил он у Риты.

— Из Амбросиевки, — ответила она. — В сорока километрах от города.

— Как же, слышал, — кивнул нищий. — И как там дела, в Амбросиевке?

— Да по-разному. Как и везде.

— А чего в город? В гости или погулять?

Рита хотела ответить, но не знала как. На помощь пришла Лиза.

— Наш папа побил маму и пропил все деньги, — сказала Лиза, с любопытством разглядывая бомжа.

Рита с упреком посмотрела на дочку:

— Лиза!

Нищий крякнул.

— Вот, значит, как. — Он посмотрел на Риту. — Значит, приехали в город, а ни денег, ни жилья у вас тут нет. Я правильно понимаю?

— Правильно, — негромко сказала Рита. — Но все образуется. — Она через силу улыбнулась и добавила: — Я работящая, не пропадем. Нам пора. До свиданья! — Рита взяла детей за руки. — Идемте! Ну, чего встали?

Они еще раз кивнула нищему, затем вся троица пошла прочь. Нищий наморщил грязный лоб, о чем-то размышляя. Потом резко выдохнул, словно принял вдруг твердое решение, и крикнул вслед Рите и детям:

— Эй, мамаша! Мамаша, погоди!

Рита остановилась, вопросительно глянула на нищего через плечо.

— Поди-ка сюда! — сказал нищий.

Рита, по-прежнему держа детишек за руки, подошла к нищему и остановилась перед ним:

— Чего?

— Тут в арт-галерее работает одна женщина. Зовут Нина Ивановна. Подойди к ней и скажи, что ты от Викентьевича. И что тебе нужен угол. Временно.

— И зачем это? — не поняла Рита.

— Нина Ивановна очень добрая женщина. Всем нам тут помогает. То денежек подкинет на хлеб, а то сумку с продуктами оставит. Глядишь, и тебе как-нибудь поможет. Сильно-то не надейся, но попробуй.

— А где этот магазин? — спросила Рита.

— Это не магазин. Там картины висят — чтоб все любовались. Иди к вокзалу, но не входи внутрь, а поверни направо. Там сразу и увидишь. «Арт-галерея». Запомнишь?

— Запомню, не дура же. Ну, спасибочки вам.

— Да мне что — тебе спасибо. Иди с богом.

Бомж улыбнулся ей на прощанье, затем развернулся вместе с каталкой и снова заблажил свою песню.

— Подайте на пропитание калеке! За людей пострадал! Не ради себя, ради бога прошу! Подайте на пропитание!

«Арт-галерея» оказалась одной большой комнатой, на стенах которой висели картины. Деревья на картинах были сплошь кривые, люди страшные, а на некоторых не было ни людей, ни деревьев, а только одни пятна и черточки.

— Мам, как тут красиво! — восторженно проговорила Лиза. — Прямо как в музее!

Навстречу им шла высокая худая женщина с коротко стриженными (под мальчика) обесцвеченными волосами. Одета она была странно — в кофту, длинную зеленую юбку и в светлые тапочки, похожие на кеды. На каждом запястье у женщины было по миллиону браслетов, но все дешевенькие, из бусиков или вообще из переплетенных шерстяных ниток. Она была похожа на тощую длинную цыганку, но только с русским лицом.

Женщина остановилась перед Ритой, улыбнулась и сказала:

— Здравствуйте!

— И вам не хворать, — отозвалась Рита.

Женщина посмотрела на Лизу.

— Как тебя зовут? — ласково поинтересовалась она.

Лиза посмотрела на нее снизу вверх и с достоинством ответила:

— Лизавета Николаевна.

Стриженая повернулась к полочкам со всякой красивой всячиной, сняла с крюка маленький брелок с пушистым котенком и протянула Лизе:

— Это вам, Елизавета Николаевна, — сказала женщина.

Лиза с восторгом посмотрела на котенка, дернула рукой, явно собираясь протянуть ее, но так и не протянула.

— Я от незнакомых людей подарков не принимаю, — сказала девочка — спокойно, без вызова.

— Лиза! — прикрикнула на дочку Рита.

— Да нет, она совершенно права. От незнакомых людей подарки принимать не следует. Знаешь, что мы сделаем?

— Познакомимся? — предположила Лиза.

— Точно! Твое имя я уже знаю. А меня зовут Нина Ивановна. Я хозяйка этой галереи.

— Всего-всего? — недоверчиво уточнила Лиза.

— Всего-всего, — кивнула Нина Ивановна. — Держи!

Она снова протянула Лизе пушистого котенка. Лиза, поколебавшись, взяла подарок.

— Лиза, что надо сказать? — тихо напомнила ей Рита.

— Мам, я и сама знаю, просто не успела, — запротестовала Лиза. Повернула голову к Нине Ивановне и вежливо проговорила: — Спасибо!

— Не за что, — отозвалась хозяйка галереи приветливым голосом.

Рита с любопытством и надеждой посмотрела на Нину Ивановну. На вид той было лет тридцать с небольшим. Как и самой Рите. Лицо у Нины Ивановны было симпатичное, почти красивое, только немного усталое.

— Это ваша дочка? — спросила Нина Ивановна у Риты, кивнув на Лизу.

— Да. Спасибо за котенка. Я...

— Красивая у вас дочурка. И смышленая.

Рита кашлянула в кулак и приступила к делу.

— Нина Ивановна, меня сюда послал этот человек с улицы... Ну, бомж... Как же его?... — Рита сдвинула брови, припоминая. — Викентьевич, кажется... Сказал, что вы добрая, и чтобы я... сказала вам про себя.

— Вот как! Хорошо. Викентьевич — мой старый друг. И что же вы должны рассказать мне про себя?

— Да рассказывать особо нечего... Нам бы это... угол снять в городе... Денег у меня пока нет, но я работящая. Найду работу и обязательно заплачу.

Нина Ивановна молча выслушала Риту, а когда та закончила, спросила, кивнув подбородком на ее припухшее от побоев лицо:

— Это у вас откуда?

Рита открыла рот для ответа, но Лиза ее опередила.

— Это ее папа побил, — с готовностью сообщила она. — За то, что мама не давала ему все деньги пропить. Только он все равно пропил.

Лешка дернул ее за руку.

— Это наше личное дело, — угрюмо проговорил он. — Нельзя всем про это рассказывать.

Нина Ивановна улыбнулась.

— Ты прав, — сказала она. — Я не буду лезть в ваши личные дела. Но я могу попробовать вам помочь. Ведь могу?

Лешка отвел глаза, но ничего не сказал. Нина Ивановна перевела взгляд на Риту.

— Тут рядом есть кафе с игровой комнатой. Давайте отведем туда детей, а сами побеседуем за чашкой кофе.

6

— Три с половиной года назад мы с мужем потеряли сына. — Рита перевела дух, изо всех сил стараясь не заплакать. — Его звали Сашенька, и ему было шесть лет.

— Боже! — тихо проговорила Нина Ивановна. Она положила руку на предплечье Риты и легонько сжала его пальцами. — Я тебе сочувствую. Очень. Прости, что напомнила.

— Я сама стараюсь его не забывать. Мне кажется, если я перестану его вспоминать — я его предам.

Нина Ивановна помолчала, искоса поглядывая на Риту.

— Но ведь тяжело так, наверное, — сказала она после паузы. — Все время помнить...

— Да, — сказала Рита. — Нелегко.

Она помолчала, отпила кофе, после чего продолжила свой невеселый рассказ.

— Муж запил. Ну, то есть, он и раньше это дело любил. Но после Сашеньки вообще с катушек слетел. Первое время он еще работал — слесарем в сервисе, а потом и работу забросил. Так, подрабатывал там-сям, но уже через пень-колоду. Остальное время пил со своими дружками-бухариками. «Жигуленок» пропил, «копейку». Румынский гарнитур с трельяжем, еще много чего. Денег вообще почти не стало, пришлось мне на три работы устроиться, чтобы деток и алконавта этого тянуть. А недели две назад повадились к нему какие-то дельцы. Квартиру предлагали им продать. И втемяшил Колька себе в башку, что квартира нам не нужна, что можем у деда с бабкой пожить в Красноярском крае. А где там жить? У них избенка кособокая — спальня да кухня. Да сарай-развалюшка. — Рита снова сделала паузу, чтобы перевести дух. — Ну, а вчера прихожу с детями домой — а он сидит, пьет, — продолжила Рита. — Продажу квартиры нашей обмывает. А они — которые с ним — говорят, что нам через два дня надо съехать. Я в крик — что? как? куда съехать? А Колька меня поколотил да и храпеть завалился.

— То есть... он все-таки продал вашу квартиру?

Рита махнула рукой.

— Да какое там «продал», — с досадой сказала она. — Облапошили его. Считай, за так отдал. А я, как в себя пришла, вспомнила, что меня подруга Алька в город звала. Я деньги у Кольки забрала, детей разбудила — и на автобус. Да тут еще хуже стало.

— Хуже?

— Алька померла. В ее квартире теперь племянница со своих хахалем живет. А вдобавок у меня еще все деньги украли.

— Украли?

— Угу. Тыщ тридцать там было. Цыганка мне на ладони гадала, да пока я слушала, все и сперла. Ума не приложу, как она сумела. — Рита вздохнула. — Не надо было мне деньги в карман сумки класть. Надо было в одежку спрятать. Но чего уж теперь говорить...

Они помолчали.

— Значит, так, — сказала Нина Ивановна после паузы. — Я сейчас живу одна, муж уехал в рабочую командировку на три недели. Комнатка у меня для тебя и твоих детей найдется. Поживешь, пообвыкнешься...

— Так это... — Рита чуть покраснела. — У меня денег-то почти нет. Чем платить буду?

Нина Ивановна улыбнулась:

— Устроишься на работу — отдашь.

— Вот спасибочки! — обрадовалась Рита. Но тут же насторожилась: — А сколько?

— Да не бойся, много не возьму, — по-доброму усмехнулась Нина Ивановна. — Получишь зарплату — дашь столько, сколько захочешь.

— А если сбегу? Да еще обворую вас?

— Тогда я заявлю на тебя в полицию. Но надеюсь, что до этого не дойдет. Да ладно, не напрягайся, я пошутила. Все будет хорошо. Может, со временем найдешь себе комнату в общаге. Или устроишься на работу с предоставлением жилья.

Рита смотрела на Нину Ивановну с сомнением.

— Почему вы мне помогаете? — спросила она, глядя ей в глаза. — Только по-честному.

Нина Ивановна помедлила пару секунд, а затем нехотя проговорила:

— Пятнадцать лет назад я поссорилась с родителями и ушла из дома. Занималась черт знает чем, впуталась в одну нехорошую историю... В общем, если бы одна добрая женщина не подобрала меня и не отвела к себе домой — меня бы сейчас здесь не было. И вообще бы не было. Нигде. А теперь зови детей и пойдем!

Нина Ивановна поднялась из-за стола.

7

Нина Ивановна открыла дверь, включила в прихожей свет и посторонилась, впуская Риту и ее детей в квартиру.

— Ну, вот мы и дома, — с улыбкой сказала она. — Проходите и располагайтесь!

Рита подтолкнула вперед детей, потом вошла сама. Лизка с Лешкой тут же завертели головами, с восхищением глядя на красивую люстру, на вешалку из оленьих рогов, на красивые картинки, развешанные на стенах.

— Четкая у вас квартира, — вежливо похвалила Рита.

— Четкая? — не поняла Нина Ивановна.

— Крутая, — пояснил Лешка.

— Клевая, — нашла нужным добавить Лиза.

Нина Ивановна засмеялась.

— Спасибо за комплимент. Разувайтесь, вешайте куртки и проходите в гостиную!

В гостиной оказалось еще красивее и как-то совсем уж необычно и непривычно для Риты. На стенах — ни одного ковра. Мебели необычно мало: только диван, два кресла, несколько толстых полок с какими-то бесполезными статуэтками. Перед диваном — маленький столик, словно нарочно обшарпанный, а напротив дивана, на стене, огромный черный экран телевизора. Рита такие только в сериалах видела.

И ни тебе комодов, ни тебе серванта, да и ковер под ногами какой-то скучный, без узоров.

— Садитесь, где удобнее, — сказала Нина Ивановна. — А я пойду сделаю чай. Да соображу что-нибудь перекусить.

— Можно я вам помогу? — робко спросила Рита.

Нина Ивановна улыбнулась:

— Конечно. Только зови меня просто Нина. Да, и давай на «ты». Я на работе от этого «выканья» устаю. Договорились?

— Договорились, — сказала Рита.

...На кухне работа нашлась для обеих женщин. Рита нарезала сыр для бутербродов, а Нина заваривала какой-то особенный чай, отвечая на вопросы Риты.

— А муж у вас есть?

— Есть. Гражданский.

— Это как?

— Живем вместе, но не расписаны.

— А где он сейчас?

— В Рейкьявике.

— А это что? — не поняла Рита.

— Рейкьявик-то? — Нина Ивановна улыбнулась. — Город, конечно.

— Далеко от нашего?

— От нашего города?

— Да.

— Очень! Это в Исландии. Знаешь такую страну?

— Конечно. — Рита чуть покраснела и тихо проговорила: — Это... рядом с Америкой, да?

Нина Ивановна засмеялась:

— Не совсем. Но неважно. Знаешь, у меня и у самой в школе по географии был трояк.

Рита закончила с сыром и принялась нарезать ветчину.

— И чем ваш муж там занимается? — спросила она у Нины.

— Он писатель. Только пока не очень известный.

— Вот оно как. Писатель! Повезло вам. — Рита вздохнула. — А мой — просто алкаш.

— Да, — задумчиво проговорила Нина Ивановна, разливая чай по фарфоровым чашкам. — Алкоголь разрушил немало семей.

— А ваш-то не пьет? — поинтересовалась Рита.

— Ну, иногда случается. Любит красное сухое вино. Испанское, итальянское.

— Вы за ним приглядывайте, — назидательно сказала Рита. — С «сухарика»-то все и начинается. Сперва стакан-другой «Арбатского», потом портвешок, а там и до беленькой недалеко. Мой тоже со слабенького начинал. Сперва «Тещин погребок» пил, а потом сам не заметил как на «Дзедулину пляшку» перешел. Знаете такую?

— Э... да. — Нина Ивановна неуверенно улыбнулась. — Слышала.

— Ну, вот, — кивнула Рита, сооружая бутерброды с сыром и ветчиной. — Ну, а с «пляшки» уже перескочил на водяру. У мужиков это быстро.

— Ты его, наверное, ненавидишь?

Рита прервала свое занятие, задумалась, потом покачала головой и сказала:

— Да нет. Как ненавидеть-то? Одиннадцать лет вместе. Плохой был, да свой.

Нина Ивановна понимающе кивнула, хоть было видно, что она не совсем понимает чувства Риты и уж точно их не принимает.

— Ладно, — сказала Нина Ивановна, — теперь ставь тарелки на поднос. Будем пить чай в гостиной.

— Может, не надо? — нахмурилась Рита. — У вас там ковер такой красивый, а мои его хлебными крошками и чаем обгадят.

Но чаевничали все-таки в гостиной. Рита чувствовала себя неловко — ей было стыдно за свои манеры, за то, что дети чавкают, за то, что крошки падают на стол. И в то же время она впервые за долгое время чувствовала себя спокойной и защищенной от невзгод. Горечь из-за потерянных денег почти ушла, тоска по умершей Але тоже почти не давала о себе знать.

— Хорошо у вас тут, — сказала Рита, прихлебывая чай и оглядывая большую комнату.

Здесь не было ни привычного ковра на стене, ни приличной мебели-«стенки». В посудном шкафчике вместо тарелок и чашек были одни только бокалы — узкие, широкие, маленькие, большие, да и те не хрустальные, а из простого стекла. Но смотрелось все равно красиво. (Правда, Рита ума не могла приложить, для чего людям так много бокалов? Разве что на свадьбу, так и свадьбы же не каждый день.)

Что-то мелодично стукнуло за спиной у Риты. Она вздрогнула и завертела головой.

— Ох, матушки! Чего это? — испугалась Рита.

— Что? — не поняла Нина Ивановна.

— Да вот стучит-то!

— А, это. — Нина Ивановна улыбнулась. — Часы. Они отбивают каждый час.

Рита успокоилась и загляделась на часы, изображающие всадника, оседлавшего небольшую лошадку, вставшую на дыбы.

— Красивые, — похвалила Рита. — И мужчина такой важный. Настоящий командир. Дорогие, поди, часы-то?

— Не знаю. Мне от матери достались. А ей — от ее матери.

— Вот оно как. — Рита вздохнула. — Бывает же у людей.

Нина посмотрела на Лизу и Лешку.

— Дети, если вам скучно — бегите в соседнюю комнату, там есть шашки и лото.

Лешка с Лизой переглянулись. Затем соскользнули со стульев и ушли в соседнюю комнату.

— Только дверь за собой прикройте! — сказала им вслед Рита. — Чтоб не мешали людям!

Лешка обернулся, хмыкнул и плотно прикрыл за собой дверь. Рита, робко глядя на Нину Ивановну, отпила чаю.

— Что думаешь делать дальше, Рита? — мягко поинтересовалась та.

— Ну... — Рита пожала плечами. — Хочу устроиться на работу.

— А образование у тебя какое?

Рита слегка стушевалась.

— Так я это... девять классов в школе закончила. А потом еще на швею училась. Только не работала по специальности. У нас в рабпоселке почти сразу цех закрыли.

— Кем же ты тогда работала?

— Много кем. — Рита робко улыбнулась. — Уборщицей. Санитаркой. Дворы мела. Так а че — я ведь никакой черной работы не боюсь. За любую могу взяться. Когда санитаркой в больнице работала — утки за больными выносила. И туалет привокзальный мыла...

— Ладно, не продолжай. — Нина Ивановна задумалась. — Послушай, — сказала она после паузы, — я тут проходила мимо конторы, в которой когда-то работала, и видела объявление. Кажется, им требуется уборщица.

— Я могу! — тут же выпалила Рита, вся подобравшись и с надеждой глядя на Нину Ивановну, словно от той зависела вся ее жизнь.

— Еще поинтересуюсь у своего родственника, — продолжала Нина Ивановна. — Он работает управляющим в кафе. Может, им нужна посудомойка.

— Спасибо! — с чувством сказала Рита.

Нина Ивановна улыбнулась:

— Погоди благодарить. Еще ведь ничего не известно. Ты, главное, не раскисай, все образуется.

— Не буду, — пообещала Рита. — Вот только... — Она снова поникла.

— Что? — спросила Нина Ивановна.

— У меня ж детишки непристроенные. С кем их-то оставлять, когда я буду работать?

Нина Ивановна ненадолго задумалась, после чего объявила:

— Эту проблему мы решим. Моя знакомая работает директором в лицее. Уверена, она не откажется взять Лешку и Лизу. А зарегистрируем их у меня в квартире.

— Лиза еще маленькая, — неуверенно сказала Рита.

— В лицее есть нулевой класс. Как раз для шестилеток. Там очень душевные преподаватели, и твои дети будут под присмотром с утра до вечера. — Нина Ивановна посмотрела на часы. — Ну, а теперь спать. Мне завтра с утра на работу.

8

Валерий Аркадьевич Старостин, профессор-нейрофизиолог, автор двадцати научных публикаций в журнале «Сайнс», лауреат научной премии имени Кольцова — и все это в сорок шесть лет! — стоял на мосту, облокотившись на железный парапет, и смотрел на мобильный телефон, который держал в руке.

Выглядел профессор скверно. Рыжеватая бородка его была неухожена, дужка очков нелепо выгнулась, пальто было порвано на плече, а на лбу и правой скуле светлели кусочки пластыря.

Лицо профессора Старостина было задумчивым, во взгляде читалась тревога, ему явно было не по себе.

И вдруг мобильник зазвонил. От испуга Старостин вздрогнул и едва не выронил телефон из пальцев, но быстро овладел собой, глянул на дисплей («Номер не определен»), секунду помешкал, а потом поднес мобильник к уху.

— Слушаю, — сказал он в трубу.

— Здравствуйте, Валерий Аркадьевич, — услышал он знакомый ровный голос. — Где вы?

— Я? — Старостин быстро посмотрел по сторонам, затем негромко и сухо проговорил в трубку: — Я там, где вынужден быть. Из-за вас.

— Звучит не очень конкретно, — так же спокойно и сухо произнес голос. — Ну да ладно. Вы кое-что у нас забрали, Валерий Аркадьевич. И мы хотим, чтобы вы это вернули. И чем быстрее, тем лучше.

— Лучше? — Лицо Старостина исказила усмешка, похожая на болезненную гримасу. — Для кого лучше?

— Для всех. И для вас в первую очередь. Давайте встретимся и все спокойно обсудим.

Профессор облизнул пересохшие от волнения губы.

— Мне нужны гарантии, — хрипло вымолвил он.

— Гарантии?

— Да! Гарантии того, что меня не постигнет участь моих коллег по лаборатории.

— Взрыв в лаборатории был несчастным случаем. Это первое. Вы можете сами выбрать место встречи. Это второе. Со своей стороны, я лично гарантирую, что ничего страшного с вами не случится. Это третье. Есть и четвертое. Мое начальство решило увеличить размер вашего вознаграждения — в два раза.

Профессор Старостин вынул из кармана плаща платок и промокнул вспотевший лоб.

— Вы платите мне за молчание? — сипло проговорил он. — За то, чтобы я предал своих коллег, которых вы убили?

— Валерий Аркадьевич, успокойтесь. Я просто хочу вам помочь. Если вы не прислушаетесь к моим советам, то ваша жизнь превратится в ад. Одно утешение — ад этот будет длиться очень недолго.

Профессор нервно дернул щекой. Помедлил, мучительно морщась, а затем сказал:

— Я позвоню вам и сообщу о своем решении.

— Валерий Аркад...

Старостин отключил мобильник, размахнулся и яростно зашвырнул его в реку.

Затем он поднял воротник плаща, огляделся и быстро зашагал по мосту. Одутловатое лицо его было бледным, глаза запали, губы подрагивали. Перед глазами у Старостина снова пронеслась жуткая картина расправы. Вот он сидит за столом, уставленным колбами и пробирками с реактивами, настроение у него отличное, и не столько потому, что успех последнего опыта открывает ему дорогу к внушительному финансовому вознаграждению, а потому, что успех этот — доказательство его правоты, его профессиональной состоятельности, его — черт побери! — таланта.

Валерий Аркадьевич делает пометки в журнале наблюдений и закрывает его. После чего встает из-за стола и подходит к клетке с обезьянами, возле которой уже собрались его коллеги. Лаборант Зиночка Непряжская держит в руке шприц. Лаборант Митя Старовойтов подносит ей пробирку с препаратом M8MB7.

Все уже знают, что будет дальше, потому что препарат M8MB7 — это почти то же самое, что препарат M8MB7, который они опробовали на обезьянах две недели назад, однако новый препарат абсолютно не вызывает отторжения и не должен вызвать никаких аллергических реакций.

Обезьянка уже лежит на железном столе, лапы ее пристегнуты пластиковыми ремешками к стальным рамам. Обезьянка находится под действием седатика, она не спит, но и не волнуется, лишь спокойно и как-то обреченно смотрит на собравшихся возле стола людей в белых халатах.

Набрав в шприц препарат, Зиночка поворачивается к профессору Старостину. В ту же секунду глаза других коллег — а это восемь пар глаз — также обращаются на него. Лица у всех радостные, ведь цель почти достигнута, работа последних полутора лет закончилась успехом. Все ждут от Валерия Аркадьевича сигнала к началу, и он, поправив пальцем очки, обводит лица коллег веселым взглядом и спрашивает:

— Ну, что? Все готовы?

— Да, — едва ли не хором отвечают ему коллеги.

И он переводит взгляд на лаборанта Непряжскую и говорит:

— Зиночка, вводите препарат.

— Хорошо, Валерий Аркадьевич!

Зиночка склоняется над обезьянкой и делает ей укол. Обезьянка издает недовольный сиплый возглас, но не кричит и не мечется, и Зиночка спокойно вводит препарат, затем вынимает иглу, быстро зажимает ранку на предплечье обезьяны ватой, кладет шприц в биксу и поворачивается к Старостину.

— Готово, Валерий Аркадьевич!

И он улыбается ей в ответ, хочет похвалить ее за то, что она так хорошо работала все эти полтора года, что у нее такое милое лицо, и такая волшебная улыбка (держа в уме, что минувшей ночью в гостиничном номере им было хорошо вместе, и она сказала ему, что любит его, и, вполне возможно, не врала) — и пока он собирается сказать все это, в лаборатории происходит что-то страшное.

Он видит, что что-то черное упало к его ногам и крутится на месте, и понимает вдруг, что это граната, прямо как в кино, и что сейчас она взорвется — но она не взрывается.

— Зиночка! — хрипло кричит он, глядя на испачканное кровью лицо Зиночки.

Потом он слышит грохот, и еще не понимая, что это выстрелы, поднимается на ноги, поворачивается к двери и видит людей в черных масках, и люди эти держат в руках автоматы, и стволы автоматов подергиваются, и грохот, оглушительный грохот не смолкает, а превращается в странный гул. Время словно замедляет свой ход, превращается в вязкую, тягучую субстанцию. И тогда Валерий Аркадьевич, почти не осознавая, что делает, оглохший от гула, снова наклоняется, подбирает с пола неразорвавшуюся гранату, размахивается и швыряет ее к двери, туда, где стоят люди в черных масках, сжимающие в руках рявкающие, как адские псы, автоматы.

А потом лаборатория снова вздрагивает, и все тонет в облаке пыли, штукатурки и кусков арматуры. И Старостин, повернувшись к столу, берет с него кожаный холдер с пробирками и шприцем, поворачивается к окну, и тут время снова начинает течь быстро. И даже быстрее, чем раньше. Не чувствуя под собою ног, Старостин подбегает к окну, распахивает его, забирается на подоконник, а потом прыгает вниз, со второго этажа. Приземляется на куст акации, падает, крича от боли, но поднимается на ноги и, пошатываясь, как пьяный, бежит прочь от лаборатории.

...И вот он уже здесь. Живой и невредимый, если не считать вывихнутой лодыжки и нескольких ссадин, заклеенных пластырем телесного цвета. Он жив, а Зиночка Непряжская и Митя Старовойтов мертвы, и у Зиночки нет лица, и самой ее, конечно, уже нет, даже тела, наверное, не осталось. Люди в черных масках уничтожили, утилизовали все — тела, препараты, трупы обезьян, документацию, его личный журнал наблюдений...

Пораженный это мыслью, Валерий Аркадьевич резко останавливается.

«Что же делать дальше?» — думает он. И спрашивает себя вслух, с ужасом, горечью и досадой в голосе:

— Что же делать дальше?

И вдруг испытывает острое чувство чужого присутствия. И... уже понимает, что за ним наблюдают. Он и бежит к углу дома, надеясь успеть свернуть в переулок, где его ждет взятая напрокат машина, бежевая «Мазда-СХ5». Только бы успеть... Только бы успеть!

Что-то обжигает левое ухо профессора Старостина, но он не останавливается — он бежит.

* * *

— Имя-фамилия-отчество?

— Рита Суханкина. По отчеству Алексеевна.

Лидия, веснушчатая тридцатипятилетняя толстуха в броской одежде и ярко накрашенными губами, медленно вписала все это в формуляр.

— Сколько лет?

— Тридцать два.

Толстуха вписала и это. Затем подняла бульдожью голову и, строго посмотрев на Риту, спросила:

— Резюме у тебя есть?

Рита непонимающе округлила глаза:

— Чего?

Лида фыркнула:

— Расслабься, я шучу. Шваброй и тряпкой владеешь на профессиональном уровне?

— Э-э... полы мыть умею, — не сразу сообразила Рита. — Я работала санитаркой и еще...

— Полезный навык, — кивнула Лида, не дослушав. — В общем, так. Работать будешь по графику двое суток через двое. Зарплата — двенадцать тысяч. Выплата два раза в месяц, пятого и двадцать пятого. Устраивает?

— Да! — поспешно кивнула Рита.

— Твоя каптерка за стеной. Надевай халат, бери швабру, тряпку, ведро и дуй в туалет. Туалет на этом же этаже, слева по коридору, там найдешь.

...Полчаса спустя Рита, одетая в синий халат, стояла со шваброй в руках перед дверью мужского туалета. Вид у нее был растерянный.

— Ты чего стоишь? — услышала она голос Лиды.

Рита обернулась. Толстуха, грозно уткнув руки в бока, стояла перед ней.

— Так это... — Рита растерянно повела плечами. — Там люди.

— Где там?

— В туалете.

— Они тебе что, мешают?

— Нет, но... — Рита смутилась. — Они же мужчины.

Лида усмехнулась, раздвинув уголками накрашенных губ толстые розовые щеки.

— А ты чего ждала? Что там обезьяны будут?

— Я думала, надо закрыть туалет на санитарную пятиминутку, — сказала Рита. — Мы так делали.

— Закрыть? — удивилась Лида. — Зачем? Стесняешься, что ли?

Рита не ответила, лишь снова неловко повела плечами. Лида хмыкнула.

— Зря. Мужики тебя даже не заметят. Они ж тут все богатеи.

— Но я-то их замечу, — смущенно сказала Рита.

Лида пристально посмотрела на нее и сказала:

— Туалет мы закрывать не будем. Хочешь у нас работать — иди и драй полы. Не хочешь — ищи себе другую работу. Андерстенд?

— Чего?

— Я говорю: поняла?

— Да.

— Ну, шуруй. И ведро не забудь.

Рита вздохнула, затем подняла с пола ведро и двинулась к двери туалета, на которой красовался мужской силуэт.

Входя в туалет, она чуть не наткнулась на пожилого мужчину в костюме, который вышел ей навстречу. Рита испуганно и виновато посторонилась, но мужчина даже не взглянул на нее. Похоже, Лида была права, и он ее просто не заметил, как не замечают какой-нибудь предмет.

Войдя, наконец, в туалет, Рита ошеломленно огляделась. Туалет показался ей похожим на дворец. Стены были отделаны панелями из полированного черного мрамора, и на стенах этих висели небольшие светильники, сделанные, казалось, из чистейшего золота.

За спиной у Риты щелкнула, открываясь, дверь. Рита тут же склонилась и принялась натирать шваброй сверкающий мраморный пол.

В туалет вошел мужчина в темно-синем костюме, светлой рубашке и красном галстуке. У него были острые плечи, острые скулы, и сам он был какой-то худощавый и угловатый. Лицо его, симпатичное, загорелое, было каким-то задумчивым или даже слегка расстроенным. Темные волосы у него на голове были слегка растрепаны, но Рита знала, что это не от неухоженности, а просто мода такая.

Он прошел мимо притихшей Риты, не заметив ее. Встал возле писсуара. Рита отвернулась. В эту секунду в туалет вошел еще один мужчина. Этот был высокий, лощеный и красивый, как киноартист. Светлые волосы острижены под гребенку, прямо как у Ритиного мужа, но тоже почему-то выглядят модно и по-городскому.

— Не помешаю? — шутливо спросил лощеный у угловатого, становясь у соседнего писсуара.

— Пристраивайся, — усмехнулся угловатый.

Рита стала усердно тереть пол шваброй, чтобы ее не обвинили в лентяйстве.

— Старик требует «прогноз» к завтрашнему вечеру, — сказал лощеный.

— Требует, так сделай, — отозвался угловатый и задумчивый. — И не тяни с этим, а то Беклищев вставит тебе дюжину пистонов в зад и подожжет фитиль.

Лощеный растянул губы в улыбке.

— Ничего, успею. Если все получится, слетаю на Мальдивы, — мечтательно проговорил он. — Деньков на пять-шесть. Возьму с собой пару девочек из «Элит-Эскорта» с сисьманами пятого размера. Буду пять дней трахаться и бухать, бухать и трахаться!

— Смотри не надорвись!

Угловатый застегнул брюки и зашагал к умывальникам.

— Ты меня плохо знаешь, — весело сказал ему вслед лощеный.

Рите показалось, что угловатый бросил на нее взгляд, и, стараясь не сплоховать, она принялась тереть пол еще усерднее, но чересчур этим увлеклась и случайно задела шваброй ботинок лощеного.

Тот глянул на Риту через плечо и небрежно проговорил:

— Смотри, куда идешь, дура.

— Я смотрю, — буркнула Рита в ответ.

Не нужно было этого говорить, не нужно было вообще ничего говорить, но вырвалось само собой.

— Что? — удивленно приподнял брови лощеный.

А затем повернулся к Рите и, насмешливо глядя на ее растерянное лицо, пустил струю мочи прямо ей на туфли. Рита вскрикнула и отскочила. Лощеный тип засмеялся, спрятал свое хозяйство в брюки, застегнул молнию и, не обращая на Риту больше никакого внимания, пошел мыть руки.

Рита стояла на месте, оцепеневшая, с раскрытым от изумления и обиды ртом, стояла так до тех пор, пока дверь туалета не хлопнула, закрываясь за лощеным (угловатый покинул туалет раньше), и пока она не осталась одна.

Рита посмотрела на свои туфли. Они были мокрые. Рита скривилась от отвращения, прислонила швабру к стене и быстро прошла к раковине умывальника. Оторвала кусок бумажного полотенца, смочила его под краном и быстро протерла туфли, стараясь успокоиться.

Обижаться на лощеного придурка, конечно, не стоило. Для него она не была женщиной. Для него она даже человеком не была. Кем же она для него была? Вещью, предметом, вот чем! Вроде ведра или тряпки.

Рита почувствовала, как на глаза ей наворачиваются слезы. Она помыла руки, снова стараясь успокоиться.

Ладно. Ничего. Главное, у нее есть работа. Надо работать и помалкивать. В конце концов, она сама виновата. Ведь это она задела шваброй ботинок того богатенького зассанца. Найдя определение лощеному, Рита немного успокоилась. Зассанец он и есть зассанец, что с него взять.

И тут она вдруг ни с того ни с сего вспомнила своего Николая. Примерно неделю назад он сидел на своем диване с тремя собутыльниками, которые выглядели как полные бродяги, а она, согнувшись в три погибели, вытирала тряпкой пивную лужу с пола. Коля отпил пива из бутылки, рыгнул и сказал:

— Три сильнее, дура. Может, жир с задницы растрясешь.

Друзья Коли засмеялись, но один из них за нее заступился.

— Чего ты ее обижаешь, Коль? — сказал он. — Твоя Ритка хорошая баба. Видел бы ты мою выдру. Чуть что не по ней, тут же за скалку хватается! На Крещение, когда мы с мужиками на работе чутка дерябнули — ну, перед тем, как в прорубь залезть, — так эта стерва мне потом чуть башку своей скалкой не проломила! А Ритка у тебя тихая. Живи да радуйся.

— И что мне с того, что она тихая?! Она ж тупая, как пробка. Мне с ней и поговорить-то не о чем.

— А чего тебе с ней говорить? — возразил дружок-хохотун. — Говори с нами. А с женой не говорить надо, с ней надо спать!

Друзья-собутыльники засмеялись, а на глазах у Риты блеснули слезы.

— Коль, зачем ты меня поносишь перед чужимито? — тихо сказала она.

Николай небрежно и презрительно кивнул на нее головой.

— Слыхали, мужики? «Коль, зачем ты меня поносишь», — передразнил он. И, зыркнув на Риту яростным взглядом, приказал: — Слушай, не доводи до греха, смойся в другую комнату, пока промеж глаз не засветил!

...Рита качнула головой, прогоняя неприятное воспоминание. И приказала себе больше не думать о муже. И не обращать внимание на гадов, которые поливают ее грязью. Не для того она приехала в большой город, сбежав от алкоголика-мужа, чтобы разводить нюни и нянчиться со своими обидами. Рита вернулась к швабре и продолжила работу, решив впредь быть осторожнее и больше не нарываться на неприятности.

9

В обед они встретились с Ниной Ивановной. Та подъехала к офисному зданию инвестиционной компании «Витанова» на своей аккуратненькой и красивой белой машине — как раз в тот момент, когда Рита выходила из здания, закончив свою смену.

— Рита! — окликнула она, опустив стекло. — А я как раз к тебе!

Рита остановилась от неожиданности. С ней еще никто и никогда не разговаривал, сидя в машине, да еще в такой крутой.

— Ну, что же ты стоишь? — улыбнулась Нина Ивановна. — Забирайся в салон. Есть разговор.

Рита села в машину рядом с Ниной Ивановной, которая сидела за рулем.

— Крутая у вас машина, — искренне похвалила Рита. — Красивая. Это «Мерседес»?

— Нет, это «Пежо», — сказала Нина Ивановна. — Слушай, Рит, давай сразу условимся: теперь мы с тобой на «ты», и зови меня просто Нина. Идет?

— Идет, — кивнула Рита.

— Ну, как прошла первая рабочая смена? Как ты?

Рита невесело улыбнулась:

— Как мышь под метлой.

— Тяжело было?

— Да нет, не тяжело. Просто... — Рита запнулась, не зная, как сказать. — Ну, в общем, немного непривычно. — Она улыбнулась и махнула рукой. — Да у меня вечно так. То рубаха длинная, то хрен короткий.

Нина неуверенно улыбнулась.

— Что ж, бывает, — сказала она. — А я, кажется, нашла тебе еще одну работу. Как я тебе говорила, мой троюродный брат работает управляющим в кафе, и им требуется посудомойка.

— Хорошо. — Рита улыбнулась. — Когда выходить?

— Сейчас я отвезу тебя в кафе, и мой брат все тебе расскажет и покажет. Ты готова?

— Да, — кивнула Рита.

— Поехали!

Нина Ивановна тронула машину с места.

— Большой город, — задумчиво сказала Рита, глядя на проносящиеся мимо здания. — И красивый. Не как в моем детстве. Раньше тут просто дома были, а теперь все магазины да рестораны всякие.

— Да уж, — согласилась Нина Ивановна. — Не Советский Союз. Город ожил и процветает.

— Так, а че... — Рита пожала плечами. — В Советском Союзе вроде неплохо жилось.

— Неплохо? — вскинув брови, повторила Нина Ивановна.

— Ну, да. Правда, я не сильно его помню. Маленькая я тогда была.

— Хочешь сказать, что вы хорошо жили при Совдепии?

— Ну... — Рита пожала плечами. — Мамка моя постоянно работала. И деньги неплохие зарабатывала. Не миллионы, конечно, но обуть-одеть детишек денег всегда хватало. И квартиру у нас никто отобрать не мог. И получили мы ее бесплатно.

Нина Ивановна нахмурилась.

— Ты, наверное, была маленькая и многого не помнишь, — сказала она. — Государство, дав вам крошечную квартиру и маленькую зарплатку, забрало у вас главное.

— Что? — не поняла Рита.

— Свободу, — с чувством сказала Нина Ивановна.

В глазах у Риты появилось беспокойство.

— Как это? — проговорила она. — Мы ж вроде не в тюрьме сидели.

— Именно что в тюрьме, — сказала Нина Ивановна. — Советский Союз был тюрьмой народов.

На лице Риты появилось выражение полной растерянности, она виновато сказала:

— Не понимаю я. Ты уж прости. А квартира и зарплата правда были. И чтобы к врачу пойти, денег не надо было. Хотя, конечно, иногда шоколадки врачам несли. Так то из благодарности.

— Еще скажи, что все люди были «равны», и что «богатеев не было».

— Так ведь не было, — растерянно сказала Рита.

— И смысла в твоей никчемной жизни не было. И в жизни твоей матери тоже. Работа — очередь в магазине — дом — программа «Время» по телику. Вот и весь круговорот советской жизни. Ну, кем ты тогда могла стать? Чего добиться в жизни?

— А кем я могу стать сейчас? — невольно повысила голос и Рита. — Мамина сестра была простой портнихой, а дослужилась до начальника цеха! А потом и вовсе стала депутатом Верховного Совета! А кем может стать нынешняя портниха? Только портнихой. А начальником нынче может стать только сын начальника. Министром — только сын министра. Разве не так?

— Ты не совсем права, — возразила Нина Ивановна. — Социальных лифтов в нашей стране, конечно, не хватает. И все же, если у человека есть ум и талант, он способен многого добиться. Особенно в наше время.

— А если у меня нет ни ума, ни таланта? — сказала Рита. — И богатых родителей нет. Ничего нет. Куда мне, бедной, податься? Сразу лечь в гроб и накрыться крышкой? Зачем я тогда такая родилась на свете?

Нина Ивановна молчала, не зная, что ответить.

— Ничего мне не светит, кроме тряпки и ведра, — удрученно проговорила Рита. — И говорить об этом нечего.

Нина Ивановна скосила на Риту глаза, потом проговорила с легкой досадой:

— Ладно. Оставим этот разговор на потом.

Несколько секунд обе молчали Рита осторожно тронула руку Нины Ивановны.

— Ты только не обижайся, Нин. Может, я чего и не понимаю. Я ж глупая. Колька мне постоянно об этом говорил.

Нина Ивановна искоса посмотрела на Риту и вдруг улыбнулась.

— Дурак твой Колька, — сказала она мягко. — А ты совсем не глупая. И знаешь... Это ты меня прости, что загрузила тебя всякой ерундой. Кстати, мы приехали.

10

Кафе «Гелави» оказалось небольшой забегаловкой с двумя зальчиками и широкой барной стойкой, пропахшей пивом. Нина провела Риту в кабинет своего брата.

— Вот, — сказала она, представляя Рите румяного толстяка, который поднялся из-за стола им навстречу. — Это мой троюродный брат. Зовут Василий Петрович. Он работает тут управляющим.

— Приятно, приятно, — улыбнулся толстяк, протягивая Рите пухлую ладонь.

— Рита, — представилась она чуть смущенно. (Никогда раньше мужчины не пожимали ей руку.)

— Ну, что, можно считать, что ты ее принял? — с ходу уточнила Нина, глянув на часики.

— Только если она умеет мыть посуду, — с улыбкой сказал Василий Петрович.

— Я умею, — с готовностью сказала Рита.

— Ну, тогда мы сработаемся.

— Ладно, ребята, вы тут налаживайте контакт, а я побежала. — Нина чмокнула брата в щеку, с улыбкой кивнула Рите и вышла из кабинета.

Рита робко, как подобает подчиненной, посмотрела на своего нового начальника. Выглядел он солидно: белая рубашка на тугом, круглом, как мяч, пузе чуть не трещала от напряжения. Под стать пузу была и голова — круглая, толстая, с реденькими бурыми волосами, зачесанными к середине, чтобы скрыть лысину. А лицо все в жировых буераках и красное.

Василий Петрович бросил взгляд на синяк у Риты под глазом, усмехнулся и насмешливо осведомился:

— Что, проблемы с мужем?

— Были, — ответила Рита. — Но теперь нет.

— Развелась, что ли? — уточнил управляющий.

— Покамест просто ушла.

— А будешь разводиться?

— Не знаю... У нас детки. Двое.

— Правильно, — одобрил Василий Петрович. — Бьет — значит любит, верно?

Рита замешкалась с ответом, не зная, что сказать, но Василий Петрович, похоже, и не ждал от нее никакого ответа.

— Ладно, — сказал он. — Пойдем, покажу фронт работ.

Через двадцать минут Рита, одетая в спецовку и резиновые перчатки, в компании еще двух посудомоек, казашки и узбечки, драила посуду, которой, казалось, конца и края не будет.

Так прошел час. Потом второй. Потом третий. Минут за двадцать до конца смены в комнату вошел Василий Петрович.

— Ну? — обратился он к Рите. — Как тут у тебя дела? Все получается?

Рита выпрямилась и, обернувшись, устало вытерла предплечьем потный лоб.

— Да, Василь Петрович, — сказала она. — Все хорошо.

— Вот и славно, — улыбнулся управляющий. — Вижу, Рита, ты работящая женщина.

Василий Петрович покосился на казашку и узбечку и качнул головой в сторону. Те прекратили работу и, не говоря ни слова, вышли из комнаты. Управляющий перевел взгляд на Риту.

— Ты молодец, — с улыбкой сказал он. — Главное — хорошо работать и не выпендриваться? Ты согласна?

— Да, — сказала Рита, хотя не совсем понимала, о чем он говорит.

Василий Петрович улыбнулся еще шире.

— Работай на совесть, и мы подружимся, — сказал он. — А если мы подружимся...

Управляющий шагнул к Рите, его широкая ладонь легла ей на ягодицу. Рита замерла с мокрой тарелкой в руках.

— Если мы подружимся, ты всегда сможешь рассчитывать не только на зарплату... — Василий Петрович наклонился к уху Риты и тихо проговорил, обдав ее щеку жарким дыханием: — ...Но и на премию.

— Да, Василь Петрович, — пролепетала Рита. — Спасибо.

Рита опустила руку и слегка оттолкнула от себя управляющего — не грубо, но так, чтобы он понял напрасность своих приставаний. Однако Василий Петрович был настойчивее, чем она подумала. Он снова тесно прижался к Рите сзади и обнял ее руками за талию.

— Да ладно тебе, — ласково сказал он. — Я ж по-доброму. Если боишься, что нас застукают, так не бойся. Сюда никто не войдет, я распорядился.

— Василь Петрович, уберите руки, — сказала Рита. — У меня есть муж.

— Твой муж объелся груш, сама ведь сказала, — иронично проговорил управляющий. — И потом, я ж не замуж тебя зову. Так, развлечемся немного, да и все. Ты мне, я — тебе. М-м? — мяукнул он ей в ухо и коснулся губами ее щеки.

Рита снова оттолкнула от себя управляющего, на этот раз настойчивее, чем прежде. Толстяк отпрянул, но ему это явно не понравилось.

— Зачем же так грубо? — обиженно проговорил он. — Начальство нужно любить, милая. И тогда начальство полюбит тебя.

Он в третий раз приник к ней сзади и, обняв, положил ей лапищу на грудь. Сжал грудь пальцами.

— Ну, не кобенься! Тебе понравится, вот увидишь.

Рита почувствовала, как напряглись его брюки.

— Убери руки, — процедила она сквозь зубы. — Убери руки, гад. Ну!

Рита снова с силой оттолкнула его от себя. Василий Петрович остановился, пару секунд смотрел на нее удивленным взглядом, потом нахмурился и сказал:

— Даю тебе срок до завтра. Передумаешь — останешься работать. Нет — вылетишь за дверь. А времена нынче трудные, новую-то работу поди поищи, верно?

— Вы не можете, — сказала Рита. — У меня двое детей.

— Вот и подумай о своих детках. Слушай, милая, я тебе еще одолжение делаю. Ты в зеркале-то себя видела?

Рита молчала. Василий Петрович улыбнулся и сказал насмешливо:

— И не забудь завтра надеть чистые трусы!

Он хохотнул, повернулся и вышел из комнаты.

Рита стояла у раковины, оцепенело глядя на грязную посуду. Она все еще чувствовала толстую руку управляющего у себя на груди, и это ощущение вызывало у нее тошноту и желание помыться.

* * *

Высокий человек в строгом дорогом костюме сидел за широким столом цвета венге. Он был худ и морщинист, но не выглядел стариком; казалось, морщины его — не зарубки, оставленные временем, а результат излишней жесткости, вызванной внутренним холодом, — как трещины на промерзшем куске дерматина. Человека звали Константин Олегович Кальпиди. Многие подчиненные по привычке называли его «Генерал», хотя он давно вышел в отставку.

В дверь постучали.

— Да, — громко сказал Кальпиди.

Дверь открылась, в кабинет вошел мужчина средних лет, неприметной наружности, с выправкой военного. Он прошествовал к столу и встал перед высоким человеком по стойке «смирно». Кальпиди не пригласил его присесть.

— Докладывайте, — сухо проговорил хозяин кабинета.

— Профессор Старостин ушел от преследования и уничтожил мобильник, — сказал неприметный мужчина. — Но мы его ищем. И обязательно найдем.

Кальпиди задумчиво побарабанил по столу длинными сухими пальцами.

— Есть вероятность, что он успел все разболтать журналистам? — спокойно осведомился он.

Неприметный мужчина чуть качнул головой:

— Нет. Не думаю. Иначе бы мы об этом узнали. Мы контролируем информационные потоки.

— Хорошо. Что по «объекту два»?

— Пока не удалось напасть на след.

— Профессор Старостин не только моя проблема, но и твоя. Я хочу, чтобы ты четко себе это представлял. Это наша общая головная боль.

— Я понимаю.

— Докладывай мне о каждом шаге расследования.

— Хорошо.

— Если нужно еще кого-то подключить — требуй.

— Буду.

— Все, свободен.

Кальпиди открыл ящик стола и достал из него кожаный холдер, такой же, как у профессора Старостина.

Он, едва касаясь, почти нежно, провел кончиками пальцем по запечатанной пробирке. В холодных глазах его проступило что-то человеческое, почти мечтательное.

Кальпиди закрыл холдер и положил его в ящик стола. После чего задвинул ящик и, нажав на неприметную кнопку, запер его на кодовый замок.

11

Уставшая, растерянная, выжатая как лимон, Рита плелась по вечернему городу к дому, где жила Нина Ивановна и где сейчас обитали ее детишки Лиза и Лешка. Одета она была в курточку и джинсы, которые подарила ей Нина. Волосы убрала под вязаную шапочку, тоже подаренную Ниной. Из пластикового пакета, который

Рита несла в руке, торчала верхушка хлебного батона, купленного в продуктовом магазине «Грошик» за тридцать пять рублей. Со скидкой... Потому что ему несколько дней, и он черствый.

«Черствый, — отупело думала Рита. — Черствый... Черствый... Черствый!..»

В душе у Риты было пусто и безысходно. Перед глазами мелькали тошнотворные картинки одна другой мрачнее. Черные риелторы, спаивающие ее мужа, откровенно смеющиеся над ним и над Ритой, знающие, что управы на них нет... Девочка-подросток и ее дружок, обзывающие Риту деревенской дурой... Лощеный богач — ухмыляющийся, бесстыдно вываливший перед ней свое «хозяйство», писающий ей на туфли... Жирное лицо управляющего, похожее на срез докторской колбасы... Его пальцы у Риты на груди; пальцы, похожие на белых толстых червей...

Рита остановилась возле пешеходного перехода, дожидаясь, пока красный свет светофора сменится на зеленый. Машин на дороге не было, однако Рита даже не подумала ступить на дорогу, она просто стояла и ждала. Переулок был безлюден, фонарь бросал на «зебру» перехода тусклый желтый свет. Рита, сама не зная зачем, подняла голову и посмотрела на небо. На ночном выцветшем городском небе, среди блеклых облаков светилась одна-единственная звезда. Свет ее был неверным; стоило присмотреться к ней пристальнее, и она словно бы исчезала из вида, но стоило чуть-чуть отвести взгляд, и она возникала снова. Она одновременно была, и ее не было.

Рита подумала, что и вся ее жизнь — как эта звезда, она вроде бы есть, но в то же время ее нет.

— Господи... — хрипло проговорила она, глядя на одинокую звезду. — Сколько еще будут длиться мои мучения? Почему ты все это не прекратишь? Сделай что-нибудь, прошу... Сделай, чтобы все стало по-другому, или убей меня. Только не мучай!

Звезда исчезла. Рита вздохнула и опустила взгляд. Она увидела, что на светофоре зажегся зеленый, и шагнула на «зебру» перехода.

Когда она уже почти дошла до бордюра, неизвестно откуда выскочила машина. Сначала Рита услышала шум, потом повернула голову на этот звук и увидела несущийся на нее автомобиль, но прежде чем Рита что-то поняла, раздался оглушительный скрип тормозов, машина вильнула в сторону, стараясь объехать оцепеневшую Риту, и почти объехала, но самым краем бампера зацепила ее куртку, рывком дернула за собой, и Рита грохнулась на дорогу.

Из темноты небытия Риту вырвал мужской голос, прокричавший ей в лицо:

— Эй! Эй, вы меня слышите?!

Рита открыла глаза и увидела кусочек пластыря, приклеенный к блестящему лбу склонившегося над ней мужчины. Потом опустила взгляд ниже, посмотрела на его очки, потом на его бородку и тихо сказала:

— Чего вы орете?

— Где у вас болит? — спросил мужчина. — Где больно?

Рита попыталась сесть, и мужчина помог ей это сделать. Сидя на асфальте, Рита увидела машину, которая ее сбила. Машина стояла поперек дороги. Это ее развернуло, когда она резко тормозила, поняла Рита. Дорога попрежнему была пуста. Рита посмотрела на мужчину, он выглядел напуганным, на лбу и щеках его блестел пот, хотя на улице было прохладно.

Рита подняла руку, потрогала свое лицо, потом голову, потом посмотрела на пальцы и увидела, что они испачканы кровью.

— Это что? — тихо спросила она.

— У вас голова разбита, — сказал мужчина. — Но не сильно, думаю, просто рассечена кожа. Сейчас у вас шок, поэтому боли вы не чувствуете. К сожалению, я не могу вызвать «Скорую», у меня нет мобильника.

«Мобильника...» — отозвалось в голове у Риты. Она только сейчас поняла, что слышит слова незнакомца как бы сквозь тихий звон.

— Тут рядом дом, — продолжал говорить тот. — Я попрошу жильцов позвонить в «Скорую». Вы только не волнуйтесь. И не вставайте, вам нельзя двигаться.

«Нельзя двигаться...» — гулко прокатилось в голове у Риты.

И вдруг к звону в ушах добавился еще один звук — шум приближающейся машины. Мужчина, сидевший рядом с Ритой, резко повернул голову на шум, так же резко побелел, а потом снова посмотрел на Риту.

Ее вдруг замутило, звон исчез, словно его всосала невидимая воронка, располагавшаяся внутри ее головы, а потом эта воронка превратилась в пульсирующую боль.

Снова послышался скрип тормозов. Мужчина, сидевший рядом с ней, вдруг выхватил из-под пальто какую-то темную коробочку, быстро открыл ее, вынул изнутри шприц и иглу, потом отшвырнул коробочку. Рита услышала, как захлопали дверцы машины. Незнакомец надел на шприц иглу, наклонился к лицу Риты и тихо шепнул:

— Простите меня.

А потом воткнул иглу Рите в плечо. Она вздрогнула. Мужчина вынул иглу и отбросил шприц в сторону. Потом быстро поднялся на ноги. Рита подняла на него взгляд. Она увидела, как возле незнакомца остановились двое мужчин, как они грубо схватили его и потащили куда-то. Потом у Риты закружилась голова, и она закрыла глаза.

— Кто это?

— Просто прохожая. Думаю, профессор ее сбил.

— Вызвать «Скорую»?

— Не надо.

— Она свидетель.

— Ерунда. Она без сознания. Уходим!

Рита поднялась на ноги. Ее слегка мутило от боли и шока. В ушах у нее все еще слегка звенело. Она огляделась. Пакет молока разорвался от удара об асфальт, молоко разлилось по тротуару. Но батон цел. Грязный только, но это ерунда. Можно помыть горячей водой, а потом прокалить на сковороде... Волосы совсем растрепались. И липкое на них что-то... Грязь или кровь? А где же гребенка?... Господи, да где же гребенка?

Рита всхлипнула и вытерла нос и лицо тыльной стороной ладони.

12

Нина открыла дверь и улыбнулась Рите.

— Пришла? — с улыбкой сказала Нина.

— Пришла,— ответила Рита.

Нина приняла у Риты пакет и посторонилась, давая ей пройти.

— Боже! — тихо воскликнула она, закрыв за Ритой дверь и обернувшись. — Что с тобой?

— Хлеб испачкался, — сиплым, механическим голосом проговорила Рита. — Надо помыть и просушить.

Нина смотрела на Риту расширившимися глазами.

— У тебя кровь на волосах! — воскликнула она.

— Кровь? ...А, это. — Рита говорила медленно, слегка растягивая слова и делая между ними промежутки. — Это я под машину попала.

— Господи! — всплеснула руками Нина. — Надо вызвать «Скорую»!

— Не надо, — проговорила Рита негромким и словно бы обезличенным голосом. — Уже почти не больно. Где Лиза с Алешей?

— Спят, — сказала Нина, удивленно и настороженно глядя на Риту. — Я их накормила и выкупала. Ты точно в порядке?

— Да. Мне надо умыться.

Рита повесила куртку на крючок, разулась и пошла в ванную комнату.

— В ванной есть аптечка, — сказала ей вслед Нина. — Там перекись водорода, пластырь... Чистое полотенце висит на сушилке. — Хочешь, я тебя умою?

— Нет, — сказала Рита, не обернувшись. — Я сама.

Она подошла к двери ванной комнаты, остановилась, повернула к Нине голову и сказала:

— Хлеб надо помыть.

Затем отвернулась и скрылась в ванной. Нина некоторое время стояла неподвижно, с тревожно-задумчивым видом, потом вздохнула, пожала плечами и пошла в гостиную.

Рита сняла джинсы и кофту. Одежда была испачкана грязью, и Рита положила ее в корзину для грязного белья. Она сняла поношенный бюстгальтер и трусы, отметив мимоходом, что они тоже заношены и нужно будет зашить новую дырочку, которая появилась с левой стороны. Все это она тоже бросила в корзину. Она вдруг вспомнила, как покупала это нижнее белье, сколько за него заплатила (сто двадцать три рубля за бюстгальтер и пятьдесят восемь — за трусы), вспомнила дату, когда это произошло, и лицо продавщицы.

Рита удивилась тому, что все это помнит. Внезапно у нее заболела голова. Боль сперва запульсировала в районе темени, а потом вдруг распространилась на всю голову — словно к затылку, лбу и вискам протянули от темени оголенные провода и пустили по ним ток.

Рита подняла руки и, скривившись от боли, сжала виски пальцами. Прошло, наверное, минуты две, прежде чем боль стала отпускать. Наконец боль ушла, оставив после себя странную тяжесть где-то внутри головы.

«Это все из-за той машины, — сказала себе Рита. — Я здорово ударилась головой. Просто чудо, что вообще осталась жива».

Рита убрала руки от головы и посмотрела на свое отражение в зеркале. Почему-то лицо, глянувшее на нее из зеркала, показалось ей чужим. Эти тусклые, запавшие глаза, эти фиолетовые тени под нижними веками, эти бледные щеки, такие же бледные губы, эти блеклые волосы, упавшие на бледный лоб... Неужели в зеркале она, Рита Суханкина? Да и что значит это имя — *Рита Суханкина?* Как этот невыразительный набор звуков может относиться к ней, к ее мыслям, чувствам, переживаниям?

Ответа не было. Рита вздохнула и включила воду.

...Через двадцать минут, завернувшись в полотенце и выйдя из ванной, Рита прошла в гостиную. Нина сидела на диване с чашкой чая в руке и смотрела телевизор. Взглянув на Риту, она спросила:

— Ты как?

— Нормально, — ответила Рита.

— Я купила готовые котлеты. Нужно только разогреть их в микроволновке...

— Я не голодная, — сказала Рита.

На экране телевизора брюнет в синем смокинге и со слащавым лицом говорил что-то пожилой женщине, которая нервно ерзала на стуле и то и дело поправляла пальцем очки в дешевой пластиковой оправе.

— Что смотришь? — спросила Рита.

— Телевикторина, — ответила Нина.

— Я присяду?

— Конечно.

Рита села на диван.

— Следующий вопрос может принести вам сто тысяч рублей! — вещал с экрана телевизора слащавый ведущий. — Если, конечно, вы правильно на него ответите. Итак, вопрос! ...Какой народ придумал танец «Чардаш»? И, как обычно, у нас четыре варианта ответа. Ответ А: венгры. Ответ В: румыны. Ответ С: чехи. Ответ D: молдаване.

Заиграла тревожная музыка. Женщина в очках трагически наморщила лоб, пытаясь вспомнить.

— Венгры, — тихим и каким-то механическим голосом проговорила Рита.

— Я выбираю ответ... венгры, — не слишком уверенно проговорила женщина на экране.

— Что ж, а теперь послушаем правильный ответ. — Телеведущий выдержал паузу, а затем громко и весело проговорил: — И правильным ответом будет... венгры!

Бравурный перелив музыки водопадом обрушился на студию. Зрители зааплодировали. Нина покосилась на Риту.

— Ты угадала, — с улыбкой сказала она.

— Случайно, — тем же механическим голосом пробормотала Рита.

— Следующий вопрос — на двести тысяч рублей! — объявил телеведущий. — А теперь сам вопрос. Разновидностью какого минерала является горный хрусталь? А: апатита. В: циркона. С: кварца. D: турмалина. Итак, какой ответ вы выберете?

Телестудия погрузилась в тишину, нарушаемую лишь громким тиканьем часов.

— Кварц, — сказала Рита негромко.

Нина улыбнулась и недоверчиво покачала головой.

— Я выбираю... кварц, — испуганно и неуверенно пробормотала женщина на экране телевизора.

Лощеный телеведущий загадочно улыбнулся. Оркестр рассыпался в тревожной, дробной мелодии.

— И правильным ответом будет... — Лицо ведущего стало еще загадочнее, музыка стала еще тревожнее. —

...Кварц! — громко объявил телеведущий. — И вы выигрываете двести тысяч рублей!

Тревожная музыка сменилась переливчато-торжествующей.

— Ты снова угадала! — сказала Нина, удивленно глядя на Риту.

— Да, — сказала та ровным голосом, подняла руки и помассировала пальцами виски.

— Откуда ты это знала — про кварц? — спросила Нина.

— Не знаю. — Рита убрала руки от висков и вздохнула. — Кажется, в школе проходили. В девятом классе, на химии.

— А у нас на кону — четыреста тысяч рублей, и следующий вопрос! — объявил телеведущий. — Вы готовы? — спросил он у багровой от волнения женщины.

— Да, — сказала та, поправив дрожащим пальцем очки.

— И я задаю следующий вопрос! — изрек с довольной улыбкой телеведущий. — А вопрос такой. Кто открыл тайну трех карт графине из знаменитой повести Пушкина «Пиковая дама»? А: Казанова. В: Калиостро. С: Сен-Жермен. Д: Томас Воган.

— Я пойду спать, — сказала Рита, поднимаясь с дивана. — Спокойной ночи, Нина.

— И тебе.

Рита пошла к выходу из комнаты.

— Рит? — окликнула ее Нина.

Она остановилась и обернулась.

— Кто открыл графине тайну трех карт? — спросила Нина с улыбкой.

— Кажется... Калиостро, — негромко ответила Рита и поморщилась от нового приступа головной боли.

Затем отвернулась и вышла из комнаты. Нина перевела взгляд на экран телевизора. Женщина в очках облизнула пересохшие от волнения губы и сказала:

— Я выбираю ответ... цэ.

— То есть вы считаете, что тайну трех карт старухе-графине открыл Сен-Жермен? — лукаво прищурился на нее телеведущий.

Женщина растерянно моргнула.

— Ну... да.

— Ваш ответ принят! — объявил телеведущий. — А теперь — правильный ответ. Секрет магических карт открыл графине... Открыл графине... Знаменитый граф Калиостро!

Оркестр грянул трубную «мелодию лузеров».

— И вы *не* выигрываете четыреста тысяч рублей! — объявил телеведущий, саркастически глядя на женщину в очках.

Нина покосилась на выход из комнаты, где еще несколько секунд назад стояла Рита, усмехнулась и тихо пробормотала:

— Надо же! «В школе учили». И как она это помнит?

Поцеловав спящих детей, Рита легла на раскладушку и, едва коснувшись головой подушки, тут же уснула.

Ей приснилось, будто она идет по пустынной вечерней улице, заполненной сизым, похожим на смог, туманом. Серые дома, похожие на гигантские черепа, нависли над улицей слева и справа, и их черные окна кажутся огромными глазницами, внутри которых только тьма и пустота.

Рита шла по улице медленно, то и дело останавливаясь и напряженно вглядываясь в туман, чувствуя, что в нем, в этом странном тумане, кто-то прячется. Кто-то — или что-то.

Она прошла еще несколько шагов, туман слегка рассеялся, и Рита увидела невысокий темный силуэт.

— Сынок! — окликнула она.

Силуэт стал медленно удаляться. Рита тронулась с места и быстро пошла за ним.

— Сынок, подожди меня! — взволнованно окликнула она.

Но он не остановился, а продолжил удаляться, а туман стал снова сгущаться, и удаляющийся силуэт — уже зыбкий, неверный — стал теряться в этом тумане. Рита бросилась за ним, побежала бегом, но силуэт продолжал удаляться, и туман почти совсем поглотил его.

Она хотела проснуться, но не смогла, сны навалились на нее рыхлой, разноцветной, давящей массой. Ей снились поля, леса, реки, города, улицы — все места, где она хоть раз в своей жизни была. Ей снились лица людей, всех, с кем она виделась хоть раз в жизни. Ей снились картинки из учебников истории и литературы, которые она пролистывала в детстве, снились формулы из учебников по физике, химии, алгебре и геометрии... Снились запахи, цвета, ощущения... Снилось то, что не снилось никогда и никогда не должно было присниться... И все эти картинки наплывали на нее одна за другой, сперва медленно, а потом все быстрее и быстрее, пока не стали мелькать перед глазами, как страницы перелистываемой книги.

Из этого мелькания то и дело выскакивали белые точки и молниеносно распускались, как экраны-цветы, и на этих экранах снова были лица, предметы, фильмы, а затем они складывались и опять падали в бездну перелистываемых страниц. А потом все эти страницы, весь этот ураган образов и ощущений ринулся прямо на нее, пронзил ей глаза, взорвал ей голову...

Нина проснулась среди ночи от тихих, сдавленных звуков, доносившихся из санузла. Она откинула одеяло, быстро поднялась с кровати и, не надевая халата, прошла к туалету. Она узнала голос Риты и поняла, что той очень плохо.

Нина легонько постучалась в дверь.

— Рита, с тобой все в порядке? — тихо окликнула она.

Рита не ответила. Нина повернула круглую медную ручку, приоткрыла дверь и заглянула в санузел. Рита сидела на полу перед унитазом. Ее только что вырвало. Волосы ее были растрепаны, несколько прядей прилипли к потному лбу.

— Рита, тебе плохо?

— Затошнило... — сипло произнесла Рита. — И еще... голова. — Она сжала виски ладонями и тихо прохрипела: — Как будто сейчас лопнет.

— Я вызываю «Скорую», — сказала Нина.

— Нет! — воскликнула Рита, убрала ладони с висков и посмотрела на Нину. — Прошу, не надо.

Нина посмотрела на глаза Риты и слегка попятилась. Белки глаз были темно-красными, почти черными...

— У тебя... что-то с глазами. Кажется, лопнули сосуды.

— Ни... чего, — с трудом проговорила Рита. — Мне уже лучше.

— Я принесу компресс со льдом.

Нина быстро вышла из ванной, но скоро вернулась с компрессом, протянула его Рите. Та взяла, прижала к голове.

— И все-таки надо вызвать «Скорую», — заметила, нахмурившись, Нина.

— Мне уже лучше, — сказала Рита.

Она сдвинула компресс на темя и посмотрела на Нину. Глаза Риты уже не были такими страшными, отечность спала.

— Мне просто нужно выспаться, — сказала Рита.

Нина вздохнула и примирительно произнесла:

— Ладно. Но если утром ты все еще будешь чувствовать себя плохо, я вызову врача. Пойдем, помогу тебе дойти до кровати.

Нина проводила Риту в комнату, помогла ей лечь, положила компресс на голову и накрыла одеялом.

— Если что-то будет нужно — зови, — сказала Нина.

— Хорошо, — слабым голосом отозвалась Рита. — Спокойной... ночи.

Дыхание ее стало выравниваться. Через минуту Нина поняла, что ее гостья спит.

13

Когда Рита вошла на кухню, Нина стояла возле стола с чайником в руке.

— Привет, Нин, — сказала Рита.

— О, привет! — Нина, вскинув светловолосую голову, пристально посмотрела на Риту. — Я как раз заварила свежий чай, тебе налить?

— Да, — сказала Рита. И улыбнулась: — Спасибо.

Выглядела она довольно бодро, хотя под глазами у нее все еще темнели круги.

— В микроволновке горячие бутерброды. Зови детей, давайте позавтракаем.

— Хорошо. Лиза, Леша! — позвала Рита. — Умывайтесь и идемте завтракать!

Рита села за стол.

— Как ты себя чувствуешь? — спросила Нина.

— Хорошо. — Она перехватила недоверчивый взгляд хозяйки квартиры и улыбнулась. — Правда хорошо. Голова уже не болит, тошноты нет. Я в норме.

На кухню вошли Лиза и Лешка, оба с заспанными личиками, оба взъерошенные.

— Ма, а можно я не буду умываться? — угрюмо проговорил Лешка.

— И я тоже, — сказала Лиза. — Мам, я тоже не хочу умываться.

— Вот еще — что придумали, — сдвинула брови Рита. — Марш в ванную. Оба. Быстро!

Дети, недовольно засопев, ушли.

— А ты и правда выглядишь неплохо, — сказала Нина, продолжая разглядывать Риту. — Только ссадина на лбу, но с ней мы разберемся.

Рита подняла руку и осторожно потрогала лоб.

— Может, пластырем? — спросила она.

— Ерунда, — сказала Нина, ставя на стол еще три чашки. — Попробуем тональным кремом и пудрой. Должно получиться.

Позавтракали спокойно, почти без разговоров. Нина боялась тревожить Риту вопросами, а Рита все время о чем-то думала, и вид у нее был немного отрешенный. Леша и Лиза, посапывая, пили чай и жевали бутерброды, приготовленные Ниной. Наконец Рита поставила опустевшую чашку на стол и сказала:

— Мне пора. — И добавила с невеселой улыбкой: — Мой ад ждет меня. Бесенок уже смазал сковородку маслом.

— Не будь пессимисткой, — сказала ей Нина. — Если работа не нравится, найдешь другую. Тебе сейчас главное зацепиться, а там уже сама будешь думать.

Рита вздохнула:

— Думать — это не про меня. Мой муж всегда говорил, что я тупая.

— Он ошибался, — заверила ее Нина. — А мужчина, который позволяет себе говорить такое про жену, — сам дурак. Запомни это и никогда не позволяй мужикам себя оскорблять.

* * *

По дороге к остановке Рита остановилась возле развала с книгами и журналами. Сама не зная зачем, просто вдруг стало любопытно, потянуло посмотреть. Она взяла с развала книгу с таинственным названием «Теория и практика бинарных опционов». Открыла книжку наугад и прочитала:

«Фундаментальное отличие бинарных опционов от других произвольных финансовых инструментов — это низкий начальный капитал, с которым можно открыть торговлю. Большинство брокеров предусматривают минимальный депозит в размере всего $100.

Как и в любом другом виде высокорисковых инвестиций, 95% торгующих бинарными опционами трейдеров теряют все свои деньги. За их счет существуют брокеры, а также те 5%, которые сумели добиться успеха в этом виде торговли...»

Рита обдумала прочитанное. Звучало все это так, будто описывалась какая-то карточная игра, в которой все простаки и неудачники проигрывали, а победителем становился самый хитрый и везучий.

Рита положила книгу обратно на прилавок. Сдвинув брови и шевеля губами, она принялась читать названия книг, которые звучали для нее, как таинственный, непонятный код. Код от жизни, в которую ей никогда не было входа и вряд ли когда-нибудь будет; в которой правили законы, недоступные ее пониманию, и которой правили люди, которые всегда казались ей не вполне людьми, а то ли инопланетянами, то ли божествами.

«Теория общественного хозяйствования», «Методы микроэкономического анализа», «Новая концепция брендинга», «Паблик рилейшинз для менеджера», «Проблемы трудового права в России», «Дауншифтинг без экстрима», «Монетизация активов»...

У Риты дух захватило от всех этих названий, она снова и снова повторяла их про себя и постепенно поймала себя на том, что они звучат, как загадочная музыка, которую она никогда не понимала, но которая сейчас, в этот самый момент, вдруг показалась ей волнительно-интересной, почти захватывающей.

Рита, не вполне понимая, что делает, достала из потертой сумки кошелек. Здесь была половина тех денег, которые дала ей взаймы Нина. (Другую половину она разделила на две части, одна лежала в квартире, под половиком, а другую Рита зашила в свой лифчик.)

— Я хочу купить пару книжек, — сказала она продавцу.

— Пожалуйста. Вам какие?

Рита вынула из кошелька тысячную купюру и, отчетливо сознавая, что совершает глупость (но не в силах противиться острому желанию), протянула деньги продавцу.

— А на какие хватит? — спросила она.

Продавец посмотрел на деньги, потом на Риту. На лице его отобразилось легкое удивление.

— Вам по экономике? — уточнил он.

— Да, — сказала Рита, хотя не была уверена. — Давайте по экономике.

— Ну... тогда вот эта, эта и вот эта. Первые две — по четыреста рублей, а вот эта — двести.

— Давайте, — нетерпеливо сказала Рита.

Продавец взял купюру и положил перед ней книги стопкой.

— Пакет нужен? — поинтересовался он.

— Нет.

Она взяла книги в руки, огляделась и, увидев неподалеку скамейку, быстро зашагала к ней.

Логистика, венчур, маржа, годовой отчет...

Сидя на скамейке, Рита поспешно (словно изголодавшийся человек, которому бросили кусок хлеба, и к которому уже приближаются, рыча и угрюмо сверкая глазами, тощие бродячие собаки) глотала незнакомые прежде слова, смутно припоминая, что некоторые из них она уже слышала — из телевизора, из радио, из уст больших людей, которые проходили мимо, не замечая ее, держа возле уха смартфон, по дороге от офиса к машине (всегда почему-то черной, большой и страшной).

Лизинг, консалтинг, капитал, трейд-маркетинговые акции...

Они читала все это быстро, почти по диагонали, перелистывая страницы на полсекунды раньше, чем успевала дочитать последние слова, домысливая их, стремительно продвигаясь дальше и с удивлением понимая, что все это не так сложно, как она себе представляла, и даже наоборот — за набором диковинных терминов и понятий скрывалась простая, в общем, схема человеческих отношений, в которых главным достоинством считалось умение заработать на слабостях другого, а то и вообще — подтолкнуть падающего, чтобы устоять самому.

Но все это было красиво, во всем этот был порядок; мир, описываемый в этих умных книгах, был строен, ловко, совершенно безболезненно втиснут в рамки принятых правил и четко структурирован. Поняв это, в нем можно было легко ориентироваться, и Рита почувствовала, как в душе у нее нарастает восторг. Наконец-то все стало ясно. Наконец-то жизнь обрела смысл. Наконец-то мир, казавшийся раньше сложным, непонятным, страшным, темным, был разгадан, разложен по схемам, а потом собран заново и воспроизведен на страницах этих книг!

В какой-то момент, оторвавшись от чтения, Рита посмотрела на круглые часы, висящие на столбе. Удивленно вскинула брови, а потом испуганно выдохнула. Прошло почти три с половиной часа с тех пор, как она села на скамейку и стала листать книжки.

Рита поспешно сунула книги в свою потертую сумку из грубого кожзама, вскочила со скамейки и бросилась к автобусной остановке.

14

— Ты опоздала, — изрекла Лида, мрачно глядя на Риту и жуя толстыми губами фильтр сигареты.

— Прости, — смущенно обронила Рита, стоя перед толстухой с виноватым видом. — У меня... сынок приболел. А твой телефон я не записала. Поэтому позвонить не смогла.

Врать про заболевшего сына было неприятно, но ничего лучше Рита на ходу придумать не смогла. Некоторое время Лида изучающее разглядывала ее, затем вздохнула и сказала:

— Ладно. Кричать на тебя не буду, ответишь финансово.

— Финансово? — не поняла Рита.

— Штраф, — просто пояснила Лида, дымя сигаретой. — Тысяча рублей.

— Целая тысяча?! — тихо ахнула, ужаснувшись, Рита.

— Ты же прогуляла, — резонно сказала Лида. — Я вообще могла тебя уволить. Но скажи спасибо, что я добрая. А теперь бери ведро и швабру — и вперед. И чтобы туалеты блестели, ясно?

Натирая шваброй мраморный пол и стараясь не обращать внимания на входящих и выходящих мужчин, Рита едва сдерживала слезы. Ей вдруг показалось диким и противоестественным, что она — тридцатидвухлетняя молодая женщина — вынуждена размазывать по полу чужие мочу и плевки. И все это потому, что в свое время она не смогла получить образование. Как так вышло? Почему? А ведь выяснилось, что узнать что-то новое не так уж и сложно. Еще вчера она понятия не имела о том, как устроен мир, как работает экономика страны, ничего не знала о лизинге, трейдерах и марже. Все, что было нужно, это почитать пару книжек. А если она прочтет десять книжек? Или двадцать? Неужели и тогда она продолжит натирать шваброй зассанные полы и смотреть, как мужчины встряхивают свое хозяйство над писсуарами?

Рита остановилась. Эта мысль показалась ей настолько страшной и несправедливой, что ее даже затошнило.

— Да как так-то? — с досадой проговорила Рита и яростно брякнула швабру в ведро, так, что брызги полетели.

И в эту секунду дверь туалета открылась, и в туалет вошли двое мужчин, которых Рита видела вчера: молодой «лощеный» (Рита помнила, что его зовут Глеб), и угловатый, который выглядел постарше и у которого было насмешливое лицо (кажется, его звали Артем). Мужчины встали у писсуаров; Рита заметила, что «лощеный» сжимает под мышкой бордовую папку.

Рита поспешно перешла со своей шваброй в другой конец туалета и принялась драить пол, не поднимая глаз.

— В этой папке мое будущее, Артем, — услышала она голос лощеного. — Тебе-то хорошо, ты партнер и член семьи. А я должен выгрызать себе дорогу к успеху.

— Смотри, не сточи по пути зубы, — иронично проговорил угловатый. — А то чем будешь жевать свой кусок успеха, когда добудешь его?

— Смешно, — сказал лощеный. — Но все-таки мы в разном положении. Я пашу, как лошадь. А ты... ты просто игрок. Ты играешь, Артем.

— Я не играю, Глеб. Я жизнью живу.

— Мне бы такую жизнь! Кто представит аналитику и отчет Беклищеву? Ты или я?

— Мне плевать, — сказал угловатый.

— Тогда я.

— Валяй. — Угловатый направился к раковине, быстро сполоснул руки и вышел из туалета.

Лощеный покосился ему вслед и недовольно проговорил:

— Мажор хренов. — Потом вздохнул, посмотрел в писсуар и проворчал: — С утра до вечера на нервах. Кажется, простатит себе уже заработал на нервной почве.

Сделав, наконец, свое дело, лощеный застегнул штаны, повернулся и смачно сплюнул на пол. Перехватил взгляд Риты и грубо сказал:

— Че уставилась? Вытирай. — Отвернулся и проворчал, двинувшись к умывальникам. — Корова дебелая.

Вскоре ушел и он. Рита швырнула швабру в ведро и подошла к умывальнику. Она вдруг почувствовала себя грязной. Стоя возле раковины умывальника, она стянула с рук перчатки и швырнула их на полку из полированного гранита. Протянула было руки под кран, но на полпути остановилась. На полке лежала бордовая кожаная папка. Та самая, которую лощеный держал под мышкой, пока стоял у писсуара.

Рита взяла папку. Открыла, пробежала взглядом верхний листок — просто так, из любопытства. Потом снова пробежала... В голове сами собой всплыли замысловатые термины из книжек, которые она читала перед работой, сидя на скамейке. Рита вдруг поняла, что эти термины перестали быть для нее пустым звуком, никчемными виньеточными узорами, и что она вполне может применить их сейчас. Как если бы она увидела перед собой рисунок, но рисунок этот был незавершен, но она могла довести его до ума, закончить — нужно было только взять карандаш, и она увидела этот карандаш. Он торчал из специального кармашка папки.

Не задумываясь о том, что делает, Рита вынула карандаш (он был остро отточен, ну, прямо как игла) и принялась делать на листке бумаги пометки.

Она знала, что делает, поскольку в голове у нее вертелись фразы и предложения из прочитанных днем учебников, и ей доставляло огромное удовольствие применять свои недавно приобретенные знания на практике.

Посчитав, что больше править нечего, Рита быстро сунула карандаш в кармашек, захлопнула папку и бросила ее на тумбу. В тот момент, когда лощеный богач вошел в туалет, она прилежно терла шваброй пол, не поднимая головы, как это и положено бесполым рабам, обслуживающим своих титулованых господ, этих беспечных, безжалостных и ветреных детей дневного света.

Лощеный увидел папку.

— Вот она где, — проворчал он.

Небрежно подхватил ее, сунул под мышку и покинул туалет, даже не посмотрев в сторону Риты. Она перестала тереть пол и облегченно перевела дух, чувствуя себя чернавкой, без разрешения сунувшейся в господские покои, которую полагалось высечь за наглость батогами на псарне. Но, кажется, «белый господин» ничего не заметил, а значит, экзекуции не последует. И то хорошо.

Закончив уборку, Рита отправилась в подсобку, чтобы немного передохнуть. Она села на стул и прикрыла глаза. Вспомнила листок с карандашными правками, перед глазами у нее замелькали цифры и термины, и вдруг ее настиг приступ головной боли — такой же сильный, как ночью. Рита схватилась руками за голову, сжала ладонями виски, стараясь удержать взрывающийся череп на месте. Боль была невыносимой. Должно быть, это из-за вчерашней аварии. Нина была права, надо было обратиться к врачу. Боже, как больно!

— Что с тобой? — услышала она удивленный голос Лиды.

Перед глазами все плыло от боли.

— Я... У меня... — Рита тихо и хрипло застонала. — У меня... голова раскалывается...

— Мигрень? Дать тебе таблетку?

— Нет, это... А-а... — простонала Рита от нового приступа боли. — Кажется... я помню все, — хрипло прошептала она.

— Что ты помнишь? — не поняла Лида.

— Все... Все, что когда-то видела или читала.

— Ты что, бредишь?

— Я... не знаю. — Вдруг боль ушла, резко и внезапно. Рита выпрямилась, посмотрела на Лиду и сказал, неожиданно для себя: — Я увольняюсь. По собственному желанию. Прямо сейчас.

Лида удивленно вытаращила на Риту глаза.

— Ты чего, мать? Белены объелась? Сама же выпрашивала эту работу. ..Да что случилось-то?

— Ничего, — сказала Рита. — Просто ухожу.

Лида еще пару секунд недоверчиво смотрела на Риту, потом усмехнулась и сказала:

— Ну, как знаешь.

— Зарплату за эти дни начислите?

Лида хмыкнула.

— По идее, не должна бы, — сказала она. — Но так и быть. Получишь за вчера и позавчера — шестьсот пятьдесят рублей. На большее не рассчитывай.

— Хорошо.

Лида достала из кармана кошелек, отсчитала несколько сотенных бумажек и всучила их Рите.

— Держи. С бухгалтерией я сама разберусь.

Рита взяла деньги, растерянно пересчитала.

— А еще двести пятьдесят рублей? Вы же сказали, шестьсот пятьдесят, а здесь только четыреста.

Лида прищурила маленькие, подведенные глаза.

— Не нравится — возвращай обратно и шуруй в бухгалтерию.

Рита в упор посмотрела на Лиду, но та спокойно выдержала ее взгляд. Рита вздохнула, поднялась со стула, повернулась и, не прощаясь, пошла к двери.

— Топай-топай, — сказала ей вслед Лида. — Дуреха. И больше не возвращайся, нам тут такие дуры не нужны.

Рита вышла из подсобки.

15

Уличная прохлада освежила и взбодрила. Головная боль ушла, но на щеках ее горел воспаленный румянец, а глаза бегали из стороны в сторону, выхватывая названия магазинов и кафе, детали одежды, выставленной в витринах, номера машин, лица людей, их прически, жесты. Все это моментально и прочно отпечатывалось у нее в памяти, как отпечатывается раскаленное клеймо на шкуре лошади.

Проходя мимо зеркальной витрины магазина, Рита остановилась и посмотрела на свое отражение. Тридцать два года. *Уже тридцать два.* Как-то уж слишком быстро это случилось.

Однако женщина, смотревшая на Риту с зеркальной поверхности витрины, выглядела старше тридцати двух лет. Замученная, плохо одетая, сутуловатая. Черты лица правильные, но само лицо вялое, невзрачное. Неухоженные блеклые волосы, затравленный взгляд. А ведь когда-то в нее влюблялись. Колька даже подрался с одним... Как же его звали? Крепкий такой. И цветы у ее порога оставляли. И выглядела она не так, как сейчас...

Боже, как недавно это было. И как давно!

Прошедшие со школы четырнадцать лет представились ей длинной вереницей серых, неотличимых друг от друга дней, в которых почти не о чем было вспомнить и воспоминания о которых вызывали только тошноту. И куда только подевалась молодость?

На глаза Рите навернулись слезы.

— Чучело, — с досадой сказала своему отражению Рита, отвернулась и, прикусив губу, чтобы не заплакать, пошла к автобусной остановке.

Она остановилась. Вспомнила, как это отвратительно — драить туалет, глядя на спины мужчин, выстроившихся у писсуаров, и чувствовать себя бесполым животным, пустоголовой вещью без признаков личности со шваброй в руках. При воспоминании обо всем этом ей стало противно до тошноты.

Дойдя до конца улицы и свернув за угол, она чуть не наткнулась на полного высокого мужчину в дорогом итальянском пальто и импозантной шляпе. Мужчина посмотрел на нее растерянным взглядом, улыбнулся и сказал:

— Excuse me, do you speak English?[1]

— Yes, I know a little[2], — ответила Рита.

---

[1] Простите, вы говорите по-английски? (*англ.*)

[2] Да, немного *(англ.)*.

Он облегченно вздохнул и заговорил снова:

— How can I pass on the street Volkhovskaia?[1]

Рита на секунду задумалась, затем сказала:

— Go straight to the end of the house here. Then turn right. There you will see a park. Pass through the park and you will go to the Volkhovskaia street[2].

— Thank U![3] — поблагодарил мужчина.

— It's my pleasure[4], — с улыбкой ответила Рита.

Иностранец вежливо приподнял шляпу, снова нахлобучил ее на голову и зашагал своей дорогой. Рита посмотрела ему вслед. Он был очень забавен в своем мешковатом пальто, с намотанным на шею огромным шарфом и в этой мятой фетровой шляпе, похожей на ту, которую носил когда-то Ритин дедушка. Рита улыбнулась и тихо пропела:

— Do you like the clothes I'm wearing? Or do you think I just look mad![5]

Она тихо засмеялась и повернулась к книжному развалу, но вдруг замерла на месте, и улыбка медленно сползла с ее губ.

Что это только что было? Она что, в самом деле говорила с иностранцем... на английском языке? Рита тряхнула головой. Да нет, быть этого не может! Может, он и иностранец, но говорил он по-русски, иначе как бы она его поняла?

...И как она могла себе такое вообразить? Она и трех слов-то не помнила по-английски. Вот дурочка. Точно дурочка! Рита усмехнулась и иронично проговорил вслух:

---

[1] Как мне пройти на Волховскую улицу? (*англ.*)

[2] Идите прямо до конца этого дома. Затем поверните направо. Там вы увидите парк. Пройдете через парк и выйдете к улице Волховской (*англ.*).

[3] Спасибо! (*англ.*)

[4] Пожалуйста (*англ.*).

[5] Нравится ли вам, как я одет? Или вам кажется, что я выгляжу безумцем? (*англ.*)

— A friend of mine I thought was cool Just called me an «April Fool»[1].

Затем на секунду оцепенела, а потом выпучила глаза и с размаху шлепнула себя ладонью по губам.

Неужели опять?!

Нет-нет-нет-нет! ...Да что нет? Точно! Она сказала это по-английски. Чепуха. Бред. Мистика какая-то. Но... что же теперь делать?

Надо успокоиться. Просто успокоиться. Все на свете можно объяснить. Нужно просто вспомнить — откуда она знает этот стишок? ...Боже, да ведь она учила его на уроке в школе. ...В тот день, когда Мишка Потапов, сосед по парте, украл у нее пенал.

Эпизод с похищением пенала живо встал у нее перед глазами. И вдруг она вспомнила всю череду уроков английского языка, словно старая кинопленка, шелестя своим целлулоидным телом, пронеслась у нее перед глазами.

— Боже... — выдохнула Рита.

Она и представить не могла, что школьные уроки английского языка, на которых она либо дремала, либо рисовала в тетради куколок и платья, покорно принимая двойки и зная, что за четверть ей все равно выведут тройку, чтобы не снижать общий уровень успеваемости, — она и представить не могла, что все эти уроки не прошли даром.

Рита помнила правила английской грамматики, которые монотонно бубнила перед доской учительница Светлана Михайловна, помнила словарики в конце каждого текста, и могла повторить их сейчас наизусть.

Предаваясь воспоминаниям, Рита не заметила, как ноги сами принесли ее к книжному развалу. Она остановилась, посмотрела на продавца и сказала:

---

[1] Один мой друг, которого я считал клевым, только что назвал меня «Первоапрельским дураком» (*англ.*).

— Я у вас брала книги. Сегодня утром. Можно мне поменять их на другие?

Продавец мрачно усмехнулся.

— Ага, щас! Разбежалась.

— Но они совершенно целые. — Рита достали из сумки одну из книг. — Посмотрите сами, они совсем не...

— А ну, иди отсюда! — неожиданно разозлился продавец. — Тут тебе не библиотека!

«Точно! — подумала Рита. — Библиотека — вот что мне нужно! И как я сама не догадалась?»

...Спустя полчаса она сидела в маленьком и безлюдном читальном зале районной библиотеки, обложившись англо-русскими и русско-английскими разговорникам, словариками и учебниками по английскому языку. Взгляд схватывал со страниц знакомые по школе конструкции и фразы, в памяти сами собой всплывали английские слова, которые она краем уха слышала на школьных уроках, словно рыбы, которых она выпутывала из наброшенной когда-то на рыбью стаю огромной сети. И рыб этих было много, десятки, сотни... Оказывается, все эти слова прочно засели у нее в памяти. Как? Почему? Неизвестно. Но все это никуда не делось.

Рита шелестела страницами, глупо улыбаясь, просматривала одну книжку за другой, откладывая их по мере прочтения.

— Женщина, мы закрываемся, — услышала она строгий голос старенькой, очкастой библиотекарши.

Рита оторвала взгляд от «Словаря деловых английских слов».

— Что?

Библиотекарша с легкой брезгливостью посмотрела на ее заношенную, «стариковскую», кофту, на немытые уже дней семь волосы, на лишенное косметики лицо и желтый синяк под левым глазом.

— Мы закрываемся, — сказала она. — Уже восемь часов вечера.

— Сколько? — Голос Риты сел от ужаса. — Восемь?

— Восемь-восемь. Приходите завтра. А сейчас, будьте так добры...

— У меня ж смена в кафешке!

Рита вскочила из-за стола, едва не опрокинув стул, и повернулась к двери.

— Эй! — крикнула библиотекарша грозно. — А книги я за вас должна уносить?

— Извините! — бросила Рита через плечо. — Я очень спешу!

И вышла из зала. Библиотекарша несколько секунд стояла, глядя ей вслед яростным взглядом, потом тихо выругалась и перевела взгляд на стол с разбросанными по нему словарями, разговорниками и учебниками. Усмехнулась и неприязненно проговорила:

— И зачем этой убогой понадобился английский язык?

* * *

Работа в кафе показалась ей такой же отвратительной, как и мытье туалетов. Рита недоумевала — и как она раньше могла спокойно смотреть на эти грязные тарелки, испачканные соусами и подливками, на свои красные от горячей воды руки, на остатки еды, которые нужно было сгребать в специальный контейнер?

Рита вдруг подумала о том, что заслуживает большего. И что все эти бессмысленные занятия, навроде мытья посуды, отравляют своей пустотой ее существование, отнимают у нее лучшие часы жизни.

Чтобы отвлечься от бреда своего существования и суметь доработать смену до конца, Рита вспоминала страницы прочитанных вчера и сегодня книг, проговаривала по памяти целые абзацы, наслаждалась тем, что может манипулировать сложными терминами.

В этот вечер толстый управляющий ни разу не зашел на кухню, а с двумя своими соработницами — казашкой

Айгуль и узбечкой Маймуной — Рита не общалась. Время от времени они тихо переговаривались между собой, но Рита не обращала на них внимания, думая лишь о том, когда же закончится этот ад.

Когда смена закончилась, Рита быстро сбросила халат, фартук и перчатки и выскочила из пропахшего шашлыками и водкой кафе на улицу. Свежий воздух подействовал на нее успокаивающе. Немного отдышавшись, она вернулась в кафе за сумкой, попрощалась с Айгуль и Маймуной, а потом неторопливо прошла через зал, густо заполненный людьми, и вышла на улицу через парадный вход.

16

Нина встретила ее улыбкой.

— Привет!

— Привет!

Рита вошла в прихожую.

— Лешка с Лизкой уже спят?

— Угу, — кивнула Нина. — Уснули с полчаса назад. Еле их уложила.

Разуваясь, Рита наткнулась взглядом на большую сумку из коричневой блестящей кожи, стоящую у двери.

— Ой, ты куда-то уезжаешь? — удивленно сказала она.

Нина засмеялась.

— Наоборот! Муж вернулся с писательской конференции на два дня раньше. Ты проходи, проходи!

Рита смущенно переминалась с ноги на ноги.

— Да ты не бойся, Витьки сейчас нет дома, — успокоила ее Нина. — Он пошел в интернет-клуб. У нас Сеть накрылась, а ему нужно письмо отправить. И вообще, он тебя не съест. Он у меня добрый!

Рита разулась и разделась, прошла вместе с Ниной на кухню.

За чаем Рита не удержалась и пожаловалась Нине на жизнь. На то, что мужчины свиньи, что она никогда не умеет им противостоять, что женщине вообще ничего не возможно добиться в этой жизни... особенно, если нет образования. Нина выслушала ее жалобы с легким удивлением.

— У тебя на работе проблемы? — осторожно уточнила она затем.

— Да нет, — сказала Рита с досадой. — Просто обидно. Крутишься, крутишься, а никакого толку. Как выходила замуж в штопаном платье, так и сейчас в нем же.

— Ну... — Нина пожала плечами. — Может, тебе стоит чаще проявлять характер?

— Ой, Нина... — Рита издала тяжелый вздох и махнула рукой. — У меня вообще нет никакого характера. Мои детки, моя порванная душа, мои больные нервы... Жизнь моя постылая — вот это все у меня есть. А характер? ... Откуда ему взяться?

— Вот потому что у нас такие женщины — затюканные жизнью, безвольные, мы и живем так, как живем.

Рита снова вздохнула.

— Нин, я ж не спорю.

— А ты поспорь! Прояви свое мнение. Докажи свою правоту.

Рита растерянно улыбнулась:

— Да где ж оно, мое мнение-то? Нету его.

Нина сдвинула брови и хотела возразить, но тут в дверь позвонили. Оказалось, вернулся Виктор (Рита уже и забыла про него). Нина ввела его на кухню и сказала смутившейся Рите:

— Знакомься, это мой муж Витька!

Рита посмотрела на вошедшего. Это был симпатичный мужчина лет сорока с небольшим на вид, среднего роста, лысоватый (но это его не портило), чуть полный, но не толстый, с умными голубыми глазами. Рите он понравился сразу. Было в его облике что-то надежное.

— А это — Рита, — продолжила Нина.

— Та самая Рита? — с улыбкой сказал Виктор. — Добрый вечер!

— Здравствуйте, — негромко отозвалась она.

— Садись за стол, будешь пить с нами чай! — распорядилась Нина. — У меня как раз чайник закипает.

Виктор сел за стол, Нина поставила перед ним чашку, бросила туда щепотку заварки и залила кипятком. Рита украдкой разглядывала Виктора, обратила внимание на его крепкую шею, на то, как он забавно щурил глаза (так обычно щурят близорукие люди, которые стесняются или не любят носить очки). Виктор заметил, что Рита его разглядывает, и улыбнулся ей, Рита тут же смущенно отвела взгляд.

— Значит, те два сорванца, спящие в маленькой комнате, — ваши дети? — не столько спросил, сколько констатировал Виктор, помешивая ложечкой сахар в чашке.

— Да. Старший — Лешка. А младшая...

— Елизавета Николаевна, — кивнул Виктор. — Барышня, которая обожает клубничное варенье и мужчин с усами. Мы с ней уже познакомились. И даже приятно побеседовали.

Он с добродушным любопытством смотрел на Риту, и она смутилась еще больше.

— Простите, что мы с детьми заняли комнату, — зачем-то пролепетала она. — Если нужно, мы завтра съедем и...

— Не говорите глупости, — сказал Виктор. — Вы никуда не будете съезжать. Квартира большая, места хватит всем. По крайней мере, до конца месяца. А потом я помогу вам снять квартиру. Вы ведь, кажется, уже нашли себе работу?

— Целых две, — сказала Рита.

«Но, кажется, одну я уже потеряла», — невесело додумала она.

— Послушайте, девушки, — снова заговорил Виктор, — а может, ну его, этот чай? Нин, у нас, кажется, еще осталась пара бутылок красного вина? Того, которое мне прислали из Испании?

— Конечно, — сказала Нина. И добавила иронично: — А ты думал, я выпила их без тебя? Принести?

— Тащи, — кивнул Виктор.

Нина встала из-за стола и ушла за вином. Вскоре она вернулась с двумя бутылками из темного стекла.

Первую бутылку они ополовинили за полчаса, под два тоста, провозглашенных Виктором — «за здоровье нашей гостьи и ее очаровательных сорванцов» и «за то, чтобы все плохие писатели переквалифицировались в управдомы». Виктор беспрестанно шутил, шутки у него были добрые, и совсем скоро Рита перестала смущаться.

После третьего бокала она почувствовала, что пьянеет, но опьянение было не такое резкое и дурное, как от водки, а мягкое и приятное, и от этого Рита почувствовала себя еще уютнее.

— Черт, спина болит, — пожаловалась Нина, морщась и поводя плечами. — Сегодня два часа простояла на стремянке.

— Зачем? — приподнял брови Виктор.

— Помогала нашим парням развешивать картины. Знаешь ведь — если сама не проконтролирую, сделают вкривь и вкось.

— Бедная моя девочка, — сказал Виктор, обнял Нину и поцеловал ее в щеку.

— За это и пострадать не грех, — улыбнулась Нина. — Ладно, ребята, я пойду полежу минут пятнадцать. А вы тут не скучайте.

Нина поднялась из-за стола.

— Может, надо чем-то помочь? — спросила Рита. — Массаж там или еще что?

— Массаж? — Нина посмотрела на нее лукавым взглядом. — А ты умеешь?

— Вообще-то нет.

Нина улыбнулась:

— Тогда лучше не будем рисковать.

После того как она ушла, Рита и Виктор несколько секунд сидели в тишине, потом Виктор спросил:

— Значит, у вас отняли квартиру?

— Угу, — кивнула Рита.

— И что думаете делать дальше?

— Да ничего не думаю. Жить буду. Детей растить. А подохну, так тоже не беда, государство позаботится.

— Думаете, позаботится?

— Да уж не хуже меня. Что я-то? Мужа, считай, больше нет. Квартиры тоже. Что я им дала, малюткам своим? Что для них сделала?

Рита тяжело вздохнула. Виктор неловко кашлянул и сказал:

— Ну ладно, не будем о грустном. Я, пожалуй, открою вторую бутылку.

Пока он открывал бутылку и разливал вино по бокалам, Рита сидела с задумчивым видом, положив локоть на стол и подперев щеку ладонью.

— Давайте выпьем за ваше будущее, — предложил Виктор. — Чтобы оно было лучше вашего прошлого.

— Отлично! — улыбнулась Рита, поднимая свой бокал. — Вы такие тосты говорите — душевные.

Они чокнулись и отпили из своих бокалов, после чего Рита почувствовала, что скованность полностью покинула ее.

— А вы правда писатель? — спросила она, глядя на симпатичное, чуть одутловатое лицо Виктора.

— Правда, — кивнул он.

— И ездите по конференциям? Даже в заграничные страны?

— Случается иногда.

Рита подперла рукой щеку и вздохнула.

— У нас в районе тоже был один художник. Так-то он маляром работал в нашем ЖЭУ, но по вечерам картинки рисовал. Хороший был мужик. Высокий, работящий, жену не бил. Но потом его с работы турнули, и он спился. Да и турнули-то за дело — слишком уж он «беленькую» полюбил.

— Беленькую? — не понял Виктор.

Рита, поясняя, легонько щелкнула себя пальцем по шее. Виктор усмехнулся:

— А, вы про водку. Ну, вряд ли мне это грозит.

Рита качнула головой:

— Не скажите. Это каждому мужику грозит. Мужики, они же слабые. Налей им стакан — откажутся. Налей второй — без закуски пить не станут. А после третьего — хоть трава не расти. Вот Нина говорила, что вы любите вино.

— Есть такой грех. Но я люблю только сухие вина. А они...

— Сухие-мокрые, какая разница, — махнула рукой Рита. — Все одно — пойло есть пойло. Давай-ка еще по одной.

Пока Виктор разливал вино по бокалам, вернулась Нина.

— Нина, твоя гостья — шедевр, — с улыбкой сказал Виктор, наполняя Нинин бокал.

Рита улыбнулась польщенно и махнула рукой:

— Скажете тоже! Какой же я шедевр? Шедевр — это ваша Нина. Вот она — настоящая Жаконда!

— Кто-кто? — приподнял брови Виктор.

— Ну, эта... с улыбкой... Безбровая такая.

— А, Джоконда, — поняла Нина.

— Ну, да. Я и говорю: Жаконда. Давайте выпьем за вас! Вы такие... четкие!

Рита подняла бокал, чокнулась и отпила сразу несколько глотков.

— Ой, что ж это я пью, мне же на работу завтра вставать, — вспомнила она вдруг. — Знаете... я это... бокал тарелочкой накрою, чтоб не выдохлось. А завтра вечером допью.

Рита поставила бокал на стол и накрыла его блюдцем. Нина и Виктор наблюдали за ее действиями улыбаясь, но улыбки у них были не обидные, и Рита тоже улыбнулась.

— Нам тоже пора, — сказала Нина.

Она обняла мужа за шею, наклонилась к его лицу, и они поцеловались.

— Ну да, — чуть рассеянно проговорила Рита. — Пойду. А со стола-то надо убрать! — спохватилась она. — Да и посуду помыть!

— Завтра утром помоем, — мягко сказала Нина. — Иди уже!

Рита пару секунд переминалась с ноги на ноги, но потом решила, что слово хозяйки квартиры для нее закон.

— Ну все, ухожу, — сказала она. — Покойной вам ночки.

— И тебе спокойной ночи! — сказала Нина.

Нина и Виктор проводили Риту взглядом, потом Виктор обнял Нину и сказал:

— Она забавная.

— Да, — согласилась Нина. — И добрая. В наше время это редкость.

Виктор нежно привлек жену к себе, посмотрел ей в глаза, а потом поцеловал ее в губы.

...Ночью Рите казалось, что она слышит их тихий шепот, а потом — *те* звуки. Звуки, которые производят двое соскучившихся друг по другу любовников, оставшись одни... и в темноте.

Даже когда Виктор и Нина затихли за стеной, утомленные любовной игрой, Рита не смогла уснуть.

Она поднялась с раскладушки, включила настольную лампу, опасливо посмотрела на спящих детей (не проснулись ли?), а затем накинула халат (подарок Нины) и тихо подошла к стеллажу с книгами. Взяла наугад парочку и села с ними за стол.

Первая книга называлась «Психология полов, или Как победить в мире мужчин». Рита скользнула взглядом по названию, открыла книгу и погрузилась в чтение.

...Примерно через час, когда Рита уже собиралась закрыть книгу, она вдруг увидела, что на странице появилось красное пятно. Пятно слегка расплылось, впитываясь в бумагу, и к нему тут же добавилось еще одно. Голову Риты — от затылка ко лбу — жгучей молнией прошила боль, а в носу забулькало что-то влажное, и еще прежде чем поднести руку к носу, Рита поняла, что это кровь.

Рита привстала со стула, но в голове у нее словно бы что-то с болью провернулось. Она села обратно, кровь полилась по верхней губе, закапала на книжную страницу. Рита стиснула зубы, чтобы не застонать и не разбудить детей. Медленно подняв лицо к потолку, она нащупала в кармане халата платок, вынула его и прижала к носу и рту.

Несколько минут она сидела неподвижно, стараясь усыпить головную боль, и та постепенно притупилась, стала не такой явной и пульсирующей. Наконец, Рита почувствовала в себе силы шевелиться. Она отняла платок от носа, опустила голову, и в эту секунду боль мощным раскатом прокатилась внутри головы, от виска к виску, перед глазами у Риты что-то вспыхнуло, а затем все погрузилось во тьму.

17

Утром, ровно в шесть часов, Рита открыла глаза. В комнате было сумеречно. Поняв, что она по-прежнему сидит за столом, опустив голову на раскрытую книгу, Рита легонько втянула воздух носом и поняла, что кровь больше не идет. Стараясь избегать резких движений, она отняла щеку от книги и выпрямилась. Подняла руки и осторожно потрогала лицо. Под носом образовалась корочка засохшей крови. Рита убрала руки от лица. Посмотрев на будильник, она поняла, что поспала всего два часа. Рита прислушалась к себе и с удивлением поняла, что чувствует себя выспавшейся и бодрой.

Рита уже начала подниматься со стула, когда обратила внимание на раскрытую книгу, лежащую на столе. Правая страница была вся в темных пятнах. Левая страница тоже была испачкана кровью, но Рите вдруг показалось, что это не просто засохшая кровь, а...

ЦИФРЫ?

Рита снова опустилась на стул и с удивлением посмотрела на страницу, все еще надеясь, что ей это просто померещилось и никаких кровавых цифр на бумаге нет. Но они были.

08115036

Рита несколько секунд глядела на них ошарашенным взглядом, потом подняла к лицу правую руку и посмотрела на пальцы. Указательный палец был испачкан кровью. Рита опустила руку и перевела взгляд на цифры. Получалось, что она сама намалевала их пальцем, пока была в отключке. Но как?! И что они означали?

С минуту Рита сидела, уставившись на кровавые цифры и размышляя, пока не поняла, что вспомнить ничего не получится, и не почувствовала, что от усилий у нее снова начинает болеть голова.

Рита приказала себе забыть о странном наваждении. В конце концов, мало ли чего человек не сделает, будучи не в себе. Вон Колька однажды по пьяной лавочке выбил ей коренной зуб, а утром ничего не помнил. И даже после того, как Рита показала ему пустую лунку в кровоточащей десне, он все равно ей не поверил.

Стараясь не разбудить детей, Рита закрыла книгу, встала из-за стола и вышла из комнаты. Через десять минут, умытая, с почищенными зубами, она стояла на кухне, набирая из крана воду в чайник. На кухню вошел Виктор. Зевнул, прикрыв рот рукой и сказал:

— Привет, Рита!

— Утро доброе, — вежливо отозвалась она, бросив взгляд на мощную грудь Виктора и его наметившийся животик.

Он запахнул халат.

— Прости. Кстати, а ты чего вскочила в такую рань?

— Так мне на работу, — ответила она. — А вы чего так рано?

— Я жаворонок, — сказал Виктор с улыбкой. — Рано ложусь, рано встаю.

— Так вы вроде не рано заснули... — сказала Рита и запнулась.

— Ну, да, — добродушно ответил Виктор. — Но встал все равно по привычке. Хочу приготовить блинчики. Тебе сделать?

— Нет, я уже бегу.

Рита повернулась к двери, но вдруг остановилась, посмотрела на него и сбивчиво проговорила:

— Виктор, а вы... — Она осеклась.

— Что? — спросил он.

— Вы можете сказать мне про какой-нибудь музей? Такой, чтоб там было картинок побольше. Ну, то есть, *картин*.

— В смысле — ты хочешь, чтобы я посоветовал тебе какой-нибудь музей?

Рита кивнула:

— Ага.

— Ну... — Виктор на секунду задумался. — Я бы начал с областного музея живописи. Там есть неплохие работы Ларионовой, Коровьева и Серебряковой. И даже одна картина Кандинского. Кстати, если хочешь, я могу сам тебя сводить.

— Что вы! Зачем так беспокоиться?

— Да какое же это беспокойство? Это удовольствие. Я там почти год не был, самое время сходить. Давай я как-нибудь за тобой заеду после работы, и мы сходим вместе? Продиктуй мне номер своего мобильника, и мы созвонимся.

— Так у меня нет.

— Мобильника?

Рита кивнула:

— Угу. Коля забрал. Муж. На долги.

— Гм... — Виктор задумчиво потер пальцами щеку — Ладно, эту проблему мы решим.

Он подошел к подоконнику, вынул из зарядного устройства свой мобильный телефон и протянул Рите:

— Держи. Это мой запасной, его номер никто не знает.

Рита смущенно посмотрела на протянутый мобильник.

— Как-то неудобно.

— Ерунда. — Виктор улыбнулся. — Потом отдашь. А потеряешь — тоже не беда, он почти ничего не стоит.

— Ладно. — Рита взяла телефон. — Спасибо.

— Я тебе позвоню на днях. На дисплее высветится мой номер. Последние две цифры — тридцать два.

— Тридцать два? — Рита невесело улыбнулась. — Прям как мне. Тридцать два года, то есть.

— Так тебе тридцать два?

— Да.

Поймав на себе внимательный взгляд, Рита вдруг остро почувствовала себя старой уродиной, окончательно смутилась и невольно поправила пальцами прядь.

— А что? — решилась она. — Я так старо выгляжу?

— Нормально выглядишь, — сказал Виктор. И добавил мягко: — На свой возраст.

* * *

Только дойдя до автобусной остановки, Рита вспомнила, что ушла из компании «Витановы», и что швабру ей держать в этот день (а бог даст — и в последующие) не придется. Озадаченно остановившись возле остановки, она несколько секунд прислушивалась к себе, пытаясь определить: рада она этому или нет? Скорее, больше рада, чем расстроена. Но что же тогда делать? Чем заняться дальше?

...Искать новую работу? Почему бы нет?! Пожалуй, нужно купить газету с объявлениями. Вон их сколько в газетном киоске — «Работа для вас», «Ищу работу», «Новая работа»! Сотни объявлений на все вкусы. Может, найдется что-нибудь и для Риты?

Она тряхнула головой, решив больше не париться по поводу увольнения, и уверенно зашагала к киоску. Остановившись у витрины, она попыталась найти взглядом газеты с объявлениями, но вдруг уставилась на глянцевую обложку журнала «Vogue».

— Ну что, выбрали что-нибудь? — спросила у нее старушка-продавщица.

— Да. То есть... Можно мне посмотреть вот этот? — Рита ткнула пальцем в стекло витрины.

— Вам «Вогу»? Про моду? — уточнила продавщица.

— Да.

Старушка взяла журнал и протянула Рите.

— Только не заляпай, если не будешь покупать, — сурово предупредила продавщица.

— Ладно.

Рита взяла журнал, открыла его. И стала листать, с жадным любопытством разглядывая блестящие фотографии и тексты под ними. Женщины на этих фотографиях были красивые, худые и строгие. Рита разглядывала их изящные, но не броские платья, их туфельки на высоких каблуках, их приталенные пиджаки, яркие губы, драматически подведенные глаза... Казалось, все это служило одной лишь цели — создать видимость хрупкости, нежности и уязвимости, чтобы у находящегося рядом мужчина возникло непреодолимое желание защитить женщину и покровительствовать ей.

Рита подумала, что это очень умный ход. Живя в мире мужчин, глупо соревноваться с ними в силе, гораздо проще использовать эту силу в своих целях. «Как мирный атом», — подумала Рита и улыбнулась своим мыслям.

Рита закрыла журнал и посмотрела на глянцевую яркую обложку. Там была изображена красивая темноволосая девушка с насмешливо прищуренными карими глазами и задорной улыбкой. Рите вдруг показалось, что эта девушка похожа на нее. Она скользнула взглядом по имени — Camilla Belle.

Рита опустила журнал и вдруг увидела свое отражение в стеклянной витрине. Увидела и изумилась тому, как безвкусно и неряшливо одета, каким невзрачным и неоформленным выглядит ее лицо — будто и не лицо вовсе, а лишь бледная заготовка для лица.

Рита тяжело вздохнула и положила журнал на прилавок.

— Что, не понравился? — усмехнулась старушка, иронично разглядывая Риту. — Может, тебе лучше «Крестьянку» дать?

Рита отвернулась и пошла прочь от киоска. На душе у нее было мрачно и безысходно. Она сама не заметила, как пришла к библиотеке.

18

Когда много часов спустя она вошла в подсобку кафе «Телави», управляющий Василий Петрович встретил ее сердитым взглядом и недовольно проговорил:

— Ты работаешь всего третий день, и уже позволила себе опоздать.

— Василий Петрович... — Рите пришлось сделать усилие, чтоб ее голос зазвучал увереннее. — Василий Петрович, смена начинается в восемь двадцать. Сейчас ровно восемь двадцать. Значит, я пришла вовремя.

На одутловатом лице управляющего появилось удивление.

— Ты посмотри, как заговорила, — усмехнулся он. — Что, думаешь, ты тут самая умная?

— Нет, но...

— И хватит меня перебивать! — Толстое лицо управляющего побагровело, Айгуль и Маймуна испуганно сжались у него за спиной, продолжая драить тарелки. — Чтобы завтра пришла на работу за пятнадцать минут до начала смены! — отчеканил он, ткнув в лицо Рите толстым указательным пальцем. — Иначе — уволю к чертовой матери. Всосала? Или повторить по слогам?

— Вы... — Рита осеклась, но тут же повторила, стараясь придать голосу твердость. — Вы не имеете права меня увольнять.

— Что? — изумленно приподнял брови управляющий.

— Вы не можете меня уволить, — сказала Рита.

Айгуль и Маймуна замерли с мокрыми тарелками в руках. Толстяк опустил руку, приблизил к Рите разъяренное, налитое кровью лицо и прошипел:

— Что ты сказала?

Рита встретила его взгляд прямо.

— Это не я сказала, — тихо, но спокойно проговорила она. — Это написано в Трудовом кодексе.

Управляющий секунду молчал, затем медленно и плотоядно улыбнулся (от его улыбки Риту прошиб пот) и сказал:

— На заборе тоже много чего написано. Может, и это перескажешь, сучка?

Последнее слово он произнес насмешливо и презрительно. Внезапно страх Риты прошел, ей даже захотелось ему надерзить, показать, что она не какая-нибудь немощная беззубая старушка, которой можно помыкать.

— Могу и пересказать. — Голос Риты окреп. — А вообще, если вы меня сейчас турнете, я в суд могу пойти. И платить мне ничего не надо будет, а с кафе деньги возьмут. Вряд ли это понравится нашему хозяину.

Управляющий молчал, замерев с открытым ртом и глядя на Риту изумленным и недоверчивым взглядом.

— А еще вы меня сексуально домогались, — продолжила она. — И есть те, кто это видел. За это вас могут не только уволить с работы, но и приговорить к выплате денежного штрафа, а также к пятнадцати суткам общественных работ. И это если я еще про попытку изнасилования не скажу.

Василий Петрович прищурился.

— Что ты несешь? — процедил он сквозь зубы.

— Не несу. Просто ци... — Рита сбилась на непривычном слове, но договорила: — Цитирую.

Еще некоторое время он смотрел на нее в упор, чуть согнувшись, затем выпрямился, облизнул губы и сказал:

— Ладно. Берись за тарелки. Но я тебя, стерва, все равно уволю. Найду, к чему придраться, и уволю. С волчьим билетом. Так, что тебя не то что в посудомойки — говно из-под свиней выгребать не возьмут.

— Попробуйте. Только знайте: у меня в кармане включенный диктофон. И он не только все пишет, но и сразу передает по вайберу моей подруге. А она тоже записывает. Только попробуйте меня уволить — я тут же отнесу запись в полицию и расскажу про все. А в тюрьме вам будет очень плохо. Вы ж сытно кушать привыкли да мягко спать.

Толстяк оцепенело таращил на нее глаза. Когда она закончила, он молча развернулся и вышел из кухни.

Почувствовав на себе два испуганно-настороженных взгляда, Рита обернулась и хмуро, с вызовом проговорила:

— Что?

Айгуль и Маймуна поспешно отвели глаза и продолжили драить грязные тарелки.

ЧАСТЬ ВТОРАЯ

●

«ВИТАНОВА»

1

Утро выдалось пасмурное, хмурое. Сергей Анатольевич Беклищев, всесильный и полновластный хозяин империи под названием «Витанова», сидел за столом, просматривая папку, которую только что принес ему Глеб Черных. Сам Глеб, как всегда аккуратно выбритый, красивый и лощеный, сидел в кресле напротив, закинув ногу на ногу, и ждал, что скажет Беклищев.

Склонившись над раскрытой папкой и нахмурив густые брови, Сергей Анатольевич внимательно просматривал схемы, цифры и пометки к ним. Его мясистое лицо слегка покраснело, как краснело всегда, когда он был на чем-то сосредоточен. Глеб вдруг подумал, что босс похож на старого ощетинившегося ежа. Коротко стриженные седые волосы, торчащие вверх, лишь подчеркивали это сходство.

Беклищеву было сорок три года, но из-за резких морщин и ранней седины выглядел он на пятьдесят пять, и за глаза подчиненные называли его Старик. Каждое утро он пробегал по три километра, а потом еще полчаса плавал в бассейне. Он был крепок, как двадцатипятилетний парень, и силен, как атлет. Силы были ему нужны не только для управления компанией с годовым оборотом в два с половиной триллиона рублей, но и для того, чтобы не казаться смешным старым пнем рядом с молодой женой Ликой, с которой Беклищев официально расписался меньше года назад, и которая была на двадцать лет младше его.

Глеб незаметно глянул на часы. Старик заметил это движение и поднял голову.

— Что? — сухо спросил он.

— Ничего, Сергей Анатольевич, — с вежливой улыбкой сказал Глеб Черных. — Жду, пока вы дочитаете.

Сергей Анатольевич ткнул коротким, сильным пальцем в листок, испещренный карандашными надписями.

— Кто сделал эти пометки? — осведомился он.

— Какие пометки? — не понял Глеб.

— Вот эти. Посмотри сам.

Во рту у Глеба пересохло, когда он увидел, что лист исчеркан карандашной пачкотней. Какие-то строки были перечеркнуты, на полях что-то дописано.

— Я... не знаю, — сказал Глеб. — Сегодня утром, когда я пришел на работу, этих заметок не было.

— С кем ты работал над аналитическим прогнозом?

Глеб взял себя в руки и сказал:

— Вместе с Артемом.

— И кто из вас внес эти правки?

Глеб молчал. Он готов был поручиться, что утром, когда он пришел на работу, никаких правок в «прогнозе» не было.

— Ты что, правил сам себя? — сухо спросил Беклищев. — Тогда почему подал в таком виде?

Глеб нервно сглотнул слюну.

— Мне долго ждать ответа? — спросил Беклищев, сверля его холодными глазами.

— Сергей Анатольевич, я не знаю, кто испортил «прогноз», — честно признался Глеб. — Дайте мне полчаса, и я приведу все в божеский вид.

— Потом приведешь, — отчеканил босс. — А сейчас найди мне того, кто вносил в аналитику карандашные правки. Из-под земли достань, понял? Даю тебе час. Ступай.

Глеб поднялся с кресла и быстро вышел из кабинета.

...Стоя возле кофе-автомата с чашкой черного кофе в руке, Глеб мучительно пытался вспомнить, или, вернее, понять, — откуда могли взяться эти карандашные правки? Он все время держал папку при себе, считая ее своим шансом стать членом совета правления компании. Где же это могло случиться?

— Туалет! — вспомнил вдруг Глеб.

Он забыл папку в туалете! ...Кажется, там была какая-то тетка-уборщица. Надо срочно ее найти и узнать, кто открывал папку.

Пять минут спустя он вошел в подсобку, где ютились уборщицы и прочие «орки», имен которых Глеб никогда не знал, а лиц не запоминал. За столом сидела пухлая тетка в синем форменном халате, с вульгарно накрашенной физиономией.

— Добрый день! — поприветствовал ее Глеб.

Тетка посмотрела на него и улыбнулась.

— Здравствуйте! — отозвалась она подобострастным голосом и машинально поправила рукой блеклое, колтуноподобное убожество на голове, которое, должно быть, называла «прической».

— Отлично выглядите, — сказал ей Глеб.

Лида расплылась от удовольствия.

— Спасибо, Глеб Геннадьевич!

«Надо же, эта лохушка знает, как меня зовут, — с легким удивлением подумал он. — Хотя, наверное, они знают весь руководящий персонал по именам. Каждый день небось в своих вонючих кладовках косточки нам перемывают».

— Мне нужна уборщица, которая моет туалеты.

— У...борщица, — изумленно повторила Лида.

— Да. Та, которая мыла мужской туалет сегодня утром. Лет сорок на вид. Невзрачненькая такая.

Лида наморщила толстый, напудренный лоб.

— Ах, эта. — Она улыбнулась, всем своим видом показывая готовность служить. — Вы, наверное, про Риту Суханкину.

— Наверное. Где она?

— Так ее нет. Она уволилась.

— Когда?

— Недавно. — По лицу Глеба пробежала тень. Лида заметила это и испуганно спросила: — А что случилось-то?

— Мне нужно у нее кое-что узнать. По поводу одной вещи. Дайте мне номер ее телефона.

— Так у нее нету.

— Чего нету?

— Телефона. — Глеб посмотрел на толстуху холодным, недоуменным взглядом. — Я узнаю. Я найду.

Глеб чуть прищурил глаза и проговорил с холодной улыбкой:

— Постарайся, милая. Постарайся. У тебя есть полчаса.

2

Когда Нина вошла на кухню, Рита сидела за столом, подперев щеку рукой и помешивая ложечкой чай. Она смотрела в окно, на черные верхушки деревьев, и вид у нее был довольно депрессивный.

— Ты чего такая? — спросила Нина, усаживаясь на стул.

Рита посмотрела на Нину и тихо сказала:

— Какая?

— Задумчивая. Расстроенная.

Рита пожала плечами.

— Да нет, не расстроенная. Просто... надо искать другую работу.

Нина удивленно моргнула, но тут же улыбнулась и сказала:

— Молодец. Правильное решение. А у тебя уже есть что-то на примете?

— Нет. Пока ничего. — Рита натолкнулась взглядом на свое отражение в зеркале, встроенном в буфет, и по лицу ее пробежало что-то вроде болезненной судороги. — Мне кажется, я плохо выгляжу. Ну, куда меня могут взять с такой внешностью? Только в уборщицы.

— Так, — сказала Нина. — А ну-ка, посмотри на меня.

Рита повернулась. Нина, чуть склонив голову набок, внимательно осмотрела ее лицо.

— У тебя неплохая кожа, — сказала она. — И волосы ничего. Если, конечно, ими заняться.

Рита хмыкнула и проговорила с горечью:

— Тогда почему я такая страшная?

Нина улыбнулась.

— Ты не страшная, ты неухоженная, — назидательно произнесла она. — Нужно привести тебя в порядок.

— А как?

— Как? — Нина обхватила пальцами подбородок и задумчиво осмотрела Риту. — Знаешь, с чего мы начнем? Помоем тебе голову хорошим шампунем, а потом сделаем очищающую маску. У меня есть отличная очищающая маска!

— Ну... я даже не знаю, — неуверенно проговорила Рита. — Я никогда раньше не делала маску.

— Значит, это будет первый раз. И, конечно, не последний. Кстати, после маски мы займемся твоими руками. — Нина улыбнулась. — Вот погоди, я из тебя еще сделаю роскошную женщину. Идем!

И она первой поднялась из-за стола.

Вскоре Рита сидела на стуле в ванной комнате, а Нина мягкими движениями размазывала по ее лицу белую крем-маску.

— У тебя хорошая кожа, Рита, — учила она. — Но даже за хорошей кожей нужно ухаживать. Тем более когда тебе за тридцать.

— Долго еще? — спросила Рита.

— Нет. Еще полминуты. ...Ну, вот, теперь все. — Нина закончила и слегка отстранилась, чтобы оценить сделанную работу. — Отлично. Через час мы эту масочку смоем, и твое лицо засияет, как луна.

Рита разглядывала свое белое «масочное» лицо в зеркале.

— Похожа на привидение, — констатировала она.

— На самое обаятельное в мире привидение, — засмеялась Нина. — Ладно. Ты пока займись чем-нибудь, а я приму душ.

— Лады.

Из ванной комнаты Рита отправилась на кухню, решив заесть горечь досады от долгого созерцания своего лица шоколадной конфетой. Потом она сидела за столом, поедая одну конфету за другой и задумчиво прислушиваясь к шуму воды, доносящемуся из ванной. Рита чувствовала, как душа ее все сильнее погружается в тот черный омут, о котором она раньше не догадывалась и который умные люди называют депрессией.

Она ела уже четвертую конфету подряд, когда из прихожей донесся переливчатый звон.

— Нина, там кто-то звонит в дверь! — крикнула Рита машинально. — Виктор, наверное, пришел!

Но тут она вспомнила, что Нина моется в душе и не слышит ни звонка, ни ее крика. Рита пошла открывать сама. Поворачивая ручку замка, она совершенно забыла о том, что лицо ее похоже на белую греческую маску, изображающую скорбь (Рита видела такую картинку в одном из словарей, которые листала намедни в библиотеке).

Открыв дверь, она широко распахнула глаза от изумления и страха и машинально попятилась. На пороге стоял Глеб Черных, лощеный, причесанный, в дорогом синем костюме и дорогом темном плаще, пахнущий дорогой туалетной водой.

Глеб удивленно приподнял брови, глядя на белое лицо Риты, но тут же сообразил, что это просто косметическая маска.

— Утро доброе, — поприветствовал он небрежным голосом. — Мне нужна Рита Суханкина. Она здесь?

— Э... — Рита смутилась. — А вы... по какому вопросу?

Глеб, чуть склонив голову набок, посмотрел на нее ироничным взглядом и сказал:

— Вопрос у меня важный.

Он уверенно шагнул в прихожую, и Рита посторонилась, впуская его. Затем он повернулся к ней и спросил:

— Это вы Рита Суханкина?

— Да, — пробормотала она.

Глеб окинул ее холодным взглядом с ног до головы.

— Вчера утром я забыл папку в туалете. И пока она там была, кто-то сделал карандашные пометки на одном важном документе. Кто это был?

— Это был... Это была... — Рита сделала над собой усилие и договорила: — Это была одна моя знакомая.

— Вот как? — Глеб чуть прищурил карие глаза. — Могу я поинтересоваться, что делала ваша «знакомая» в мужском туалете?

— Она... Она заходила мне кое-что передать.

— Вот как? — Он хмыкнул. — Ну, это дело ваше. Меня интересует другое. — Глеб шагнул к Рите, нависнув над ней, и строго спросил: — Зачем ваша подруга взяла папку?

Рита попятилась, глядя на лощеного, как кролик смотрит на удава.

— Она... не брала. То есть... она ее просто открыла.

— Зачем?

— Я... не знаю. Случайно, наверное.

Глеб несколько секунд холодно смотрел ей в глаза.

— Давайте-ка подытожим, — сказал он. — Ваша знакомая раскрыла папку с документами, потом взяла карандаш и стала вносить правки в мою аналитическую записку. Так?

— Я... не знаю, — пробормотала Рита. — Я мыла пол. А она... Она меня просто ждала.

— Ну, предположим, что это так. Я хочу знать имя вашей подруги. Кто она? Где работает? И как ее найти?

— Ее зовут... Маргарита. — Рита сглотнула слюну и сипло выдавила: — ...Она работает в школе. Учительницей.

— Вот оно что! — Глеб прикинул что-то в уме и усмехнулся. — Умная учителка. Синий чулок современного ро́злива. Интересно. Что она преподает?

— Она? Так это... математику. Да, математику.

— Математику... — повторил Глеб. Он опустил взгляд на разошедшийся ворот халата Риты, открывающий ложбинку между ее грудей. Рита вскинула руки и быстро свела края халата. Глеб вновь усмехнулся.

— Ладно. Мне надо поговорить с твоей подругой. Срочно.

— Она что-то напортила? — напряженным голосом спросила Рита.

— Нет. Наоборот. Ее правки понравились моему боссу. Он хочет ее отблагодарить.

— Как?

— Просто. Выдать ей денежное вознаграждение. Ты можешь ей позвонить и попросить приехать сюда?

— Нет. У меня нет ее номера.

— А как же вы...

— Я телефон потеряла, — выпалила Рита. — А в нем все номера.

Он немного поразмыслил, затем сказал:

— Вот как мы поступим. Ты разыщешь свою подругу и попросишь ее позвонить мне. Я приглашу ее в офис, и мы все там обсудим. Идет?

Рита кивнула:

— Да.

— Вот и молодец. Жду звонка не позднее завтрашнего утра.

Он достал из кармана тысячную бумажку и сунул в ладонь Рите.

— Что это? Зачем?

— Считай это поощрением. — Глеб улыбнулся и подмигнул ей. — Не подведи меня.

Он повернулся, быстро прошел к двери, распахнул ее, бросил на Риту взгляд через плечо, снова подмигнул ей, отвернулся и вышел из квартиры.

Только когда дверь за ним закрылась, Рита смогла облегченно перевести дух.

3

— Кто-то приходил? — спросила Нина, выйдя из душа и вытирая по пути волосы мохнатым полотенцем. — Мне показалось, или я слышала голоса?

— Тебе не послышалось, — сказала Рита.

— И кто это был?

Рита усмехнулась и ответила:

— Мой дурной сон.

— То есть?

Рита помолчала, пытаясь решить, можно рассказать Нине правду или лучше уберечь ее от своих проблем, затем сказала:

— Я влипла в историю. Нин, кажется, мне нужна твоя помощь.

— И ты ее получишь, — улыбнулась Нина. — Пойдем на кухню, почаевничаем, заодно расскажешь мне все по порядку.

...Рассказ занял у Риты совсем немного времени, хотя она постаралась поведать Нине о своих заключениях в мужском туалете во всех подробностях.

Нина внимательно ее выслушала, потом поразмыслила и сказала:

— Значит, ты внесла карандашные пометки в какой-то важный документ, правильно я поняла?

— Ну да, — скорбно проговорила Рита. Она вздохнула. — Вряд ли они меня ищут, чтобы «вознаградить».

— Ну, бояться тебе их точно не стоит. Во-первых, карандашные пометки легко стереть простым ластиком. Это не проблема. А во-вторых... Что-то в твоих пометках показалось им интересным. Слушай, а чего это тебе вообще взбрело в голову делать пометки? Ты ведь говорила, что по образованию швея.

— Я... почитала кое-какие книги, — уклончиво ответила Рита.

Нина посмотрела на нее с любопытством, хотя и немного недоверчиво.

— Слушай, — сказала она, — а может, у тебя талант?

— Да какое там, — махнула рукой Рита. — Просто только-только, с час назад, читала книжку — и вдруг увидела знакомые цифры и термины в папке. Ну, и решила подправить. — Рита замолчала, исподлобья, почти стыдливо глянула на подругу и добавила со вздохом: — Не знаю теперь, что и делать-то?

— Что делать? Это очень просто. Ты позвонишь этому парню и согласишься с ним встретиться.

Глаза Риты испуганно расширились.

— Нин, ты чего? Я ж его боюсь.

— Не бойся. Ты ведь оттуда все равно уволилась, так что тебе ничего не грозит. Правильно я говорю?

— Ну... Вроде, да, — неуверенно пожала плечами Рита.

— Не вроде, а точно. Если они станут тебя оскорблять — пошли их всех на «небо за звездочкой» и уходи. Вздумают удержать насильно — кричи. В конце концов, на дворе давно не девяностые, и беспредельничать не получится. К тому же...

Рита вдруг побледнела и вскинула руки к голове.

— Ай... — тихо простонала она, сжимая пальцами виски.

— Что? — встревожилась Нина. — Опять голова?

Рита попыталась улыбнуться, но улыбка у нее получилась вымученная и болезненная.

— Немного... Простая мигрень. ...Сейчас... Сейчас пройдет.

— Тебе надо прилечь. Идем.

Нина встала из-за стола, подошла к Рите, обняла ее за плечи и помогла ей подняться на ноги.

— Да уже нормально... — слабо запротестовала Рита.

— На диван, — безоговорочно распорядилась Нина. — И отдохнуть полчасика в тишине и покое. Но сначала пойдем смоем тебе маску.

— Хорошо, — покорно выдохнула Рита, чувствуя, что перед глазами у нее все плывет от пульсирующей боли.

...Уложив Риту на диван, Нина сходила на кухню и принесла ей две таблетки и стакан с водой. Заставила выпить таблетки, а потом укрыла Риту пледом и потихоньку вышла из комнаты.

Когда спустя полчаса Нина снова заглянула в комнату, Рита сидела в кресле с ногами и читала книгу.

— Я же велела тебе отдохнуть! — воскликнула Нина.

— Все прошло, — виновато отозвалась Рита. — Голова больше не болит.

Нина нахмурилась.

— Напрасно ты к этому так относишься. Здоровье надо беречь.

Рита улыбнулась и рассеянно повела плечами. Нина вздохнула и спросила:

— Что хоть читаешь-то?

— Учебник по деловому этикету, — ответила Рита. — Представляешь, тут написано, что на работе нет мужчин и женщин, есть только статусные различия. А я-то, дура, обижалась, когда меня заставили мыть мужской туалет. А у них так, оказывается, принято.

— О статусных различиях тебе говорить рано. Может быть, потом ты перестанешь быть для них женщиной, но на собеседовании ты должна применять все свои женские чары.

Рита хмыкнула.

— А если у меня их нет?

— Они есть у всех женщин, — объявила Нина. — Но только не все умеют ими пользоваться.

Рита снова хмыкнула и подняла книгу к глазам, намереваясь продолжить чтение. Нина некоторое время на нее смотрела, раздумывая о чем-то, а затем сказала:

— Одевайся!

Нина решительно поднялась с места.

— Что? — не поняла Рита. — Куда?

— Одна моя знакомая работает управляющей в салоне красоты. Будем делать из тебя конфетку.

Рита грустно усмехнулась:

— Вряд ли получится. Я слишком старая для «конфетки». И вообще, страшная.

— Не тебе судить, — назидательно сказала ей Нина. — Там работают профессиональные стилисты, парикмахеры, визажисты. Поверь мне, эти ребята умеют делать чудеса. Ну? Сама встанешь, или мне поднять тебя силой?

Рита нехотя поднялась с дивана. Вся эта затея с походом в салон красоты казалась ей бредовой идеей и напрасной тратой времени и сил.

— Лучше бы я учебник по деловому этикету дочитала, — сказала Рита.

— Успеешь, дочитаешь, — парировала Нина. — При первой встрече мужчины увидят в тебе прежде всего женщину. Такова уж их мужская природа — они вскидываются на каждую новую самку. А первое впечатление, как известно, бывает самым стойким. Вот подумают, что ты мымра, и поди их потом разубеди.

— Но я и есть мымра, — грустно сказала Рита.

— Значит, попытаемся это замаскировать, — весело сказала Нина. — Пошли одеваться!

4

Едва они переступили порог салона красоты «Клео», как навстречу им вышла красивая молодая женщина с русыми, красиво остриженными волосами, в очках и в маленьком черном платье.

Она расцеловалась с Ниной, после чего Нина, кивнув на Риту, проговорила:

— Илон, я к тебе со странной просьбой. Надо сделать из этой серой мышки яркую леди.

Илона осмотрела Риту с ног до головы.

— Надеюсь, ты в курсе, что мы не занимаемся пластической хирургией? — иронично сказала она Нине.

— Еще бы, — улыбнулась та в ответ. — Так ты за нее возьмешься? По моей скидочной карте.

— Легко, — сказала Илона. — Но нам понадобится часа три.

— А мы никуда не спешим. Правда ведь, Рит?

Рита неуверенно пожала плечами:

— Да... Наверное.

— В таком случае — за дело. — Нина протянула Илоне пакет, который принесла с собой. — Тут одно из моих лучших платьев. Когда все будет готово — пусть наденет.

— Хорошо, — улыбнулась Илона. Повернулась к Рите и сказала: — Ну, что, идем?

Илона не ошиблась со временем, почти три часа у специалистов салона красоты ушло на то, чтобы «сделать из серой мышки яркую леди». Наконец Илона, стоящая возле крутящегося кресла, в котором сидела Рита, торжественно провозгласила:

— Добро пожаловать в новый мир! — И повернула Риту к зеркалу.

Рита уставилась на отражение и замерла на стуле с открытым ртом. Она ожидала увидеть почти то же, что видела всегда: бледную, усталую женщину с сухой кожей, невыразительными глазами и длинными волосами, похожими на клок пересушенной соломы. А вместо этого увидела темноволосую незнакомку с модной, короткой, немного «мальчишеской», прической, с правильным, чуть скуластым лицом, ясноглазую, с чувственными губами и аккуратными стрелками бровей.

Рита посмотрела на свои руки. Они тоже были чужие. Вместо обгрызенных неровных ногтей — длинные, ровные, темно-красные и блестящие. Как у самой Илоны.

— Это... я? — изумленно спросила Рита.

— Ты! — ответила Илона, довольная произведенным эффектом. — Такая, какой ты должна быть! И какой отныне будешь!

— Но... как вы так сумели? — проговорила Рита, продолжая с удивлением разглядывать свое отражение в зеркале. — Вы же просто волшебники!

— Ну, делать чудеса — это наша работа, — весело сказала Илона. — Тебе нравится?

— Нравится? — Рита прерывисто вздохнула и сказала взволнованным голосом: — Да я до сих пор не верю, что эта красавица — я.

— Эта красавица — ты, — заверила ее Илона.

Илона посмотрела на отражение Риты, на этот раз придирчивым, профессиональным взглядом, и сказала:

— Я бы кое-что еще подправила, но это уже в следующий раз. Приходи, когда будет время. Заодно и над стилем бы поработали.

— Ладно.

— Фигура у тебя хорошая, почти ничего лишнего. Ты на какой диете сидишь, если не секрет?

— Я? ...Ни на какой.

— От природы, что ли, худенькая?

— Да. Наверное. — Рита попыталась вспомнить, когда она наедалась досыта, и добавила с улыбкой: — Просто мало ем.

— Я тоже стараюсь себя ограничивать, — сказала Илона. — Кстати, ты работаешь или домохозяйничаешь?

— Я?... Как раз ищу работу. Завтра иду на собеседование, — пояснила она.

— Вот оно что. — Илона улыбнулась. — Тогда ясно, для чего все это. Что ж, желаю удачи!

— Спасибо.

Нина застыла на пороге, глядя на Риту широко раскрытыми глазами.

— Ну? Как? — настороженно спросила Рита.

Нина выдохнула и восторженно проговорила:

— Класс!

Илона посмотрела на Риту и вдруг сняла свои очки и протянула Рите:

— Ну-ка примерь.

Рита взяла очки, неуверенно надела их.

— Вот теперь точно «класс», — с улыбкой сказала Илона. — Респектабельная молодая и деловая женщина, зарабатывающая большие деньги и следящая за собой. Нин, подтверди? — повернулась она к Нине.

— Подтверждаю, — улыбнулась та. — Рит, ты прямо преобразилась!

Рита хотела снять очки, но Илона остановила ее:

— Не снимай. Они твои. — И пояснила в ответ на недоуменный взгляд Риты. — В них простые стекла. Ты разве не заметила?

Рита растерянно моргнула.

— А зачем тогда...

— Зачем я их ношу? — Илона улыбнулась. — Мне кажется, очки добавляют мне шарма. А теперь они добавят шарма тебе. Да и у меня есть еще несколько, так что не волнуйся.

Перед уходом из салона красоты Рита еще раз внимательно осмотрела себя в зеркале и почувствовала то, что в книжке по психологии называлось «когнитивным диссонансом», или чем-то вроде того. Ей было странно, что незнакомая красивая дама в очках повторяет ее движения и жесты.

— Отныне тебе нужно почаще смотреться в зеркало, — сказала Нина. — Чтобы побыстрее привыкнуть к «новой себе». Ну, а теперь звони своему «лощеному». И скажи, что ты готова встретиться с его боссом.

5

Стоя перед стойкой ресепшена, Рита увидела приближающегося Глеба Черных. Подрагивающим от волнения пальцем она поправила на носу очки, подаренные Илоной. Хотела привычным жестом убрать длинную прядь волос за ухо, но вспомнила, что у нее теперь короткие волосы и, отдернув руку от головы, на секунду испугалась — как если бы ее заперли внутри автомобиля и заставили куда-то ехать, но водить автомобиль она не умела. И этим автомобилем была ее новая внешность.

Глеб подошел, остановился, окинул ее любопытным взглядом с ног до головы и сказал:

— Маргарита?

— Да, — ответила Рита. — А вы господин Черных?

— Он самый. — Глеб чуть прищурился и проговорил с иронией: — Значит, вы и есть та таинственная учительница, которая любит совать нос в чужие дела?

Рита снова поправила пальцем очки, но ничего не сказала.

— Ладно. — Глеб посмотрел на циферблат наручных часов. — Нам пора к боссу, он специально задержался, чтобы с вами поговорить. Идемте со мной.

Глеб повел ее через огромный холл к «начальственному» лифту, на котором могли ездить только самые важные сотрудники компании.

В приемной их встретила серьезная светловолосая женщина лет сорока на вид. Она кивнула Глебу Черных, скользнула взглядом по Рите, затем нажала пальцем на кнопку коммутатора и сказала:

— Сергей Анатольевич, к вам Глеб Геннадьевич!

— Пусть войдет, — отозвался коммутатор густым мужским голосом.

Секретарша убрала палец с коммутатора и посмотрела на Глеба. Тот кивнул и глянул на Риту.

— Идем, — сказал он.

И первым шагнул к двери. Рита последовала за ним.

Когда они вошли в кабинет, Рита на секунду замерла у порога, оглядывая кабинет. Он был большой, с темными стенами, огромным столом, с темными полками, на которых стояли то ли скульптуры, то ли какие-то призы.

— Сергей Анатольевич, я тут к вам кое-кого привел, — сказал Глеб с вежливой улыбкой.

Рита посмотрела на хозяина кабинета. Это был Сергей Анатольевич Беклищев, человек, которого она до этого видела всего пару раз в жизни — и оба раза по телевизору, где он давал кому-то интервью.

Беклищев взглянул на Риту.

— Кто это? — холодно спросил он.

Глеб подошел к Беклищеву, нагнулся и быстро сказал ему что-то на ухо. Лицо босса чуть вытянулось от удивления. Он внимательней посмотрел на Риту.

Глеб выпрямился и отошел в сторону. Беклищев еще пару секунд разглядывал Риту, затем сказал:

— Это вы внесли карандашные правки в аналитику?

— Да, — сказала Рита смущенно. И добавила виноватым голосом: — Я случайно. Как-то само собой вышло.

Беклищев указал на кресло, стоящее напротив стола:

— Садитесь.

Рита подошла к креслу, неловко села. Беклищев все это время наблюдал за ней холодноватым, недоверчивым взглядом. Дождавшись, пока она устроится в кресле, он сказал:

— И насчет акций «Бритиш Ворлд» тоже вы?

— Да, — сказала Рита и добавила поспешно: — Но я имела в виду только долгий временной горизонт.

Беклищев кивнув. Глянул на листок бумаги, который держал в пальцах, и сказал:

— И насчет листинга ценных бумаг на гонконгской бирже? Это тоже ваши идеи?

— Да, — ответила Рита тем же тихим голосом.

— И насчет компании «Нанто» и «Тсури»?

Рита почувствовала, что краснеет от смущения.

— Я подумала, что не стоит зацикливаться на данных о прибыли и росте компаний, — сказала она, стараясь говорить твердо и уверенно, что, впрочем, не слишком хорошо у нее получалось. — У них отличные перспективы развития.

Продолжая смотреть на Риту, Беклищев сдвинул брови. Она смутилась еще больше.

— Как вас зовут? — спросил Беклищев.

— Марго. То есть, Маргарита Алексеевна. Ковальская.

— Могу я узнать, кем вы работаете? — спросил Беклищев.

— Я учитель, — соврала Рита. — Преподаю математику.

— Где преподаете? В институте?

— Нет, в школе.

— В обычной школе?

— Ну, да.

На лице Беклищева наряду с недоверчивостью появилось легкое недоумение.

— И что, в этой школе — вам там хорошо платят?

— Не очень, — сказала Рита и робко улыбнулась.

«При первой встрече с мужчиной женщина должна выглядеть как можно более соблазнительной», — вспомнила она слова Нины. Она расправила плечи, улыбнулась увереннее.

— Денег моя работа приносит мало, но я получаю моральное удовольствие. Учить детей... — Она пожала плечами. — Что может быть благороднее?

Сергей Анатольевич откинулся на спинку кресла и, глядя на Риту, задумчиво побарабанил пальцами по столу.

— Дети — это хорошо, — сказал он. — Дети — это нужно. Но человеку для нормальной жизни нужны деньги, верно?

— Верно, — согласилась Рита.

— Слушайте, а вы не хотите поработать у нас в компании?

Рита опешила.

— Где? — пробормотала она.

— В отделе инвестиционных проектов. Наша компания заинтересована в хороших трейдерах-профессионалах, которым можно поручить управление крупными средствами. Персональный аттестат и лицензию я вам сделаю.

— И каков байпавер? — негромко уточнила Рита, с трудом выдавив из себя слово, значение которого узнала только вчера, и внутренне сжавшись от волнения.

— Байпавер? — приподнял брови Беклищев. — Сердце Риты упала в бездну, сейчас я буду разоблачена, подумала она. — Ну... скажем, в один миллион долларов и выше, — спокойно сказал Беклищев. — Разумеется, ваша работа будет постоянно мониториться нашими риск-менеджерами. Кстати, Глеб Геннадьевич — ваш прямой начальник.

Рита посмотрела на Глеба, он усмехнулся и чуть склонил голову — как бы заново представляясь.

— Испытательный срок вам назначим... ну, скажем, месяц, — сказал Беклищев. — В зависимости от статистики ваших результатов будут увеличиваться и ваши возможности,

Глеб Черных снова нагнулся к боссу:

— Сергей Анатольевич, не уверен, что в нашем штатном расписании есть...

— Ничего, — небрежно оборвал его Беклищев. — Я хочу, чтобы эта девушка работала у нас. — Он по-прежнему смотрел на Риту. — Можете оформляться. Глеб вас проводит.

Рита растерянно моргнула.

— Да, но я...

— Продержитесь месяц, покажете себя — гарантирую вам повышение, — сказал Беклищев. — Можете очень неплохо заработать. Перспективы неограниченные. Если, конечно, хорошо себя проявите.

Рита молчала, не в силах поверить в то, что ей предложили работу, да не просто работу, а в компании «Витанова» — там, где даже лифты выглядели, как маленькие дворцы.

Сергей Анатольевич поднял руку и глянул на циферблат часов.

— Ну, так как? — нетерпеливо спросил он. — Вы согласны?

— Я?.. Да. Но я...

— Вот и отлично. Да, и еще. Подготовьте мне к завтрашнему дню свои соображения по поводу гонконгской биржи.

— Подготовить? — Рита растерялась. — Это как?

— Просто сделайте аналитичку страниц на пять. Коротко, но со всеми необходимыми выводами и цифрами. Справитесь?

— Да... Наверное.

— Ну, удачи.

— Спасибо.

Беклищев снова опустил взгляд на деловые бумаги, разложенные на столе. Глеб открыл перед Ритой дверь, и она вышла в приемную. Глеб последовал за ней.

6

Глеб и Рита шли по коридору рядом.

— Вам повезло, — сказал Глеб, искоса разглядывая ее. — Босс у нас суровый, жалует немногих, но вы ему явно понравились. Скажите, мы с вами нигде раньше не встречались?

Рита пожала плечами:

— Нет. Где мы могли встретиться?

Глеб усмехнулся.

— Да. Встретиться нам негде. По крайней мере, было до сих пор. Мы пришли.

Он остановился возле двери с табличкой «Специалист по персоналу».

— Вам в этот кабинет, — сказал Глеб. — Там вас оформят. Спросите Вику Силуянову, она наша кадровичка, и она в курсе насчет вас. Увидимся!

Он отвернулся и пошел дальше по коридору.

Вика Силуянова оказалась моложавой стройной женщиной лет тридцати пяти с немного надменным лицом. Она была красиво и аккуратно одета, и от нее прямо пахло аккуратностью, правильностью и чистотой.

— Ваши имя и фамилия? — поинтересовалась она у Риты, положив перед собой специальный формуляр для заполнения.

— Рита... То есть, Маргарита... — Рита на секунду запнулась, а потом выпалила свою девичью фамилию — Ковальская.

— А отчество?

— Алексеевна я.

— Значит, Маргарита Алексеевна Ковальская. — Кадровичка вписала ее имя, фамилию и отчество в специальный бланк, затем подняла на нее взгляд и сказала: — Можно ваш паспорт? Мне нужно переписать данные.

— А... у меня при себе нет, — соврала Рита. — Забыла дома.

— Ничего, — сказала кадровичка спокойно. — Донесете потом. Нужен еще ксерокс паспорта, но это мы сделаем здесь.

Рита посмотрела на кадровичку с недоверием.

— Так я что, принята?

— Да. Я же все вам рассказала. Вы приняты с испытательным сроком в один месяц.

— А зарплата? — робко поинтересовалась Рита. — Сколько я буду получать?

— А разве я не озвучила? Простите. На время испытательного срока мы предлагаем вам пять тысяч.

— Пять?

«Ну и дела, — подумала Рита. — Я ж уборщицей больше получала».

— Вас не устраивает сумма? — уточнила кадровичка, заметив сомнение в ее глазах.

— Ну... — Рита не решилась сказать правду, побоялась, что ее тут же прогонят.

Собеседница на секунду задумалась, а потом сказала:

— Знаете что... Думаю, я смогу выбить еще тысячу, но не больше. Сумма в шесть тысяч вас устроит? И не забывайте, что это только на испытательный срок.

— Ладно, — торопливо сказала Рита. — Я согласная. А... — Она снова смутилась. — А как насчет аванса?

Кадровичка вежливо улыбнулась:

— Сейчас уточню.

Она взяла со стола белый красивый телефон, набрала номер и прижала трубку к уху.

— Алло, Майя, слушай, нужно выплатить подъемные нашему новому сотруднику... Да, прямо сейчас. Подожди секунду. — Строгая женщина взглянула на Риту и уточнила: — Вас устроит половина суммы?

— Да, — пробормотала Рита. — Конечно.

— Майя, оформи три тысячи. ...Да, по межбанковскому... На имя Маргариты Алексеевны Ковальской. Я тебе сейчас перешлю данные. ...Хорошо. Тогда она к тебе сейчас зайдет.

Кадровичка положила телефон на стол и сказала Рите:

— Маргарита Алексеевна, пройдите, пожалуйста, в сто сорок пятый офис. Там вы получите деньги.

В сто сорок пятом офисе Риту ждало новое потрясение. Когда сотрудница Майя (грузная пятидесятилетняя женщина) положила перед ней деньги, Рита потеряла дар речи.

— Это что? — пробормотала она. — Это мне?

— Да. — Майя насторожилась. — Что-то не так? Здесь три тысячи долларов по межбанковскому курсу.

— По... курсу?

На ухоженном лице Майи появилось замешательство, она не поняла причины удивления Риты. Но, истолковав по-своему, сказала извиняющимся голосом:

— Мы производим оплату в рублях. Но с ростом курса будет расти и размер вознаграждения.

Рита сглотнула слюну.

— А... сколько здесь сейчас? — взволнованно спросила она.

— Сто восемьдесят две тысячи рублей, — ответила Майя. — Я округлила в большую сторону.

Рита отвела наконец взгляд от денег и посмотрела на Майю.

— И мне не придется их возвращать? — недоверчиво уточнила она.

Майя улыбнулась:

— Нет, не придется. Это невозвратный аванс.

— А если меня уволят? — осторожно спросила Рита.

— Даже в этом случае, — сказала Майя.

Рита шла по коридору с Нининой сумочкой в руке и всеми фибрами, всеми мышцами, нервами ощущала приятную, невероятную тяжесть сумки от толстого конверта из желтой плотной бумаги, в котором лежали деньги. Сто восемьдесят две тысячи рублей! Невозвратный аванс! Совмещая работу уборщицы с работой посудомойки, Рите пришлось бы работать десять месяцев, чтобы заработать такие деньжищи!

Из-за угла вывернул Глеб Черных.

— Ой! — вскрикнула Рита, едва не налетев на него.

Глеб остановился, иронично на нее посмотрел:

— Я что, похож на Серого волка?

— Нет. Просто я...

— Вся на нервах из-за новой работы? Бывает. Аванс получили? Все в порядке?

— Да, — ответила Рита, приподнимая сумочку, в которой были деньги. — Он здесь. И он невозвратный, — зачем-то добавила она.

Глядя на Риту сверху вниз, Глеб Черных чуть прищурил лукавые глаза.

— Для простой учительницы это очень хороший шанс изменить свою жизнь к лучшему, — сказал он. — Не упустите его.

— Я постараюсь, — сказала Рита.

— Да, и насчет аванса. Советую вам устроить вечером пирушку.

— Зачем? — не поняла Рита.

— Как зачем? Отметить устройство на работу. Это первое. А второе... Вы когда-нибудь слышали о законе циркуляции денег? Этот закон гласит, что первый аванс нужно обязательно пропить. Ну, или, по крайней мере, его часть. Тогда в образовавшуюся брешь хлынет поток новых денег.

— Правда? — удивилась Рита.

— Абсолютная, — усмехнулся Глеб. — Я проверял на себе, и не раз.

— Ладно. — Рита улыбнулась. — Тогда я устрою пир.

— Желаю удачи!

— Спасибо. До свиданья.

— До встречи.

Рита смущенно кивнула Глебу и пошла по коридору к лифту. Глеб посмотрел ей вслед, и улыбка сползла с его губ, сменившись гримасой неприязни.

— Еще одна выскочка, — тихо и почти презрительно проговорил он. — Ну что ж, посмотрим, как долго ты сможешь цепляться за весло, когда я выброшу тебя за борт.

7

Рита вошла в магазин и остановилась возле манекена. Манекен был одет в темно-серый женский деловой костюм — узкую юбку и приталенный пиджачок. Но Рита обратила внимание не на костюм, ее привлекла сумочка, которую держала пластиковая девушка. Такую же сумочку Рита видела у Камиллы Белль на обложке журнала «Вог». На сумочке был ценник, а на нем две цифры — 90. Рита скользнула взглядом по ценнику и снова уставилась на сумочку, пытаясь представить, как бы эта сумочка смотрелась в ее руках.

От стойки к ней подошла девушка продавец-консультант.

— Здравствуйте! — поприветствовала девушка с приклеенной улыбкой. — Могу я вам помочь?

— Помочь?... — растерянно переспросила Рита, не отводя глаз от сумочки. И не выдержала, спросила: — Простите, эта сумка правда стоит девяносто тысяч?

— Да. Это «Гуччи». — Продавщица тоже устремила взгляд на сумочку и добавила мечтательным голосом: — Настоящая крокодиловая кожа.

Несколько секунд они обе завороженно смотрели на сумочку. Рита отвела взгляд первой.

— И кто ж такие покупает? — негромко спросила она.

Продавщица повернула голову, посмотрела на нее оценивающим взглядом и сказала:

— Бывают люди.

Когда Рита уже собиралась уходить из торгового центра, она обратила внимание на какую-то суету в центральном холле. Там стояла толпа людей, на высоком кране сидел человек с телекамерой, а на большом баннере красовалась надпись «Телевикторина «Модная сделка»!

«Рита, тебе надо обязательно поучаствовать в викторине!» — прозвучали в ушах у Риты слова Нины. Немного поколебавшись, Рита зашагала к толпе людей.

Рита быстро протиснулась сквозь толпу, не обращая внимания на злобное шипение женщин и недовольные возгласы мужчин, и вышла в первый ряд. Ведущая — яркая блондинка с немного вытянутым лицом — обратила внимание на Риту почти сразу же.

— Кажется, у нас есть новый игрок! — весело сказала она и сунула микрофон Рите в лицо. — Здравствуйте! Как вас зовут?

— Рита.

— Отлично! — обрадовалась непонятно чему ведущая с «лошадиным» лицом. — Рита, я напомню вам правила нашей викторины. За каждый неправильный ответ вы будете отдавать нам что-то из вашей одежды. Если вы проиграете, вы отдадите нам всю вашу одежду — кроме нижнего белья! Вы готовы рискнуть?

— Я... — Рита замолчала нерешительно, но тут она вспомнила сумочку «Гуччи» из крокодиловой кожи и выпалила: — Я готова.

— Что ж, тогда пожелаем вам успеха! Первый вопрос на тысячу рублей. — Она обвела взглядом собравшихся людей и проговорила с улыбкой: — Все вы, конечно же, видели шелк. Многие из вас носили шелковые шарфики или спали на шелковых простынях. А вопрос такой: шелк — это ткань растительного или животного происхождения?

Перед глазами у Риты встала картинка, виденная в учебнике ботаники за седьмой класс — гусеницы, жующие листок шелковицы, и название под рисунком — «Тутовый шелкопряд».

— Животного, — сказала Рита.

— И это правильный ответ! — воскликнула блондинка-ведущая. — Второй вопрос на пять тысяч рублей. Если вы ответите на него неправильно, вы отдадите нам сразу две свои вещи. Вы готовы?

— Да, — сказала Рита, скрывая волнение.

— Хорошо. Тогда вопрос. Назовите итальянского модельера, полагающего, что «элегантность не должна бросаться в глаза»! Итак, ваш ответ?

— Армани, — выпалила Рита, даже не успев вспомнить, откуда она это знает.

— Верно! — радостно кивнула блондинка-ведущая. — Я вижу, вы знакомы с историей моды! Могу я узнать, кем вы работаете?

— Я... домохозяйка, — сказала Рита.

— Что ж, я вижу, у современных домохозяек много свободного времени, если они могут себе позволить пролистывать журналы мод! Но следующий вопрос будет еще сложнее. Если вы правильно на него ответите, вы получите пятнадцать тысяч рублей. А если нет — отдадите нам три свои вещи. Итак, я задаю вопрос. Многим известно, что впервые одела женщин в брюки Коко Шанель. А кто же придумал женский брючный костюм? Рита, вы поняли мой вопрос?

— Да.

Рита поймала на себе ожидающие взгляды собравшихся людей. Сердце ее учащенно забилось. Перед глазами у нее мелькнула строчка из журнала мод. «Ив Сен-Лоран:

гений, который одел женщин в брюки». Больше Рита ничего припомнить на данную тему не смогла. Но брюки — это ведь еще не брючный костюм. Что, если этот модельер ограничился только женскими брюками, а придумать целый костюм ему воображения не хватило?

Рита вдруг с ужасом подумала, что может ответить неправильно, и тогда ей придется снять с себя три вещи. Прямо на глазах у этой толпы! Да еще и телекамера снимает!

Риту затошнило от волнения и страха. Прикусив губу, она с трудом взяла себя в руки и громко сказала:

— Это был Ив Сен-Лоран.

— И это правильный ответ! — тут же воскликнула ведущая. — Линию дамских брючных костюмов, очень похожих на мужские, но состоящих при этом из брюк с высокой талией и облегающих пиджаков, месье Сен-Лоран представил в тысяча девятьсот шестьдесят шестом году!

Рита, у вас есть выбор. Вы можете забрать выигранные деньги и уйти. Или же — сыграть со мной в суперигру! Правила суперигры таковы. Я задаю вам три вопроса подряд, и на каждый ответ у вас есть не более десяти секунд. Если вы правильно ответите на все три вопроса, сумма вашего выигрыша возрастет в десять раз! Но если вы неправильно ответите хотя бы на один из вопросов или опоздаете с ответом — вы потеряете все выигранные деньги и оставите нам всю свою одежду, кроме нижнего белья! Итак, что вы выбираете? Пятнадцать тысяч рублей или суперигру?

По толпе зрителей пробежал ропот.

— Деньги! — выкрикнул кто-то.

— Суперигру! — возразил другой.

Ведущая с вопросительной улыбкой смотрела на Риту.

— Я выбираю суперигру, — сказала Рита.

В толпе возникло оживление, кто-то засмеялся, кто-то крикнул что-то ободряющее. Ведущая подняла руку, и гомон стих. Она обратила взгляд на Риту и громко произнесла:

— Итак, суперигра! — Затем взяла с постамента, за которым стояла, секундомер и провозгласила: — И я начинаю свою блицатаку! Первый вопрос: кто ввел в моду рваные джинсы — модельеры Дольче и Габбана или киноактер Том Круз?

Ведущая нажала на кнопку секундомера. Секунда... Две... Три...

— Модельеры, — сказала Рита. — Моду на рваные джинсы ввели модельеры Дольче и Габбана.

— Верно. Второй вопрос! Фрак английского покроя изначально придумали вовсе не для балов и вечеринок, а для спортивного занятия. Что это было за занятие?

Ведущая нажала на кнопку секундомера. Секунда... Две...

— Для верховой езды, — сказала Рита. — Фрак использовали для верховой езды.

— Верно! Скажите, Рита, вы владеете языком хинди?

У Риты пересохли губы. В книгах и журналах, которые она успела прочитать, не было ничего про язык хинди. Она понятия не имела, что это такое.

— Так вы знаете язык хинди? — повторила свой вопрос блондинка, лукаво глядя на нее своими кукольными глазами.

— Нет, — сдавленно проговорила Рита. — Не владею.

— Тогда мой третий вопрос будет для вас самым опасным. А вопрос такой. У вас есть ровно десять секунд, чтобы произнести на языке хинди слово, обозначающее легкие свободные штаны. Время пошло!

Ведущая нажала на кнопку секундомера.

Первая секунда... Вторая... Третья...

— Шаровары! — раздался возглас из толпы.

— Клеш! — не согласился с ним второй.

— Гамаши! — выкрикнул третий. — Точно гамаши!

Ведущая повернулась к толпе, приложила палец к губам и сказала с хитрой улыбкой:

— Тс-с-с.

Шестая... Седьмая...

В голове у Риты что-то замельтешило, запульсировало, а виски пронзила острая боль.

Восьмая... Девятая...

— Пижама! — выдохнула Рита. — Это слово «пижама»!

Публика затихла. Ведущая посмотрела на Риту загадочным взглядом, а затем раскрыла накрашенный рот и воскликнула:

— И мы приветствуем победительницу нашей «Модной сделки» Риту! Рита, ваш выигрыш составил сто пятьдесят тысяч рублей! Поздравляем!

8

— Нина, дети! — Лицо Риты радостно сияло. — Мы с вами идем в ресторан!

Лиза и Лешка недоверчиво нахмурились, а Нина приоткрыла от удивления рот, потом закрыла его и, вскинув брови, проговорила:

— Неужели получилось?

Рита кивнула:

— Ага!

— Молодчина!

Нина подошла к Рите, и девушки обнялись.

— Мам, а в какой мы пойдем ресторан? — спросил Лешка.

— Я хочу в мадагаскарский, — объявила Лиза. — И чтобы картошку фри давали.

— В самом деле, — сказала Нина, — у тебя уже есть что-нибудь на примете?

— Я видела тут рядом один. «Монарх» называется. Написано, что французская кухня.

— «Монарх»? — Во взгляде Нины появилась неуверенность. — Слушай, но он, кажется, дорогой.

— Ничего, — сказала Рита. — Я получила кучу денег. Собирайтесь, я умираю с голоду!

— У тебя новая сумочка? — заметила вдруг Нина.

— Да, — смущенно ответила Рита.

— Выглядит круто. Дай-ка посмотреть.

Рита протянула подруге сумку. Та взяла, оглядела, пожужжала молнией и пощелкала замочком. Неуверенно проговорила:

— Выглядит как настоящая «Гуччи».

— Угу. — Рита улыбнулась. — Еще скажи, что это настоящая крокодиловая кожа.

— Нет, конечно, но... — Нина потерла кожу в пальцах, понюхала. Задумалась.

— Китайское барахло, — поспешно сказала Рита, не желая вызывать у подруги зависть. — Купила за две тысячи. Боюсь, что выброшенные деньги. Наверное, расползется через месяц.

— Не будь пессимисткой, — сказала Нина, возвращая ей сумку. — Шовчики все ровные. Очень хорошая подделка. — И добавила с улыбкой: — Ты уж мне поверь, я на подделках собаку съела.

— Дай-то бог, — сказала Рита, принимая сумку.

И на этом тема сумки, к облегчению Риты, была закрыта.

Ресторан «Монарх» Рите понравился сразу. Он был в точности таким, каким Рита себе его и представляла (она прежде никогда не была в ресторанах, но видела их по телевизору, в сериалах).

Усевшись за столик, Нина неуверенно оглядела ресторан, задержала взгляд на бронзовых светильниках, белоснежных скатертях, сверкающих столовых приборах, на красных жилетах, в которые были одеты официанты, на посетителях в костюмах и платьях за тысячи долларов...

— Рит, — тихо сказала она, — ты уверена, что мы можем себе позволить этот ресторан?

— Можем, — сказала Рита. — Нин, расслабься. Я ведь сказала — я «проставляюсь».

К их столику подошел важный официант. Официант окинул Риту недоверчивым взглядом, за которым скрывалась брезгливость.

— Вы уже готовы сделать заказ? — сухо спросил он.

Рита смутилась под его взгядом, но посмотрела на детей и стряхнула с себя смущение, как змеи стряхивают старую кожу. Она расправила плечи и проговорила, пожалуй, чуть громче, чем следовало:

— Готовы. Принесите нам шампанского... Вот этого — «Мо-ет Схан-дон»...

— «Моет и Шандон», — машинально поправил официант. — Вам один бокал?

— Почему один? — удивилась Рита. — Нас же двое. Принести два бокала. И бутылку шампанского.

Брови официанта приподнялись:

— Бутылку?

— Угу. — Рита чуть смутилась под его удивленным взглядом. — А чего, это же не водка. Там ведь всего градусов двенадцать. А на закуску чего-нибудь мясного... Вот это, например.

Рита показала пальцем в меню. Официант скосил глаза на лист и озвучил:

— Беф бургиньон? — Он скользнул взглядом по лицам детей, Лешка скорчил ему рожу, а Лиза приветливо улыбнулась. — Сколько приборов? — уточнил официант.

— Приборов? — Рита улыбнулась и качнула головой. — Нет, приборов нам не надо. Мы же поесть пришли. Дайте нам четыре тарелки этого «бюфа». Чтобы, значит, на всех. Потом нам надо овощи. Вот эти вот.

— Баклажан в томатно-базиликовом соусе? Тоже четыре порции?

— Ну да. Чтоб каждому.

— Я хочу картошку! — объявила Лиза.

Рита улыбнулась:

— И картошку. У вас ведь есть?

— Есть картофельная запеканка с белыми грибами и трюфельным маслом.

— Трюфельным? — Рита озадаченно сдвинула брови. — Это из конфет, что ли?

— Рит, трюфели — это грибы, — пояснила Нина.

— Вкусные? — уточнила у нее Рита.

— Не знаю, не ела. Говорят — очень.

— Давайте картошку. И еще — черной икры. Вот тут у вас есть.

Рита перелистнула страницу и показала в меню. Официант посмотрел на меню, на Риту и уточнил:

— Сорок граммов черной икры?

— А там всего сорок? — озадачилась Рита. — Че-то мало совсем. Это ж на один укус.

— Рит, может, не надо икру? — тихо сказала Нина, опасливо глядя на официанта.

— Как — не надо? Надо. Принесите нам икры граммов этак...

— Сорока будет вполне достаточно, — поспешила сказал Нина.

И посмотрела на Риту с некоторым недоверчивым испугом, как смотрят на внезапно свихнувшегося человека. Официант удалился от столика.

— Ты чего так разошлась? — громким шепотом спросила Нина. — Это ж черная икра, она жуть какая дорогая.

— Нин, успокойся, — сказала Рита. — Есть такой закон — «закон циркуляции денег». Если ты не потратишь деньги, то новые деньги к тебе и не придут.

Рита повернула голову в сторону барной стойки и увидела, как шепчутся официант с метрдотелем, уловила брошенный в ее сторону взгляд метрдотеля. Метрдотель перехватил ее взгляд и неторопливо подошел к столику.

— Простите, я насчет вашего заказа, — сказал он. — Вы заказали четыре порции «Беф бургиньон», четыре «Баклажана в томатно-базиликовом соусе», одну «Картошку с белыми грибами и трюфельным маслом», порцию черной икры и бутылку шампанского «Моет и Шандон»? Все верно?

— Вроде бы, — сказала Рита. — А что, что-то не так? — забеспокоилась она. — Продукты, что ли, лежалые?

— Да нет, с продуктами все в порядке.

— Может, думаете, у меня денег нет? — Рита сняла сумочку со спинки стула, положила ее на колени, быстро открыла, вынула пачку денег, перевязанную резинкой, и показала метрдотелю.

— Вот, здесь сто восемьдесят тысяч! Даже чуть больше. Можете сами посчитать.

Метрдотель улыбнулся:

— Что вы, это лишнее. Я просто подошел уточнить, все ли в порядке. Я искренне надеюсь, что вам у нас понравится. Приятного аппетита!

Проходя мимо официанта, метрдотель бросил на него грозный взгляд, тот виновато ссутулился.

Вскоре официант принес заказанные блюда. Выставляя их с подноса на стол и разливая шампанское по бокалам, он был сама учтивость. А перед тем, как удалиться, пожелал Рите, Нине и детям приятного аппетита и даже чуть поклонился. Как только он ушел, Лешка поддел пальцем немного икры и поднес к лицу. Скривился.

— Фу... Рыбой воняет.

— Я это есть не буду, — объявила Лиза, отодвигая от себя картошку с трюфельным маслом. — Я фри хотела.

Рита грозно нахмурилась.

— Ешьте, что дают, или уйдете у меня голодными! — прикрикнула она на детей.

Те нехотя взялись за вилки, а Рита с Ниной — за бокалы с шампанским.

— Ну, за твою новую работу! — провозгласила Нина.

Они чокнулись и отпили из бокалов. Рита причмокнула губами и, пожав плечами, проговорила:

— И за что такие деньги, не понимаю? Кислятина с газиками. Уж лучше бы заказали пива.

— А мне нравится, — сказала Нина. — Очень тонкий вкус. А то, что кислое, так на то оно и «брют».

— Уж лучше брют, чем когда бьют! — сострила Рита, сделала большой глоток и иронично скривилась.

— Слушай, Рит, — снова заговорила Нина, — я так и не уточнила, кем конкретно ты будешь работать?

— Сказали — помощником трейдера.

— А ты что, правда в этом соображаешь?

— Не очень, — призналась Рита. — Но вариационную маржу от открытого ордера отличить смогу. Только не думай, что я такая крутая, я совсем недавно наблатыкалась. Надо еще книжек почитать. Я уже купила их на развале. Черт, забыла! — внезапно спохватилась Рита. — Мне же еще аналитичку писать!

— А ты знаешь, как это делается? — с интересом глядя на нее, уточнила Нина.

Рита улыбнулась.

— Видела в красной папке. Ой, смотри, кажется, концерт начинается!

Рита кивнула в сторону небольшой сцены, на которую выбежали танцоры с голыми торсами и девушки-танцовщицы в костюмах, похожих на купальники. Заиграла музыка, и танцовщики с танцовщицами закружились в танце, больше похожем на выполнение какой-то гимнастической программы.

— Лешка, Лиза, а ну отвернитесь! — прикрикнула на детей захмелевшая от шампанского Рита.

— Да ладно тебе, — улыбнулась Нина, — это же всего лишь танцы.

— После таких танцев дети могут родиться, — смешливо наморщив нос, проговорила Рита.

К столику подошел официант, молча и вежливо взял бутылку и наполнил бокалы Риты и Нины шампанским, после чего так же молча и вежливо удалился.

— За дружбу! — провозгласила Рита, подняв свой бокал.

Они выпили еще немного. Рита посмотрела в сторону танцоров, усмехнулась, покосилась на детей, после чего наклонилась к Нине и негромко спросила:

— Слушай, а ты стриптиз видела? Ну, такой — когда мужики раздеваются?

— Видела пару раз, — ответила Нина.

— И как? Противно было?

— Почему? Нет. Даже забавно.

— Но ведь срамота это — когда перед всеми-то?

— Почему? — Нина небрежно пожала плечами. — Стесняться наготы — это ханжество. В немецких банях женщины и мужчины вообще моются вместе.

— Как это? — удивилась Рита.

— Да вот так. Раздеваются и моются. И детишки с ними, девочки и мальчики.

Рита смотрела на Нину недоверчиво, полагая, должно быть, что та ее разыгрывает. А когда поняла, что Нина не шутит, тихо воскликнула:

— Да разве ж так можно?

— А почему нет? Мы все равны, все люди и не должны стыдиться своего тела. Все остальное — ханжество.

— А если мужик на тебя смотреть будет да ухмыляться?

— Не будет, если он культурный и воспитанный человек. А если даже будет... — Нина пожала плечами. — Что тут такого? Я тоже могу на него посмотреть.

Рита нахмурилась и проговорила с сомнением:

— Ну, не знаю. Мужику-то, поди, можно, на то он и кобель. А женщине... — Она оставила фразу незаконченной и пожала плечами.

Нина фыркнула.

— И снова устаревший подход. В наше время женщина так же вольна выбирать себе сексуальных партнеров, как и мужчина. И менять их, если захочет.

— Так это стыд какой-то получается, — растерянно проговорила Рита. — Гулящая женщина это...

— Экспериментирующая, — поправила ее Нина. — Получающая удовольствие от жизни. Ладно, не будем спорить. Со временем ты сама все поймешь.

Сомнение не исчезло из глаз Риты. Нина посмотрела на нее и вдруг, сделав озабоченное и растерянное лицо, насмешливо и очень похоже спародировала:

— «Ну, не знаю». — Фыркнула и весело спросила: — Кажется, это твоя любимая присказка?

Рита лишь растерянно и смущенно улыбнулась в ответ. Жизнь Нины, как и сама Нина, остались для нее непостижимой загадкой.

9

Высокий сухопарый мужчина открыл глаза.

— Шеф, вы в порядке? — спросил его крупный парень в сером пиджаке, склонившийся над ним.

Сухопарый мужчина скосил глаза влево, потом вправо, понял, что лежит на кожаном диванчике в своем аскетично обставленном кабинете.

— Слава богу, вы пришли в себя. — Парень промокнул ему лоб бумажным полотенцем.

— Помоги... сесть, — хрипло проговорил сухопарый.

— Да, шеф, конечно. — Парень взял его за плечи и аккуратно посадил на диване. — Может, воды? — спросил он затем.

Сухопарый мужчина облизнул кончиком языка пересохшие губы.

— Да.

Парень отошел от дивана, быстро набрал стакан воды из графина, вернулся и протянул сухопарому. Тот взял стакан худыми бледными пальцами, поднес к губам и медленно, глоток за глотком, выпил всю воду. Пока шеф пил, парень стоял перед ним по стойке «смирно», глядя на то, как подергивается от глотков его острый кадык. Выпив воду, сухопарый вернул стакан парню и сказал:

— Следующий приступ я могу не пережить. Как долго я был в отключке?

— Минут семь, — ответил парень.

Сухопарый поднял руку к голове и провел ладонью по редеющим волосам, приглаживая их. Затем устремил на своего молодого сотрудника серые колючие глаза и осведомился:

— Профессор Старостин по-прежнему молчит?

— Да.

— Я хочу с ним поговорить. Помоги мне подняться, слабость еще не прошла.

Парень поспешно нагнулся, взял шефа под руку и помог ему встать на ноги.

— Хорошо, — сказал тот, выпрямившись. — Подгони машину к крыльцу, а я пока приведу себя в порядок.

Сорок минут спустя сухопарый стоял перед белой кроватью, на которой лежал профессор Старостин. Профессор был одет в больничный халат, запястье его правой руки было приковано наручником к стальной перекладине кровати. На осунувшемся лице Старостина темнели синяки и ссадины, глаза глубоко запали и смотрели на стоявшего перед ним высокого человека в сером плаще затравленно, с затаенным испугом.

— Валерий Аркадьевич, я не хочу причинять вам вред, — спокойно сказал сухопарый. — Но я вынужден быть настойчивым.

Профессор разомкнул потрескавшиеся губы и тихо проговорил:

— Я устал. Оставьте меня. Прошу вас.

Сухопарый медленно покачал головой.

— Нет.

В тусклых глазах профессора Старостина замерцала ненависть.

— Вы добились, чего хотели, — сказал он. — Власть, деньги... Что вам еще нужно?

Некоторое время сухопарый молча разглядывал профессора, затем повернулся к стулу, взял его за спинку и поставил перед кроватью, после чего сел на стул и сказал:

— Благодаря вам, Валерий Аркадьевич, я добился очень многого. И я способен добиться большего. Но дело в том, что я умираю.

— Мы все умрем, — сказал профессор Старостин.

Сухопарый посмотрел на него в упор и неторопливо проговорил:

— Ваш препарат помог мне яснее осознать свои цели. И добиться их. Но, к сожалению, из-за побочных эффектов мой организм быстро изнашивается. Очень скоро меня ждет мучительная смерть. А это несправедливо. Человек с моими способностями не должен умирать. Не так быстро. Смерть... — Он на секунду замолчал, подбирая нужное слово, после чего договорил: — ...Оскорбляет меня.

Профессор посмотрел на него хмурым взглядом и тихо сказал:

— Вечной жизни не бывает.

— Я говорю не о вечной жизни. Я говорю о решении моих проблем. Я знаю, что вы нашли способ избавиться от побочных эффектов. — Сухопарый замолчал, посмотрел на профессора долгим немигающим взглядом. Затем сказал: — Валерий Аркадьевич, почему вы не хотите сотрудничать?

— Потому что вы чудовище, — ответил Старостин.

Сухопарый едва заметно усмехнулся.

— Валерий Аркадьевич, куда вы дели опытный экземпляр нового препарата? Где он?

— Я его... уничтожил, — тихо выдохнул Старостин.

Сухопарый покачал головой:

— Вряд ли.

— Вы ведь видели формулы. Препарат не может храниться долго. Он нестабилен и быстро разрушается.

— Только если не находится в человеческом организме, — сказал Сухопарый. — Вы сами говорили, что препарат можно синтезировать заново, получив его из крови донора. Но мне нужно, чтобы вы назвали имя этого донора.

Профессор чуть сощурил морщинистые веки и сказал тихо, с жесткой иронией:

— Вы не получите препарат. И вы умрете.

Сухопарый вскочил со стула, шагнул к кровати, склонился над профессором и схватил его длинными пальцами за плечо.

— Кому вы вкололи препарат? — Он яростным движением тряхнул профессора за плечо. — Назовите мне имя этого человека! Назовите мне имя — и ваши мучения закончатся!

Профессор посмотрел своему собеседнику в глаза, потом повернул голову и устремил взгляд на стену, давая понять, что разговор закончен.

Сухопарый выпрямился. Пару секунд он стоял перед кроватью, глядя на Старостина задумчивым, холодным взглядом, затем повернулся и вышел из палаты.

В коридоре трое крепких мужчин (двое молодых и один — среднего возраста, с небольшим шрамом у левого виска) поднялись с кресел и выжидающе посмотрели на своего сухопарого шефа.

— Он ничего не сказал, — не столько спросил, сколько констатировал человек со шрамом.

Сухопарый посмотрел на него, нахмурился и покачал головой.

— Может, перейти к более радикальному воздействию? — спросил человек со шрамом.

— Нет, — сказал сухопарый. — Он нам еще нужен. Не сломленным — физически и интеллектуально.

Еще несколько секунд он размышлял, затем посмотрел на человека со шрамом и приказал:

— Переверните всю страну с ног на голову, но найдите донора. Сконцентрируйтесь на историях «невероятных карьерных взлетов». Установите наблюдение за победителями интеллектуальных шоу и викторин. Мы ищем одного-единственного человека. Действуйте!

ЧАСТЬ ТРЕТЬЯ

•

НОВАЯ ЖИЗНЬ

1

— Активность в производственном секторе Китая снизилась в декабре впервые за последние семь месяцев, — доложил Глеб Черных, настороженно поглядывая на Беклищева, сидящего во главе стола. — Тем самым подтверждая необходимость применения новых мер стимулирования в экономике. Предварительный индекс по закупкам снизился до сорока девяти пунктов в сравнении с ноябрьским значением в пятьдесят пунктов.

— Европа тоже замедляется, — не слишком уверенно заметила Рита.

Она, так же, как Глеб Черных, сидела в кресле перед столом, чувствуя себя немного не в своей тарелке и стараясь не смотреть Беклищеву в глаза.

— Растущее дефляционное давление приведет в конечном итоге к слабому спросу, — продолжил Глеб, глядя на Беклищева и словно не заметив слов Риты.

— Европа не просто замедляется, — снова подала голос Рита. — Замедляются ее «локомотивы», а это будет похуже, чем с ситуацией в Китае.

Глеб посмотрел на Риту и неприязненно проговорил:

— Маргарита Алексеевна, вы в компании всего вторую неделю...

— Глеб, осади, — перебил его властным голосом Беклищев. Затем кивнул на листок, лежащий перед ним на столе, и сказал: — Маргарита Алексеевна, что вы ожидаете по данному кроссу?

— Ну... — Рита запнулась. — Я ожидаю небольшой рост цены в виде завершения коррекции.

— А вот тут? — Беклищев ткнул коротким пальцем в излом графика.

— Данный кросс на сегодняшний день получается одним из самых техничных, — сказала Рита, тайно изумляясь тому, как из нее «само лезет» все то, что она прочитала за последние дни. — Волна i уже сформировалась, — продолжила она. — И началось формирование волны ii. Если данное предположение верно, то впереди нас ждет...

— Лакомый кусок, — усмехнулся Беклищев, уважительно глядя на Риту. — Я тоже так думаю. Глеб, теперь ты согласен?

— Нет, — сухо сказал Глеб.

Беклищев повернул голову и посмотрел на четвертого из присутствующих в комнате. Это был худощавый мужчина лет тридцати пяти на вид, немного угловатый, с умным, ироничным лицом.

— А ты как думаешь, Артем?

— Я думаю, Маргарита права, — ответил тот. — А Глеб ничего не понимает в волновом анализе.

— Ну, знаешь! — возмущенно проговорил Глеб.

— Решено, — перебил его Беклищев. — Мы рискнем. Теперь давайте обсудим второй вопрос. Сегодня завершается заседание ФРС по ключевой процентной ставке. Отсутствие каких-либо четких сроков повышения ставки не дает нам нужного вектора. А это значит...

— Простите, — перебила Рита. — Можно я выйду?

Беклищев посмотрел на нее удивленно.

— Что-то случилось? — сухо спросил он.

— Да... — выдавила из себя Рита. Она подняла руку и потерла пальцами висок. — У меня была бессонница. Мне немного нездоровится.

— Хорошо, можете выйти, — сказал Беклищев. — Но в будущем я не желаю слушать истории о том, как вы спали. По крайней мере, во время совещаний.

— Простите, — сдавленно пробормотала Рита.

Она встала из-за стола, повернулась и быстро вышла из кабинета. Когда дверь за ней закрылась, Глеб усмехнулся и предположил:

— Может, у нее критические дни?

— Может, это у тебя критически дни? — поддел его Артем. — Она работает в компании всего вторую неделю и уже уделала тебя, как щенка.

— Уделала или нет — это еще бабушка надвое сказала, — хмуро огрызнулся Глеб. — А если она окажется права, то это тоже ничего не будет значить. Даже дуракам иногда тоже везет.

— Все обсудили? — холодно прервал их перебранку Беклищев. — Теперь давайте вернемся к делам.

* * *

Рита стояла в туалете, перед раковиной. В висках у нее стучало и пульсировало, в затылок бил колокол.

Почувствовав новый прилив тошноты, она оттолкнулась ладонями от раковины, быстро вошла в кабинку, и там ее снова вырвало.

Немного придя в себя, Рита вернулась к раковине, открыла воду и сполоснула холодной водой руки, лицо и рот. Смыла с век поплывшую тушь. Нагнулась, чтобы набрать в ладони еще пригоршню воды, и вдруг услышала легкий скрип, как если бы кто-то водил пальцем по запотевшему зеркалу. Рита, обмирая от страха, медленно подняла голову и — оцепенела от ужаса. На запотевшем зеркальном стекле чьим-то пальцем были начертаны цифры:

08115036

Рита осторожно протянула к ним руку. Коснулась пальцами зеркальной глади и, осознав, что это были те самые цифры, которые она видела в книге (кровавые, начертанные ее собственною рукой и ее собственной кровью), тут же отдернула руку.

— Что же это... — хрипло прошептала Рита. — Что со мной происходит?

— Вам помочь надо? — вежливо произнес чей-то незнакомый голос.

Рита обернулась и увидела перед собой женщину-азиатку в синем халате и оранжевых перчатках. Это была новая уборщица.

— Нет... — сипло пробормотала Рита. — Я справлюсь.

Она выпрямилась, сорвала с держателя мягкое бумажное полотенце, промокнула лицо и вытерла руки. Затем взяла с мраморной подставки сумочку, повернулась и пошла мимо уборщицы к выходу.

Уборщица нагнулась и подняла с пола очки.

— Простите, этот ваш очки?! — окликнула она. — Вы забыли!

Рита остановилась, обернулась. Уборщица протягивала ей очки, виновато улыбаясь. Внезапно Рите показалось противным ее вежливое, чуть напуганное («большая начальница зашла в туалет!») и глуповато-покорное лицо.

Рита взяла очки, надела их на переносицу и, молча отвернувшись от уборщицы, направилась к двери.

В коридоре она вспомнила, что забыла подкрасить губы и глаза, но возвращаться обратно в туалет ей не хотелось. Рита подошла к окну, достала из сумочки помаду и зеркальце, быстро подвела губы — стараясь делать так, как ее учила Илона. Едва она спрятала помаду и зеркальце в сумочку, как из-за угла вывернул Артем. Он шел к лифту. Рита посмотрела на его худощавую, слегка угловатую фигуру и неожиданно для себя сказала с улыбкой:

— Артем, спасибо, что поддержали меня.

— Не за что, — обронил Артем, небрежно скользнув по ней взглядом.

И пошел дальше. По лицу Риты пробежала тень.

— Я вам не нравлюсь? — спросила она ему вслед.

Артем остановился. Посмотрел на нее и сказал, не то всерьез, не то в шутку:

— Вы не женщина, чтобы нравиться или не нравиться.

— Не женщина? — изумилась Рита. — А кто же я?

Артем усмехнулся:

— Акула. Волчица. Аппарат для зарабатывания денег.

— Почему вы так говорите?

— Потому что у меня есть глаза и уши. Вы здесь всего вторую неделю, а уже принесли компании несколько лямов. Если так пойдет и дальше, то скоро вы займете должность Глеба. Хотя... — Артем насмешливо пожал плечами. — Возможно, он задушит вас раньше и тем самым избавит нас всех от проблем.

— Проблем? — Рита недоуменно нахмурилась. — О каких проблемах вы говорите?

Артем внимательно и спокойно посмотрел на нее своими серыми глазами, после чего сказал:

— Вы любите играть по-крупному, повышая ставки. Но однажды вы проиграете. Рано или поздно каждый проигрывает. И боюсь, что ваш проигрыш ударит рикошетом по Сергею.

— Я всего лишь хочу жить, как все нормальные люди, — сказала Рита чуть обиженно. — Хочу иметь крышу над головой. И чтобы у моих детей на столе всегда была еда. Вот и все.

Артем усмехнулся и сказал:

— Это вам только кажется.

Он насмешливо подмигнул Рите, повернулся и пошел к лифту.

«Какого лешего он так обо мне думает?» — Рита досадливо поморщилась.

— Что, конфликт с начальством?

Рита обернулась на голос и увидела Глеба. Красивый, накачанный, черноволосый, он возвышался над Ритой почти на целую голову и смотрел на нее сверху вниз своими темными искрящимися глазами. Рита пожала плечами:

— Да нет. Просто беседовали.

Глеб хмыкнул и проговорил:

— Вы ему не нравитесь, Марго.

— А вам? — спросила она.

— Мне — да. Мы с вами одного поля ягоды.

— А Артем разве не такая же ягода, как мы все здесь?

Глеб прищурил глаза и произнес неприязненным голосом:

— Он человек, который держит в одной руке нож, а в другой платок — чтобы утирать слезы жалости. Я считаю это лицемерием. Кстати, я иду на ленч. Хотите со мной? Покажу вам отличный итальянский ресторанчик, где готовят самые вкусные в городе пенне с шампиньонами.

— Я не знаю, что такое пенне, — сказала Рита.

Глеб обольстительно улыбнулся:

— Заодно и узнаете.

2

— Ну? Как вам пенне? — поинтересовался Глеб.

— Не знаю, еще не поняла. — Рита еще немного пожевала. — Вроде неплохо, но... макароны какие-то недоваренные.

Глеб посмотрел на нее подозрительным взглядом, словно не мог понять: шутит она или говорит всерьез. Рита вдруг вспомнила строки, прочитанные в книжке «С поварешкой вокруг света», которую она читала дней пять назад для общего развития. Там было написано, что итальянские макароны и должны быть слегка недоваренными. Кажется, это состояние (когда тесто противно липнет к зубам») называется у них «аль денте».

Рита улыбнулась и поспешила исправить ошибку.

— Шучу, — сказала она. — Паста четкая. И с «аль денте» все в порядке. И с прованскими травами не переборщили. Самый цимус.

Глеб выслушал ее с улыбкой, но во взгляде его сквозило легкое удивление. Рита поняла, что от словечек «четко» и «самый цимус» придется воздерживаться.

— Послушайте, Марго, — снова заговорил Глеб, — ваше прошлое для всех нас остается тайной.

— Да нет никакой тайны, — не глядя ему в глаза и ковыряя вилкой итальянские макароны, сказала Рита.

— Не скажите, — возразил Глеб. Он зорко и внимательно глянул на нее и сказал: — Не понимаю, как женщина с вашей внешностью и вашими способностями могла так долго прозябать в простых «училках»?

— Мне нравилось быть «училкой», — по-прежнему не глядя ему в глаза, сказала Рита.

Глеб хотел еще что-то спросить, но в эту секунду к их столику подошел коротко стриженный верзила в дешевой куртке и с бутылкой дорогущего коньяка в руке.

— Уважаемые, я извиняюсь, — пробасил незнакомец, улыбнувшись Рите и Глебу щербатым ртом. — Можно присесть за ваш столик?

Лицо Глеба тут же стало неприязненным и слегка брезгливым.

— Это еще зачем? — сухо спросил он.

Детина улыбнулся еще шире и сказал извиняющимся голосом:

— Скучно бухать одному. Жратва здесь голимая — макароны да рис. У официантов морды кирпичом, в зале почти пусто. А вы вроде похожи на нормальных людей. Вот я и подумал: познакомимся, посидим. Я только что с вахты, работаю в Югре на буровой. Так что бухло и закуски за мой счет. А? Вы как?

Глеб поморщился.

— Мы никак, — грубо сказал он. — Слушай, вахтовик, иди-ка ты своей дорогой.

Улыбка медленно сползла с широких губ верзилы. Он сдвинул брови и сухо уточнил у Глеба:

— Грубишь?

Лицо его слегка побагровело, а веки прищурились. Рита много раз видела подобное выражение на лицах дружков своего мужа и знала, что последует дальше. Спасая ситуацию, она слегка тронула верзилу за руку и сказала:

— Простите моего приятеля. Он сегодня не в духе. У него... на работе большие проблемы.

Кровь отлила от лица верзилы-бурильщика.

— А, ну тогда не буду доставать, — примирительно сказал он. — Извиняйте, ежель что не так.

Работяга вздохнул, повернулся и зашагал к своему столику.

— Дебил, — тихо, с отвращением проговорил Глеб. — Чмо провинциальное.

Рита посмотрела на Глеба долгим взглядом и вдруг спросила:

— А правда, почему бы вам с ним не выпить и не поговорить?

— Мне? — удивленно приподнял брови Глеб. — Зачем?

— А вдруг у него радость. Например, сын родился. Поддержали бы человека, разделили бы с ним радость. А может, нашли бы себе нового друга. Может быть, он очень хороший и интересный человек.

— Кто? Этот даун? — Глеб усмехнулся. — Знаете, Маргарита Алексеевна, мне диалоги с этой «ватой» напоминают дегустацию. Когда в дегустации марочных вин принимает участие вонючий, синемордый колдырь. Зачем ему все эти «тонкие оттенки ванили и земляники», если его пасть привыкла к аромату стекломоя и пряности огурчика, засоленного в собственных носках?

— Вата? — переспросила Рита.

— Что? — не расслышал Глеб.

— Вы назвали его «ватой».

— А, это. — Глеб улыбнулся. — Вата — ватник — фуфайка. Плебс, одним словом.

— А вы, значит, белая кость?

Глеб усмехнулся:

— А вы в этом сомневаетесь?

— И кровь в ваших венах течет, наверное, голубая?

— Кровь у меня красная, как и у этого колдыря. Но на этом наше сходство с ним заканчивается. Он стоит на другой ступени эволюции.

— Более низкой? — уточнила Рита.

— Разумеется.

Рита хмыкнула.

— Вы очень искренний человек, Глеб.

— Только с близкими мне по духу людьми. — Он поднял бокал с «Вальполичеллой» и провозгласил: — Ваше здоровье!

Рита посмотрела, как он пьет, и вдруг со всей отчетливостью поняла, что Глеб Черных ей неприятен. И что он об этом прекрасно знает. Она взяла бокал и с улыбкой сказала:

— За то, чтобы мы всегда оставались друзьями!

И выпили вино до дна.

В конце рабочего дня случилась еще одна неприятность. Когда Рита шла по холлу к выходу из здания, на пути у нее возникла кадровичка Вика Силуянова, холодновато-вежливая, опрятная.

— Здравствуйте, Маргарита Алексеевна! — поприветствовала она Риту.

— Добрый день! — отозвалась Рита, глядя на холодное лицо кадровички.

— Вы принесли паспорт? Мне нужно записать ваши паспортные данные, помните?

— Ах, да. — Рита кивнула. — Только я снова забыла, — виновато проговорила она.

Кадровичка вежливо ей улыбнулась:

— Не беда. Принесете потом. Только не затягивайте, ладно? Мне нужны ваши данные для отчетности.

— Хорошо, — улыбнулась ей в ответ Рита. — Обязательно принесу.

Лифт остановился на втором этаже, кадровичка кивнула Рите и вышла. Двери лифта закрылись, и он поехал дальше. Рита облегченно вздохнула. Но тут же задумчиво нахмурилась. Прийти с настоящим паспортом Рита в отдел персонала не могла. Во-первых, она уже соврала насчет фамилии. А во-вторых... никто не должен был узнать, что помощник аналитика Маргарита Алексеевна — это та самая Рита Суханкина, которая мыла мужской туалет и которой один из ведущих топ-менеджеров компании Глеб Черных написал на туфли. Никогда!

А значит, надо было что-то делать. Как-то решать эту проблему. И чем скорее, тем лучше.

3

— Привет, ма! — поприветствовал ее Лешка.

— Привет, мамулечка! — веселым колокольчиком прозвенела Лизка.

Рита, едва успевшая войти в прихожую, наклонилась и обняла дочку, та немедленно впилась ей поцелуем в губы.

— Мамочка, а когда у тебя будет прическа, как раньше?

Рита улыбнулась:

— А тебе не нравится моя нынешняя прическа?

— Нравится, — сказала Лиза. — Но к той я больше привыкла.

— Ничего, привыкнешь и к этой, — сказала вышедшая из комнаты Нина. — А теперь отстаньте от матери, дайте ей раздеться и перевести дух. Лиза, поиграй в планшет.

Лиза и Лешка одновременно вспомнили про планшетный компьютер, который Рита подарила им три дня назад, и бросились в комнату наперегонки.

Пока Рита снимала пальто и разувалась, Нина стояла рядом, глядя на нее своим обычным приветливым взглядом.

— Ну? — спросила она — Как работа?

— Нормально, — ответила Рита.

Нина всмотрелась в ее лицо.

— Выглядишь ты неважно, — резюмировала она.

— Голова болит, — сказала Рита, вешая пальто на крючок. — И устала.

— Сделать тебе зеленого чаю?

— Не хочется тебя напрягать...

— Глупости. Ничего ты не напрягаешь. Мой руки, а я пока накрою на стол. Почаевничаем!

Вскоре они уже сидели за столом и пили ароматный фруктовый чай.

— Мне не хватает мозгов, — жаловалась Рита. — Несла какую-то ерунду на совещании... Почти наугад.

— Ничего, втянешься, — успокаивала ее Нина. — Возьми печенье, оно низкокалорийное.

Рита послушно взяла из вазочки печенье.

— Хочешь, вместе займемся йогой? — предложила Нина. — Это здорово помогает расслабиться и вернуть нервной системе равновесие.

Рита качнула головой:

— Нет. Спасибо, но это не мое. Я там купила новые книги... — Рита отпила чаю и облизнула губы. — Надо будет сегодня вечером и ночью их просмотреть.

Нина посмотрела на нее с осуждением.

— Слушай, ты ведь всю неделю спишь по три часа. Может, плюнешь на книги и хорошенько отоспишься?

— Я бы рада. — Рита вздохнула. — Но надо читать. А то опозорюсь перед Беклищевым, и он выгонит меня на фиг. Почитаю часов до пяти, а потом лягу.

— И поспишь два часа? Да ты же встанешь вареная!

— Ничего. — Рита отпила чаю и откусила кусочек печенья. — Знаешь, Нин, у меня, кажется, проблема, — снова заговорила она. — Я, когда устраивалась, назвала свою девичью фамилию — Ковальская. И аванс получила как Ковальская. А теперь у меня требуют паспорт.

— А зачем ты соврала? — удивилась Нина.

— Не хотела называть фамилию мужа, — соврала Рита. (Она сама толком не знала, зачем так поступила.) — Противно как-то было.

Нина посмотрела на нее серьезным взглядом.

— Понимаю, — сказала она. — Многие после развода берут свою девичью фамилию.

— Угу, — сказала Рита, отпивая чай. — Вот и я так же. Но теперь не знаю, что делать. Мне бы паспорт поменять, но как?

Нина ненадолго задумалась, потом сказала:

— У меня есть один знакомый в полиции, я с ним поговорю. В принципе, в наше время можно решить любую проблему, но понадобятся деньги.

— Деньги будут, — сказала Рита. — Я постараюсь продержаться... Хотя бы до конца месяца.

— Ты продержишься дольше, — заверила ее Нина. — Столько, сколько сама захочешь. Я в тебя верю.

Рита улыбнулась.

— Спасибо. Кстати, а куда снова подевался твой Виктор?

Нина небрежно махнула рукой:

— Снова со своими друзьями-художниками.

— Не боишься его к ним отпускать? — с любопытством спросила Рита. — Я слышала, что художники спят со своими натурщицами.

Нина усмехнулась.

— Нет, не боюсь. Мы современные люди, и я предоставляю ему полную свободу. Но в ответ требую для себя того же.

— А она тебе нужна, эта свобода-то?

— Ну... — Нина чуть стушевалась. — Бывают разные ситуации. А вообще я...

— Ты ему когда-нибудь изменяла? — спросила внезапно Рита.

Нина чуть покраснела, хмыкнула и сказала:

— Пару раз. Но это был просто секс, ничего серьезного.

— А разве секс — это не серьезно?

Нина насмешливо поморщилась.

— Слушай, хватит меня грузить. Мы живем в двадцать первом веке, и домострой нынче не проканает. Я доверяю ему, он доверяет мне, и в отношениях наших — полная гармония.

— Странные вы, — тихо сказала Рита. — И ужины ты ему не готовишь. Он хоть не обижается?

— Да на что? На то, что я не умею готовить? — Нина хмыкнула. — Да он даже рад, что я не кормлю его этими пошлыми борщами и котлетами. Женщина у плиты — это картинка из прошлого века. И потом, нынче магазины забиты полуфабрикатами, а разогреть себе пиццу в микроволновке он всегда может и сам.

— Мой Коля меня бы давно выгнал, — сказала Рита.

Нина дернула плечом:

— Так он и выгнал. Выходит, борщи и котлеты здесь совсем ни при чем? Или нет?

— Да, — сказала Рита виновато. — Прости.

— Да ничего. Слушай, Витька говорил, что собирается устроить тебе культпоход в музей.

— Да. Мы с ним говорили об этом. Еще дней десять назад. Но Виктор все время занят.

Нина насмешливо дернула щекой.

— Ничего он не занят. С тех пор как вернулся с конференции, все время шляется по друзьям, художникам и литераторам. Завтра же напомню ему, чтобы он выполнил свое обещание.

4

Нина не обманула. На следующий день, часов в пять, Виктор позвонил Рите на мобильник. Он уточнил, во сколько она освободится, и назначил ей встречу возле Центрального музея живописи.

Когда ровно в семь часов вечера Рита подъехала на такси к музею, она увидела грузноватую фигуру Виктора, который стоял у мраморного крыльца и читал что-то на экране своего огромного мобильника, приподняв густые брови и улыбаясь. Он был одет в длинное пальто, его редкие волосы были зачесаны назад, но чуть всклокочены ветром, и Рита невольно подумала, что он похож на стареющего странствующего рыцаря.

Рита вышла из такси и подошла к Виктору.

— Добрый вечер! — окликнула она.

Он отвел взгляд от экрана и посмотрел на нее чуть рассеянным взглядом.

— А, привет! — сказал он после секундной паузы и улыбнулся. — Отлично выглядите. Вы подстриглись? И волосы покрасили?

— Полторы недели назад, — сказала Рита с улыбкой.

— Вот как? — Он убрал мобильник в карман. — И как это я раньше не заметил?

Рита пожала плечами и объяснила:

— Мы почти не пересекались за это время. То я поздно возвращалась домой, то вы.

— Да, — согласился Виктор, с любопытством ее осматривая. — Живем в одной квартире, а чтобы увидеться, нам нужен повод. Хорошо, что Нина вспомнила про музей. Ну что, идем?

Виктор сделал руку «колечком».

— Идем, — кивнула Рита.

Она взяла его под руку, и они двинулись по мраморным ступеням к тяжелой дубовой двери музея.

...В музее Виктор вел себя, как ребенок, попавший в магазин сладостей, и его симпатичное, чуть одутловатое лицо оживлялось каждый раз, когда он подводил Риту к очередной картине или скульптуре.

— Вот, смотри, — сказал он, подводя ее к живописному полотну. — Это Ван Гог. Очень хорошая копия.

Рита скользнула взглядом по табличке под картиной. Подумала и кивнула:

— Ван Гог. Я его знаю. Он себе ухо отрезал, да?

— Было дело, — засмеялся Виктор. — Но помнят его не из-за уха. Он начал писать картины поздно, лет в тридцать. До этого был священником. Посмотри, как жирно он накладывал краски на холст.

— Точно, жирно, — согласилась Рита. — Прям как масло на бутерброд. «Вы мажьте, а не накладывайте», — процитировала она старый анекдот и сама фыркнула от смеха.

Виктор не улыбнулся. Рита, поняв, что опростоволосилась, быстро стерла улыбку с лица.

— А вот картина Поля Гогена, — сказал Виктор, перейдя к следующему полотну. — Тоже копия, но тоже прекрасно выполненная. Ты, наверное, знаешь, что последние годы жизни он жил на острове Таити.

— Знаю, — сказала Рита.

Она вдруг вспомнила старый советский мультик, где жирный кот, развалившись возле мусорного бака, вальяжно говорил: «Таити, Таити. Не были мы ни в какой Таити. Нас и здесь неплохо кормят».

Рита улыбнулась своему воспоминанию, но вслух ничего говорить не стала, боясь, как бы снова не попасть впросак.

— Видишь, у него совсем другая манера, — сказал Виктор. — Она напоминает прорисовку пастельными мелками.

— Постельными? — не поняла Рита.

— Да. Множество оттенков, но при этом красочные мазки расположены не плотно друг к другу, а как бы с просветами. Создается эффект трепещущего, живого изображения, видишь?

— Да, — сказала Рита, хотя и не поняла, при чем тут постель. Тем не менее она внимательно оглядела картину, и картина ей понравилась.

...Они еще минут сорок бродили по музею, пока Рита не заявила, что у нее «ноги ноют и спина отваливается».

— Ну, как? — спросил на выходе Виктор. — Тебе понравилось то, что ты увидела?

— Очень, — сказала Рита, почти не покривив душой. Ей и в самом деле кое-что понравилось, Ван Гог например, с его картинами, которые прямо-таки хотелось съесть. Анри Руссо, потому что его картины были похожи на Лизкину мазню, и в них было много наивной искренности. Еще ей понравились кони в отделе скульптур и мумия кошки в Египетском зале. И еще — скульптура мускулистого голого мужика с крохотным члеником, который вызвал у Риты приступ смеха.

Рита запомнила, что этот мужик — Давид, который убил из пращи великана Голиафа, а праща — это что-то вроде огромной рогатки.

У выхода из музея продавались книги и альбомы с картинами.

— Хочешь какую-нибудь? — спросил Виктор, кивнул на книжный лоток.

— Наверное, — не слишком уверенно сказала Рита.

— Какую конкретно?

— А где картин побольше, — сказала Рита. — И рассказов про них. Чтобы уж про все сразу, а не рассусоливать и не платить за каждого художника по частям.

— У тебя очень деловой подход к искусству! — засмеялся Виктор. — Хотя ты права. «Не продается вдохновенье, но можно рукопись продать».

— Это я знаю, — улыбнулась Рита. — Это Пушкин, да?

— Верно, — кивнул Виктор. Он подошел к лотку и сказал продавщице: — Дайте мне вот эту энциклопедию.

Потом расплатился, взял упакованную книгу и протянул Рите:

— Держи. Это мой тебе подарок.

— Спасибо. — Рита взяла энциклопедию, взвесила в руках. — Тяжеленькая.

— Ах, да, прости, — спохватился Виктор. — Я как-то не подумал. Давай я понесу, а дома тебе отдам.

Виктор забрал у нее пакет с книгой.

— Ну что? Пошли?

— Пошли, — кивнула Рита.

На улице свечерело. Выпал нежный снежок. В синем воздухе красиво горели фонари. Они прошли метров пятьдесят молча, и вдруг Виктор покосился на нее и сказал:

— Рита, ты удивительная девушка.

— Я? — удивилась Рита.

— Да. У тебя не гуляет в голове ветер, в отличие от Нины.

— Ветер? — снова не поняла Рита.

Виктор улыбнулся:

— Да, ветер. Я его называю «мусорным». Помнишь, как в старой песне? «Мусорный ветер, дым из трубы...»

— «...Ангела плач и смех сатаны», — продолжила с улыбкой Рита. — Да, помню. Это ансамбль «Крематорий».

Виктор немного помолчал, задумчиво глядя в пространство перед собой, а потом проговорил — не то с досадой, не то с грустью:

— С Ниной никогда не знаешь, какую еще блажь принесет ей в голову этот ветер. А с тобой все просто и понятно. Только ты не обижайся. У тебя есть свой четкий взгляд на мир — не очень веселый, к сожалению, своя система ценностей...

— Я не очень понимаю.

— Быть может, тебе и не нужно понимать.

— Ну, ясно.

— Что тебе ясно?

— Вы тоже считаете, что я дурочка.

— Вовсе нет. Я считаю, что Нина слишком усложняет жизнь. Вот для чего, по-твоему, существует женщина?

— Чтобы поддерживать мужа... Рожать детишек... Ухаживать за ними.

— Вот! А для чего существует мужчина?

— Чтобы защищать свою семью... Чтобы у детишек всегда был кусок хлеба... — Она смущенно пожала плечами. — Не знаю...

— Ты все верно сказала, Марго. Ты четко знаешь, где добро, а где зло. Знаешь, для чего существует мужчина, а для чего женщина. А у Нины в голове — мусор из разных теорий, взглядов, подходов. Поэтому в жизни ты ориентируешься гораздо лучше, чем она. И знаешь жизнь ты лучше.

— Тогда почему мой муж меня побил, почему у меня нет ни денег, ни крыши над головой? ...Да и мужа, считай, нет. А у Нины есть квартира, есть деньги, есть уверенность в завтрашнем дне? Почему у нее есть... вы?

Виктор засмеялся.

— А ты считаешь, что я такой уж замечательный? Может, ей не повезло гораздо больше, чем тебе? А?

Рита недоверчиво посмотрела на своего спутника.

— Да ну, — чуть растерянно проговорила она.

— Вот тебе и «да ну», — улыбнулся Виктор. — Эх, Рита, ты даже сама не понимаешь, какая ты чудесная.

Рита отвернулась, чтобы Виктор не видел, как она покраснела, чтобы не видел глупую улыбку, которая появилась у нее на губах от его слов.

Вдруг он остановился и вгляделся в лицо Риты.

— Подожди, — сказал мягко. — У тебя ресничка упала. Угадай, слева или справа?

— Не знаю. — Рита улыбнулась. — Слева.

— Угадала. Давай уберу.

Он протянул руку к ее лицу и осторожно коснулся пальцами ее щеки. На секунду замер, а потом вдруг наклонился и поцеловал ее в губы. Затем отстранился и вопросительно посмотрел ей в глаза.

— Мы... не должны, — с трудом проговорила Рита.

— Да. — Виктор сдвинул брови. — Не должны. Черт! — воскликнул он вдруг. — И почему я всегда должен делать то, что «должен». И кому я должен, скажи ты мне на милость? Богу? Родине?

— Нине, — тихо сказала Рита. — Вы *ей* должны. Должны быть хорошим мужем.

Виктор помолчал. Потом вздохнул.

— Ты права, конечно, — нехотя признал он. Сунул в рот сигарету и добавил: — Я должен быть примерным мужем. Должен целовать жену в щечку, когда она ее подставляет. Должен улыбаться в ответ на ее улыбки... Даже когда на душе у меня кошки скребут.

— Не говорите так, — с горечью в голосе попросила Рита.

— Не буду, — со вздохом покорности сказал Виктор. — Я ведь должен быть примерным мужем, а примерные мужья так не говорят. Они вообще не говорят. Только слушают. Как рыбы.

Он немного помолчал, а затем негромко произнес:

— Знаешь, когда мы с Ниной стали жить вместе, я считал себя самым счастливым человеком в мире. Серьезно. Я был уверен, что недостоин ее. И так оно и было. Кем я был? Мальчиком из провинции. Сын инженера и медсестры. А вокруг нее вились художники, писатели. Я искренне ими восторгался. Пока не понял, чего они стоят на самом деле.

Рита внимательно слушала Виктора, разглядывая его симпатичное лицо, которое сейчас, в эту секунду, под этими фонарями, казалось ей удивительно милым и красивым.

Виктор нахмурился.

— Амбиции, тщеславие, обидчивость, ощущение своей избранности... — проговорил он с горечью и досадой. — А на деле — ни свежего взгляда, ни оригинальной мысли. Да что там оригинальной — ни одной *живой* мысли, понимаешь? Только маски. И слова. Слова, слова, слова.

Он вдруг посмотрел Рите в глаза и проговорил с воодушевлением:

— Вот ты — другое дело. Ты настоящая! И знаешь... Даже не знаю, как сказать. Мы с Ниной вместе уже двенадцать лет, и я ни разу ей не изменял. А когда я смотрю на тебя, я забываю про эти двенадцать лет, про Нину и про свои понятия о чести.

— Это плохо, — сказала Рита.

— Знаю. — Он посмотрел ей прямо в глаза. — Но это так.

Несколько секунд они молчали, и вдруг Рита поняла, что если он сейчас снова поцелует ее, она ответит на этот поцелуй. Потому что он милый, и добрый, и такой интеллигентный, а она устала от одиночества, и ей тоже хочется быть любимой, и тоже хочется, чтобы рядом был такой мужчина — сильный, мягкий, умный и снисходительный.

Но перед глазами у Риты встало улыбчивое лицо Нины, и она отвела взгляд от Виктора.

— Надо идти домой, — сказала она. — Меня ждут дети. А тебя... жена.

Виктор вздохнул.

— Да, — сказал он. — Ты права. Я поймаю такси.

5

В последующие несколько дней Рита старалась приходить домой попозже, а уходить пораньше, чтобы не пересекаться с Виктором. По дороге домой, сидя в такси, она просматривала в Интернете объявления о сдаче квартиры в аренду, твердо решив уже со следующей недели обзавестись отдельной съемной квартирой, нанять детям няню, а перед этим подарить Нине что-нибудь ценное. В благодарность за все, что та сделала для Риты, Лешки и Лизы.

Головные боли все еще мучили ее, приступы стали реже, но страшнее. Более того, она стала видеть проклятые цифры...

08115036

...там, где их не должно было быть. Например, в день получения первой зарплаты Рита выбегала в кафе пообедать. А когда возвращалась обратно в офис, увидела кое-что такое, отчего сердце захолонуло у нее в груди и забилось быстрее.

Через дорогу от Риты, у самой обочины стоял пожилой человек, одетый в длинное темное пальто. Он смотрел прямо на Риту. Его лицо было мучнисто-бледным, на щеках красовались красные разводы, похожие то ли на пятна крови, то ли на кровавые шрамы, а щеки и подбородок покрывала густая седая щетина. Губы странного человека были растянуты в жуткую улыбку. В руках он держал прямоугольную табличку с намалеванными черной краской цифрами.

08115036

Сердце Риты учащенно забилось, она почувствовала, что цепенеет от страха. Вокруг было много прохожих, но Рита видела, что незнакомец смотрит прямо на нее, продолжая улыбаться свой жуткой, мертвой, глянцевой улыбкой.

Рита сбросила оцепенение и шагнула к подземному переходу. Несмотря на испытанный ужас, она была полна решимости подойти к незнакомцу и выяснить, наконец, что значили эти цифры. Как только Рита подошла к спуску подземного перехода, страшный человек повернулся и пошел по тротуару прочь.

— Стойте! — крикнула Рита, но крик ее утонул в какофонии урчащих моторов, сигналов, шорохе шин.

Рита устремилась вниз, и в голове у нее промелькнула мысль, что спуск этот похож на спуск в ад.

Рита бегом, расталкивая прохожих и рискуя упасть или сломать каблуки, пронеслась по переходу, взбежала вверх по лестнице и выскочила на улицу. Незнакомца в черном пальто на тротуаре не было. Она огляделась по сторонам и увидела его мелькающую среди прохожих спину метрах в пятидесяти от себя. Рита бросилась вдогонку. Спина незнакомца то и дело и исчезала из вида, но стоило Рите потерять надежду его догнать, как спина появлялась снова. Расстояние между Ритой и таинственным незнакомцем с каждой секундой сокращалось.

Когда между ними было всего метров пять, незнакомец неожиданно свернул за угол. Рита ринулась за ним, споткнулась, но устояла на ногах. Быстро свернув за угол, она увидела незнакомца.

— Подождите! — хрипло крикнула Рита.

Настигнув мужчину, она тронула его за плечо.

— Стойте!

Незнакомец остановился и медленно обернулся. Рита попятилась, в горле у нее пересохло от ужаса, а кровь отлила от щек, когда она увидела страшное лицо и чудовищную ухмылку так близко от себя.

— Девушка, с вами все в порядке? — встревоженно спросил незнакомец.

Рита опустила взгляд на табличку, которую он держал в руках.

ПРАЗДНОВАНИЕ ХЭЛЛОУИНА В КЛУБЕ «НОЧКА»
Тел. 08125035

Цифры были другие. Рита вновь взглянула на лицо парня и шумно выдохнула.

— Простите, — сказала она. — Я обозналась.

И, повернувшись, зашагала прочь от раскрашенного «зазывалы».

— Девушка, возьмите флаер! — весело крикнул ей вслед парень. — По нему скидка пятнадцать процентов!

Рита не остановилась. Она была зла на себя за то, что выдала ожидаемое за действительное и что развела панику на ровном месте.

Спустя полтора часа Риту вызвали в бухгалтерию, где Майя совершенно обыденно вручила ей большой плотный конверт, в котором лежали двести тысяч рублей.

— Ваша зарплата, — прокомментировала бухгалтер приветливым голосом. — Еще пятьдесят тысяч лежат на вашем банковском счете.

— На моем банковском? — немного растерялась Рита.

— Да. Можете снять их по пластиковой карте, которую я вам выдала полторы недели назад. Там «белая» часть зарплаты, и налоги с нее уже уплачены.

Поблагодарив Майю и забрав деньги, Рита вышла из бухгалтерии в состоянии легкого шока. Она уже привыкла к мельканию крупных сумм в отчетах и на экранах компьютеров, но держать в руках настоящие деньжищи было не столько приятно, сколько странно. Рита даже ущипнула себя за щеку, чтобы убедиться, что все это не сон и что в этот день она и в самом деле стала богаче на четверть миллиона рублей.

После окончания рабочего дня Рита съездила в торговый центр и купила Нине в подарок сумочку из крокодиловой кожи за шестьдесят две тысячи рублей — почти такую же, какая была у нее самой.

Вручив Нине сумочку («Ритка, ты с ума сошла! Она же страшно дорогая!» «Не напрягайся, это просто качественная подделка»), Рита объявила подруге, что намеревается снять отдельную квартиру. И чем быстрее, тем лучше.

Нина Ивановна отнеслась к решению Риты с пониманием, но при этом наотрез отказалась брать с нее деньги за три недели «проживания» и взяла с Риты слово, что та будет регулярно приходить в гости. Да не одна, а с Лешкой и Лизой! Рита не возражала.

Вечером Рита уложила детей спать, почаевничала с Ниной, а когда вернулся Виктор, Рита, едва кивнув ему в знак приветствия, быстро ушла в свою комнату.

В эту ночь она ничего не читала. Просто лежала, закинув руки за голову, и пыталась осознать все, что с ней произошло за последние три недели. Потерю квартиры, уход от мужа и приезд в город. Внезапно проснувшуюся страсть к книгам. Причуды памяти, которые позволили ей вдруг вспомнить все, что она видела, слышала, чувствовала и читала за тридцать два года своей жизни.

Подспудно Рита связывала все эти изменения с таинственным незнакомцем, под колеса машины которого она попала. Ведь именно с той ночи все эти странности и начались. Быть может, в момент, когда она ударилась об асфальт головой, в мозгу у нее что-то сместилось? Сломался какой-то психологический блок? А может, дремавшие участки ее мозга от этой жуткой встряски внезапно проснулись и стали функционировать в полную силу?

Ответить на эти вопросы без нужной квалификации было сложно, и Рита решила завтра же взять в библиотеке пару книг по нейрофизиологии.

От всех этих тревожных мыслей Рите стало грустно, и она решила подумать о чем-нибудь хорошем. Вспомнила про то, что теперь у нее куча денег. О квартире, которую снимет. Надо, чтобы в ней было три комнаты — для Риты, для Лешки и для Лизы. Хотя Лизе, наверное, еще рано иметь свою комнату. Она ведь до сих пор боится темноты.

Подумав о детях, Рита улыбнулась. Мысли ее стали спокойнее, и как-то так получилось, что она стала думать о Викторе. Вспомнила, как он ее поцеловал возле музея. Припомнила свои ощущения и вдруг так отчетливо ощутила его поцелуй, что невольно коснулась губ кончиками пальцев. И снова улыбнулась.

Боже, как же приятно было думать о Викторе! Представлять себе его умное и взрослое лицо, его широкие плечи, его высокий лоб и задумчивый, чуть рассеянный взгляд. «Было бы хорошо, если бы он курил трубку», — подумала Рита, улыбаясь. Трубка бы ему очень подошла.

Он был добрый, хороший. Рита вспомнила звуки любви, которые доносились иногда из спальни Виктора и Нины, и представила себе, что Виктор лежит сейчас в постели рядом с ней. У него такая широкая грудь и такие сильные, большие руки... И он гладит ее этими руками и целует ее в губы — нежно-нежно. Как в фильмах про любовь, которые Рита смотрела когда-то по субботам и воскресеньям, когда ей не нужно было драить полы в больнице и мыть посуду в заводской столовой.

Она представила себе красивые слова, которые он шептал бы ей на ухо... Представила приятную тяжесть его тела, его сильную руку у себя на бедрах...

— Рита! — послышался осторожный шепот Виктора. — Рита, ты спишь?

Она замерла.

— Рита, я хочу с тобой поговорить! — снова громко прошептал он от приоткрытой двери.

Рита не отозвалась, лишь плотнее зажмурила веки. Она слышала, как Виктор вошел в комнату и тихо-тихо — наверное, на цыпочках — подошел к ее кровати.

Она ничего не видела, но готова была поклясться, что он протянул руку к ней, и что его ладонь остановилась в сантиметре от ее волос.

— Рита, — снова прошептал он, и в шепоте этом ей послышались горечь и боль.

— Витька! — послышался из глубины квартиры Нинин голос. — Витька, ты где?

Еще секунду он стоял возле кровати Риты, а потом повернулся, тихо вышел из комнаты и прикрыл за собой дверь.

6

Утром, сидя в кабинете у Беклищева и делая отчет-прогноз, Рита поймала себя на том, что все еще думает о Викторе.

— В следующий понедельник рынок, скорее всего, забуксует, — докладывала она, представляя себе улыбку Виктора. — И заработать что-то будет сложно. — (Она вспомнила его серые глаза, отражающие свет фонаря.)

— И что же вы предлагаете? — спросил Беклищев.

(Виктор наклонил к Рите свою большую голову и коснулся губами ее щеки. Рита поежилась и слегка покраснела.)

— Маргарита Алексеевна? Вы в порядке?

Рита вздрогнула и посмотрела на Беклищева рассеянным взглядом.

— Что?

— Я не слышу ваших предложений. Надеюсь, они будут?

— Э-э... — Рита глянула в отчет, который держала в руках. — Я считаю... Я считаю, что мы должны сбросить все наши золотообразные ценные бумаги.

— Все?

— Все, — кивнула Рита.

— Гм... — Беклищев задумчиво потер пальцами широкую скулу. — Ну, а цена? — спросил он.

— Я думаю, по девяносто восемь и шесть, — ответила Рита.

Беклищев немного поразмыслил, затем кивнул и сказал:

— Хорошо. Я над этим подумаю. Вы свободны.

Через пару часов, выбравшись на обед в кафе, Рита встретила в уютном зальчике бухгалтера Майю. Женщины решили пообедать вместе и уселись за один столик. Рита подумала, что это отличный шанс узнать побольше о компании «Витанова», поскольку истинными носителями полной информации о любом офисе являются не мужчины, а женщины. И не ошиблась. Майя оказалась столь информирована, сколь и болтлива.

— А ты знаешь, что наш Беклищев женат на юной девчушке! — объявила она, поедая свой салат. — Ее зовут Лика, и ей чуть больше двадцати.

— А сколько лет Беклищеву? — спросила Рита.

— Сорок с небольшим.

— Он выглядит старше, — сказала Рита.

Майя хмыкнула.

— Ну, это из-за седины. Когда он ухаживал за Ликой, он даже красил волосы. Представляешь?!

— Красил?

— Ну да. В черный цвет! И еще — сел на диету и скинул килограммов десять. Можешь себе представить?

— С трудом.

— Это потому что он снова набрал вес. И снова стал седым. А года два назад он выглядел ого-го. Хотя, конечно, нам всем его было немного жалко.

— Почему?

— Взрослый мужик, богач, а так выплясывал перед этой девчонкой, что стыдно было смотреть.

— Значит, он ее любит?

— Лику-то? Еще как! Говорю же тебе — влюблен, как школьник. Говорят, он ее сильно ревнует. Даже нанимал парней, чтобы следили за ней. Но она заметила и закатила ему скандал. Пообещала, что уйдет, если он не перестанет ее изводить. Ну, он и смирился. Но все равно ревнует.

Рита пару секунд о чем-то размышляла, а потом спросила:

— А она правда такая красивая?

— Не то слово, — сказала Майя. — Ноги от ушей. Работала в Милане, участвовала в модных показах. Он ее увидел на какой-то вечеринке и сразу влюбился. Говорят, сразу после знакомства он выложил всю улицу рядом с ее отелем цветами!

— Четкий мужик, — похвалили Рита. Еще на пару секунд задумалась, после чего уточнила: — А что, Сергей Анатольевич очень богат?

— Да уж побогаче нас всех вместе взятых, — с усмешкой сказала Майя. — Говорят, у него почти миллиард. А я думаю, что даже больше.

— Да... — задумчиво протянула Рита. — Повезло девчонке. Всего двадцать лет, а у нее уже все есть.

— И не говори, — согласилась Майя. — Мне бы такую мордашку, я бы тоже попыталась удачно пристроиться. Но для таких теток, как мы с тобой, легких путей не бывает. Ой, прости, — спохватилась Майя. — Ты не обиделась? Я имела в виду, что нам с тобой уже за тридцать, и наш поезд давно ушел. Слава богу, не бедствуем, и то хорошо. ...Рит?

Рита качнула головой.

— Прости, задумалась.

Майя улыбнулась ей.

— Бывает.

7

После работы Рита, впервые после начала новой жизни, решила отправиться в супермаркет и купить продукты так, как всегда мечтала, то есть брать то, что понравится, не глядя на цену. Подъезжая к огромному торговому центру, она чувствовала приятное волнение, предвкушая будущие покупки. Поход по супермаркету представлялся ей чем-то вроде первого выхода в свет.

И она не обманулась в своих ожиданиях. Рита шла по сверкающему магазину, бросая в тележку нарезанную тончайшими ломтиками пармскую ветчину, смуглые нежнейшие кружочки итальянских колбас, розовое великолепие буженины, ломтики слабосоленой форели и семги, рубины корейки и бастурмы. Она отправила в тележку несколько видов дорогих сыров, каждого по небольшому кусочку — «Рокфор», «Нешатель», «Фонтина», «Горгонзолла», «Чеддер», «Самсо». Эти кусочки напоминали небольшие слитки золота, по крайней мере, Рите они казались именно такими.

Глядя на тележку, наполненную дорогими деликатесами, Рита вдруг вспомнила, как всего пару месяцев назад брела по грязному плиточному полу магазина «Грошик», думая, на что лучше потратить последние тридцать пять рублей — на банку дешевого зеленого горошка, «скидочных» соленых огурцов или на пару брикетиков плавленого сырка «Дружба». Кажется, тогда она купила соленые огурцы. Чтобы Коле было чем закусывать свою проклятую водку.

Рита тряхнула головой, прогоняя неприятное воспоминание, и положила в тележку упаковку испанских пончиков с шоколадом и клубничный торт. А потом добавила ко всему этому великолепию упаковку с охлажденным мраморным мясом и бутылку вина «Vina Aliaga». И, почти не веря тому, что делает, покатила тележку к кассам.

Когда поздно вечером Рита ввалилась в квартиру с огромными и тяжеленными пакетами в руках, навстречу ей вышел Виктор. Он был одет по-домашнему — в джинсы и мягкую фланелевую рубашку.

— Здравствуй, Рита, — с улыбкой сказал он, принимая пакеты. — Ого! Чего это ты накупила? Собираешься устроить праздник?

— Добрый вечер. Просто хочу, чтобы продукты были в доме. — Рита отвела взгляд. — А где Нина?

— Ее сегодня не будет.

— А... где она?

— Она допоздна будет оформлять зал, а потом заночует у подруги. У этой подруги квартира в том же доме, где арт-галерея.

— Ясно.

Быстро сбросив туфли и пальто, Рита прошла в комнату к детям. Лешка, как всегда, играл в какую-то «стрелялку» на компьютере, Лиза, сидя на диване, терпеливо плела из резинок разноцветный браслет. Завидев Риту, Лиза вскочила с дивана и бросилась ей на шею, но уже через пару минут вернулась к своему занятию, вновь погрузившись в него с редким для ребенка усердием.

Рита взяла домашнюю одежду и отправилась в ванную комнату, намереваясь переодеться. В коридоре она столкнулась с Виктором.

— Слушай, Рит, тебе не нужно меня избегать, — мягко проговорил он. — Я сделал глупость, но уже извинился за это. Давай будем друзьями, как прежде.

Пока он говорил, Рита заметила у него на висках седые волоски, и ей вдруг стало его так жалко, что аж сердце защемило. Виктор — такой большой, умный, сильный и добрый, а Нина его совсем не ценит, для нее он просто Витька. Ну, прямо как обычный друг. Она ему даже изменяет, не чувствуя никаких угрызений совести. Интересно, знает он об этом?

— Ну как? — с улыбкой сказал Виктор. — Друзья?

Он протянул ей руку.

— Да. — Рита улыбнулась в ответ. — Друзья. Слушай, я там накупила вкусностей. Сейчас приму душ, переоденусь и накрою на стол, чтоб мы все могли...

— Переодевайся, — сказал Виктор. — А на стол накрою я.

...Когда Рита вышла из душа, Виктор, Лешка и Лиза уже ждали ее на кухне.

— Ну, наконец-то, — сказал Лешка недовольным голосом. — Дядя Витя не давал нам есть, пока ты не придешь.

— Я пришла, — сказала Рита, усаживаясь за стол и не решаясь посмотреть на Виктора. — Можем есть.

И пирушка началась. Рита положила себе на тарелку всего понемногу — несколько кусочков «Кулатело», бастурму, буженину, пару сыров. Лешка схватил с блюда сразу пару кусочков красной рыбы и запихал их в рот.

Виктор церемонно ухаживал за Лизкой, называя ее Лизаветой Николаевной.

— Лизавета Николаевна, вам положить кусочек ветчины? — с улыбкой спрашивал он.

Лиза морщила нос:

— Я лучше сырок. Мам, а что это в нем — такое синее?

— Это плесень. Но не бойся, она съедобная. Многим очень нравится.

— Правда? — Лиза схватила с тарелки кусочек «Рокфора» и сунула в рот. Пожевала, скривилась и выплюнула сыр в ладошку. — Гадость какая, — сказала она. — Я лучше колбасочку.

Детей уложили спать в одиннадцать. На столе оставалось еще много еды. Стояла открытая, но непочатая бутылка вина. Некоторое время Рита и Виктор молчали. Рита по-прежнему не решалась смотреть ему в глаза, боясь выдать себя нечаянным взглядом. Виктор был задумчив и тоже как-то необычно скован. Но первым нарушил молчание именно он.

— Рита... — Он кашлянул в кулак. — Рита, я сегодня собирался посмотреть какой-нибудь фильм. Присоединишься?

— Не уверена, — тихо сказала она.

— Ты ведь хотела, чтобы я занялся твоим культурным просвещением. Так?

Рита промолчала, не зная, что ответить.

— В музей мы с тобой уже ходили, — продолжил Виктор. — Теперь пришло время ознакомиться с классикой кино. Это будет полезно. И очень интересно, обещаю.

Рита бросила на него быстрый, изучающий взгляд.

Он правда хочет посмотреть со мной кино? Или это прелюдия к чему-то другому?

— И что мы будем смотреть? — тихо спросила она.

— А ты сама что хочешь?

— Ну... — Рита пожала плечами. И спросила в ответ: — А какие фильмы самые четкие?

— Самые «четкие»? — не понял Виктор.

— Ну, самые интеллигентские, — пояснила Рита. — Чтобы все интеллигенты их знали.

Виктор улыбнулся.

— Ну, наверное, это фильмы Федерико Феллини. Его точно знают все. Слышала про такого?

В памяти у Риты возник фасад дорогого ресторана с искрящейся вывеской над дверью, а на вывеске неоновая надпись — «Феллини».

— Что-то слышала, — сказала она.

— У меня есть его фильм «Дорога». Отреставрированный, в отличном разрешении. Посмотрим?

Рита небрежно пожала плечами:

— Можно и глянуть. Может, спать крепче буду.

8

После фильма ошеломленная Рита отпила глоток вина, поставила бокал на журнальный столик и проговорила со смущением и радостью:

— Никогда раньше не думала, что буду смотреть такие фильмы.

— А что ты смотрела раньше? — поинтересовался Виктор, подливая ей в бокал еще вина.

— Ну, разное. Все больше сериалы... «Просто Мария»... «Принцесса цирка», «Доярка из Хацапетовки»... Много всяких. А про этого Феллини только по телевизору слышала. Да и то только имя.

Виктор улыбнулся.

— Бывает. И как фильм? Понравился?

— Очень. Только Зампано жалко. Он ведь тоже, посвоему, старался как лучше. А то, что сердитый да жесткий, — так ведь таким он уродился.

— Значит, ты его оправдываешь?

— Ну, да.

Виктор поднял бокал и сказал:

— Вот погоди, мы с тобой еще Тарковского посмотрим.

— Сейчас?

— А почему бы нет? Нина у подруги, дети спят. Хотя... тебе ведь утром на работу.

Рита улыбнулась.

— Ничего, я теперь мало сплю.

— Бессонница?

— Просто высыпаюсь.

— Хорошо. Тогда давай посмотрим мой любимый. Называется «Солярис».

Рита приподняла брови:

— Как?

— «Солярис», — повторил Виктор. — Ты не слышала?

Рита покачала головой:

— Нет. А про что он? Про любовь?

Виктор на секунду задумался и сказал:

— Пожалуй, да.

— А конец у него счастливый?

— На мой взгляд, очень. Ты пока поищи его на полке, среди других дисков, а я принесу еще вина. У меня где-то оставалась пара бутылок белого полусухого. Тебе должно понравиться.

Через два часа Рита сидела на диване, обхватив колени и задумчиво глядя на экран телевизора, по которому ползли заключительные титры. Виктор взял пульт и сделал звук потише.

— Ну как? — спросил он у Риты. — Понравился «Солярис»?

— Очень, — честно призналась Рита. — Особенно когда эта девушка... Хари... Ну, когда она в библиотеке, перед невесомостью. Как же там... — Рита наморщила лоб, припоминая, а затем процитировала: — «Крис более последователен, чем вы оба. В нечеловеческих условиях он ведет себя по-человечески. Крис меня любит. Может быть, он не меня любит, а просто защищается от самого себя. Но дело не в этом. Не важно, почему человек любит, — это у всех по-разному». И потом еще: «...Мы вовсе не хотим завоевывать Космос. Мы хотим расширить Землю до его границ. Мы не знаем, что делать с иными мирами. Нам не нужно других миров, нам нужно зеркало. Человеку нужен человек!» Мне кажется, это очень точно сказано. И про всех нас.

— Согласен, — сказал Виктор, внимательно, с легким удивлением разглядывая Риту.

Она вздохнула:

— Фильм хороший. Но в груди вот только... — Она положила руку на грудь. — Тяжесть. ...И слезы вот.

Виктор улыбнулся, протянул руку и погладил Риту ладонью по волосам, как маленькую.

— Слезы — это хорошо, — сказал он. — Это называется «катарсис». Очищение через страх и сострадание.

— Катарсис... — тихо повторила Рита. — Сколько в мире незнакомых красивых слов!

Рита вздохнула и подставила опустевший бокал. Виктор взял бутылку и плеснул ей немного белого вина. Она отпила глоток, вдруг улыбнулась и сказала:

— Так мне хорошо после вина. Чувствую, что могу свернуть горы. Да я и без вина могу. Знаете, сколько денег я получила?

— Не знаю, — сказал Виктор. И добавил, глядя на нее с мягкой улыбкой: — Да и вряд ли мне это интересно.

— Вы так говорите, потому что не бедствовали так, как я, — сказала Рита. — А я ведь и правда теперь могу свернуть горы.

Виктор внимательно посмотрел на ее раскрасневшееся от волнения лицо. Он понял, уловил, что Рите было необходимо выговориться. Хотя бы перед ним.

— Это хорошо, — сказал он тогда. — Но чего ты хочешь на самом деле?

Рита посмотрела ему в глаза.

— Чего я хочу? Я хочу стать хозяйкой своей судьбы. Хочу стать свободной и не зависеть от всяких сволочей, которые могут прийти и забрать мой дом. Я хочу быть богатой и сильной. Хочу быть среди тех, кто катается на собственных яхтах и проводит уик-энды в своих приморских особняках. Я смогу это сделать!

— Значит, ты страстно хочешь разбогатеть.

— Да. Потому что другого способа стать свободной нет.

— Но есть одно простое правило. Чтобы стать мультимиллионером, нужен хотя бы один, первый, миллион. И отнюдь не рублей. Со стартовым капиталом в несколько тысяч ты будешь идти к своими миллионам еще лет двадцать. Это тебя устраивает?

— Нет.

— Но другого способа нет. Время легких денег в России прошло. Пирог давно поделен, осталось только подбирать крошки. Даже с твоим пробивным талантом.

— Меня это не устраивает, — сухо проговорила Рита.

— Тогда забудь о своих меркантильных фантазиях. Наслаждайся жизнью. Уютным домом, детьми, простыми радостями.

— Это мне не подходит, — тем же суровым голосом Рита.

— Почему? — удивился Виктор.

— Потому что в любой момент может прийти тот, кто заберет у меня все эти радости. Отнимет дом, пустит по миру моих детей. А я этого не хочу. Не хочу снова катиться с горы вниз. Я хочу...

Виктор вдруг наклонился к ней и поцеловал ее в губы. Рита замерла и посмотрела на него почти испуганным взглядом.

— Прости, — сказал Виктор смущенно. — Не сдержался. Ты такая красивая, когда волнуешься.

— Ты же обещал, что мы останемся друзьями, — сказала Рита, нахмурившись.

— Да, я помню. Но знаешь ли... Мне кажется, что я в тебя влюбился. — Виктор яростным движением взъерошил мускулистой рукой редкие волосы. — Сам не знаю, как это случилось, — не то с удивлением, не то с горечью сказал он. — Мне сорок пять лет, я прошел огонь и воду и не думал, что все еще могу растаять от взгляда женщины.

Рита молчала, глядя на него странно задумчивым взглядом. Виктор это заметил, и на щеках его тоже проступил легкий румянец.

— Рита, мы могли бы быть вместе, — сказал он вдруг.

— Что? — с тихим удивлением переспросила она.

— Я обожаю детей, — сказал Виктор — быстро, словно опасался, что, если он не скажет всего сейчас, потом ему просто не хватит духу. — И я уже успел привязаться к Лизе и Лешке. Я довольно известный писатель, Рита, у меня есть имя и деньги. У меня даже есть загородный дом в Ватутино, в писательском поселке. Отличный дом, настоящая усадьба. Там очень красиво.

— Зачем вы мне это говорите? — спросила Рита, недоверчиво и удивленно глядя Виктору в глаза. — Вы что, собираетесь меня купить?

— Господи, нет, конечно. — Он улыбнулся. — Наверное, я говорю какие-то глупости, но... Понимаешь, я уже лет десять не признавался никому в любви. И даже забыл, как это делается.

Рита молчала, стиснув руки и плотно сомкнув губы, как бы сдерживая неправильные слова, которые могли слететь с этих губ. Виктор оценил ее молчание посвоему. По широкому, мужественному лицу его пробежала тень, и он тихо проговорил:

— Я тебе хотя бы нравлюсь? Хоть немного?

— Да, — просто ответила Рита, — нравитесь. Но я никогда не обижу Нину. Она моя подруга. Обмануть ее было бы нечестно.

Виктор вздохнул:

— Да, ты права. Значит, так тому и быть. Пора ложиться спать. Оставь все как есть, я утром уберу. Спокойной ночи.

Он поднялся с дивана и вышел из комнаты.

Почти час Рита сидела у телевизора с пультом в руке, переключая каналы, глядя на беззвучно шевелящиеся губы артистов и ведущих и размышляя о том, что сказал ей Виктор.

На одном из каналов показывали какую-то вечеринку. Было много известных людей. Богачи-бизнесмены, знаменитые актеры, певцы и певицы улыбались телеведущей, что-то шутливо говорили ей. Потом они что-то ели, пили шампанское и снова что-то говорили.

Рита смотрела на знаменитых богачей и думала о том, что за три с лишним недели она заработала около четырехсот тысяч рублей. Если так пойдет и дальше, если она сумеет удержаться в компании, то за год она сможет заработать... ну, миллионов пять. На эти деньги не купишь даже однокомнатную квартиру. А ведь нужно еще платить аренду за съемное жилье, нужно пить, есть и одеваться. Сколько же лет ей придется пахать в компании, чтобы заработать хотя бы на маленькую квартирку? Два года? Три?

А чтобы заработать миллион долларов? Один крошечный миллион долларов? ...Получается, что лет десять!

Рита сжала кулаки и поморщилась от досады и бессильной злости.

Она способна прочитать за ночь две-три книги и запомнить их содержание! Она за несколько дней наизусть выучила франко-русский и англо-русский разговорники! Она способна анализировать, планировать и делать высокоточные прогнозы! Но всех этих внезапно обрушившихся способностей ей не хватит, чтобы заработать хотя бы миллион долларов! Ей не хватит этих способностей, чтобы стать такой же обеспеченной, как Артем или Глеб. Не говоря уже о том, чтобы стать такой же влиятельной и богатой, как Сергей Беклищев.

Где же справедливость? И что делать? Как подняться на вершину, если подступы к этой вершине облепили тысячи таких же выскочек, как она?

Или ей и впрямь придется годами быть на побегушках у таких вот Беклищевых, чтобы получить свой крохотный кусочек Большого Пирога?

Она снова посмотрела на экран телевизора. Богатые и знаменитые продолжали веселиться. Они смеялись, обливали друг друга шампанским, одна бутылка которого стоила столько, сколько Рита заработала в компании «Витанова» за три недели работы. За год такой работы она заработает аж два ящика шампанского!

А для толстосумов из телевизора это вообще не деньги. Их дети учатся в Англии, в престижных колледжах и университетах. В их гаражах стоят роскошные лимузины и спортивные машины. Им мало одной яхты, они покупают вторую, третью, четвертую.

Как стать такими же, как они? Перенестись на машине времени в девяностые годы, захватить какой-нибудь металлургический заводик, а потом прибрать к рукам и весь город, попутно устранив со своего пути десяток-другой конкурентов?

Но машины времени не существует. Так что же делать? Надо что-то придумать. Обязательно надо. Иначе на кой черт ей сдались все эти учебники, словари и энциклопедии? Рита нахмурилась.

— Думай, Рита, — тихо проговорила она и легонько стукнула себя кулаком по лбу. — Думай. Чтобы стать мультимиллионером, тебе нужен первый миллион. И не через десять лет, а сразу! Иначе... какой тогда во всем этом смысл?!

...Спать она легла около шести часов утра. А в семь тридцать встала по будильнику, чтобы снова отправиться на работу.

9

Во время обеденного перерыва, за чашкой ванильного латте с клубничным круассаном, Рите пришла в голову отличная идея — она вдруг поняла, как можно заработать для компании хорошие деньги. Способ был рискованный. Зная характер Беклищева, Рита решила, что, прежде чем идти к нему в кабинет с предложением, будет лучше заручиться поддержкой человека, которому

Беклищев доверяет. А больше всего всесильный хозяин «Витановы» доверял своему сводному брату Артему.

После обеда, не откладывая в долгий ящик, Рита подготовила аналитическую записку и отправилась с ней к Артему в кабинет. Тот сидел в вертящемся кресле, закинув ноги на стол, и швырял скомканные «мячики» листков в баскетбольное колечко, прикрепленное к стене. Риту он встретил насмешливым взглядом.

— А, наша восходящая звезда. Ну, что, акула бизнеса, много невинных младенцев съели сегодня на завтрак?

Рита нахмурилась.

— Артем Борисович, я пришла поговорить о деле.

— Само собой. — Он швырнул в кольцо очередной скомканный листок, промахнулся и добавил с досадой: — В вашей многодумной головке вертятся только дела. И цифры. Цифры-цифры-цифры. Интересно, сколько нулей после единицы вас бы полностью устроили? Семь? Восемь? А может быть, двадцать?

— Вижу, вы очень любите поговорить впустую. Не понимаю, как вы добились партнерства?

— Вы забыли, что я сводный брат нашего «большого босса». Элементарное кумовство. Хотите, расскажу вам о наших семейных тайнах?

— Обойдусь.

— Жаль. Вам бы понравилось. Так о каком деле вы говорили? Присаживайтесь, кстати.

Рита села на стул.

— Артем Борисович... — Голос ее слегка дрогнул, но она тут же взяла себя в руки и произнесла — твердо и уверенно: — Я могу заработать для компании много денег.

— Отлично. Только мне не нравится слово «заработать». Вы же не считаете всерьез, что то, чем мы тут занимаемся, это работа?

— Считаю. Это работа.

— Тогда Ленька Пантелеев был настоящим трудягой, — со смехом сказал Артем. — А главарь банды «Черная кошка» просто горел на работе. Ваше здоровье, моя самоотверженная труженица!

Он отпил из бокала.

— Если вам так не нравится ваша работа — что же вы тогда делаете в компании? — сухо спросила Рита. — Почему не найдете себе другое занятие?

Артем внимательно на нее посмотрел и снова усмехнулся, и на этот раз в усмешке его проскользнула искренняя горечь.

— Молодец, — похвалил он Риту. — Что называется, не в бровь, а в глаз. — Затем пожал плечами и небрежно сообщил: — Я лентяй. Некому дать мне пинка под зад, чтобы я смог вылететь из этой пещеры людоедов.

— А если дадут — куда полетите? — поинтересовалась Рита.

— В космос, — сказал Артем. — И буду парить там в разреженном, безвоздушном пространстве. Хотя то безвоздушное пространство мало чем отличается от нашего, офисного. За космос!

Он хмыкнул и снова отпил из бокала.

— Пока вы еще не в космосе, я хочу, чтобы вы кое на что взглянули. — Рита достала из сумки папку и положила перед Артемом. — Здесь я вкратце описала план действий. Посмотрите, пожалуйста.

Артем глянул на папку, потом на Риту.

— Уверены, что я должен на это смотреть?

— Уверена, — сказала Рита.

Он вздохнул и сказал:

— Ладно. Куда от вас денешься!

Артем сбросил ноги со стола, пододвинул к себе папку, открыл ее и принялся просматривать план, который подготовила Рита.

— Так... Так... — Еще несколько секунд он изучал план, затем поднял на Риту взгляд и проговорил голосом, в котором послышалось истинное восхищение: — А вы и в самом деле акула бизнеса. Настоящая «принцесса зла». Что будет, когда вы станете императрицей?

— Это принесет компании не меньше десяти миллионов долларов, — сухо сказала Рита, кивнув на план.

— Может, даже больше, — сказал Артем. — Если, конечно, Сергей это одобрит. А от меня-то вам что нужно?

— Убедите Сергея Анатольевича принять мой план, — сказала Рита, скрывая волнение. — Заставьте его рискнуть. Вы один имеете на него влияние.

Артем посмотрел на нее, чуть прищурившись.

— Ох и ушлая вы барынька, — сказал он иронично. — Какой процент от сделки вы хотите получить в качестве премии?

— Пусть Сергей Анатольевич сам это определит.

— О'кей. Я расскажу ему о вашем предложении. И попробую его убедить в том, что это предложение разумно. Но у меня есть условие.

— Какое?

— Я хочу пятьдесят процентов от того, что вы получите в качестве вознаграждения. Конечно, если дело выгорит.

На этот раз усмехнулась Рита.

— Вот оно что, — сказала она. — А я думала, вы доброхот и альтруист.

Артем насмешливо приподнял брови:

— Кто вам сказал эту глупость? Живя среди чертей, невозможно быть ангелом. У вас все?

— Да.

— Не смею вас больше задерживать, — сказал Артем и указал ей взглядом на дверь.

Рита поднялась со стула и пошла к двери.

— Кстати, вы нашу Чернушку сегодня не видели? — спросил ей вслед Артем.

— Кого? — не поняла Рита.

— Глеба Черных, — пояснил Артем. И добавил насмешливо: — Без его постной физиономии день выглядит слишком уж хорошим. А как говорят японцы, «слишком много харасо — это тозе прохо».

— Глеб Геннадьевич заболел, — сказала Рита. — Он звонил с утра, сказал, что немного расклеился, и взял отгул.

— Ясно. Надеюсь, найдется красотка, которая склеит его обратно. Ну, или он ее «склеит». — Артем хмыкнул. — Не пропадать же отгулу.

Рита хмуро на него посмотрела, затем пожала плечами, развернулась и вышла из кабинета. Артем снова забросил ноги на стол и взял со стола очередной смятый в шарик листок бумаги.

10

Глеб Черных в последний раз глубоко и хрипло вздохнул, после чего скатился с Лики и перевел дух.

— Это было круто, — с улыбкой сказала Лика.

Свет, пробивающийся сквозь неплотно задернутые шторы, серебрил потную ложбинку между ее голых грудей. Глеб взял с тумбочки стакан с недопитым виски и отпил глоток. Облизнул губы и спросил:

— Твой муж ни о чем не догадывается?

— Нет, — ответила Лика, продолжая улыбаться.

Она лежала на спине, не прикрытая, закинув руки на подушку, с плотно сдвинутыми, почти скрещенными бедрами, словно пыталась удержать остатки наслаждения. Глеб посмотрел на ее плоский загорелый живот с рельефным прессом, блестящую сережку в пупке, эпиллированный начисто лобок — и подумал, что Лика держит себя в отличной форме и что при желании девчонка могла бы хоть завтра вернуться на подиум, с которого ее два года назад «снял» Беклищев.

— Будь осторожна, — сказал он. — Если он заподозрит — нам конец.

— Думаешь, я сама не знаю?

Она повернулась на бок, посмотрела на Глеба, потом приникла к нему и поцеловала в щеку. Отстранилась, погладила его по щеке, посмотрела ему в глаза и сказала:

— Мы так редко встречаемся. Я по тебе постоянно скучаю.

— Мы не можем встречаться чаще, сама ведь знаешь.

Лика посмотрела на него с легким упреком и сказала:

— Глеб, я хочу, чтобы мы были вместе.

— Мы уже вместе, — сказал он.

Она качнула головой:

— Нет, не так. По-настоящему.

— Я работаю над этим, — сказал Глеб. — Но нужно время.

— Почему мы не можем просто его отравить? Ведь это нетрудно сделать. Ему уже за сорок. Все сразу подумают на сердце. Ведь есть же такие яды?

— Яды есть, — сказал Глеб. — Но есть и полиция, и следователи, и эксперты-криминалисты с их лабораториями. В таком деле спешка противопоказана. Если мы задумаем от него избавиться, нужно будет тщательно все продумать.

Лика наморщила лоб, размышляя о чем-то, и проговорила с сомнением:

— А что, если все будет зря? Я ведь не видела его завещания. Что, если он все оставит своему сводному брату — этому придурку Артему?

Глеб улыбнулся Лике своим красивым чувственным ртом, погладил ладонью ее плечо и сказал:

— Значит, надо сделать так, чтобы он возненавидел Артема.

Лика сладко поежилась. И вдруг устремила на Глеба внимательный взгляд.

— Я слышала, у вас появилась новая сотрудница, — сказала она, продолжая внимательно разглядывать Глеба. — Маргарита... как-то ее там. Мой муженек назвал ее «перспективным ресурсом». Кажется, он уверен, что она принесет ему кучу денег.

— Он так и сказал — «перспективный ресурс»? — насторожился Глеб.

— Угу. Почему ты ничего мне про нее не говорил? Сколько ей лет? Она красивая?

— С тобой ей не сравниться.

— Ей больше тридцати?

— Немного.

Лика сдвинула подкрашенные бровки-стрелки:

— Имей в виду: узнаю, что между вами что-то есть...

— Не сходи с ума, — оборвал ее Глеб. — Она обыкновенная выскочка.

— Откуда она вообще взялась?

— Не знаю.

— Тогда, может быть, тебе стоит это узнать? Если она так хороша, как описывал мой муженек, тебе следует побеспокоиться. Разве я не права?

— Может быть, и права. — Глеб переместил ладонь с плеча на макушку Лики. — И откуда в такой прелестной головке такие мудрые мысли?

— Я хочу, чтобы у меня было безоблачное будущее. А я связываю его с тобой.

Глеб усмехнулся, потом посмотрел на круглые часы, висевшие над зеркалом, и сказал:

— Ладно. Пожалуй, пора.

Он стал подниматься с кровати, но Лика удержала его за руку.

— Уже? — недовольным, капризным голосом спросила она.

— Мы сняли номер на два часа, — напомнил Глеб. — Пора уходить.

Лика выпустила его руку, вздохнула и сказала:

— Ненавижу гостиницы! Ненавижу почасовую оплату! Ненавижу тебя!

Глеб, стоя у кровати, залюбовался гибким обнаженным телом Лики, ее покрасневшим от гнева лицом.

— Ты такая красивая, когда злишься, — сказал он.

И вдруг снова опустился на кровать и сжал Лику в объятиях.

— Ты что? — запротестовала она. — Сам же сказал — осталось десять минут.

— Ничего, — сказал Глеб, опуская руку ей на грудь. — Мы успеем.

11

— Можно? — спросила Рита, приоткрыв дверь.

— Входите! — отозвался Беклищев.

Рита вошла в кабинет. Сергей Анатольевич сидел в своем кожаном кресле. Артем — слева от стола, закинув ногу на ногу. На Риту он посмотрел холодным, насмешливым взглядом.

— Присаживайтесь, Маргарита Алексеевна, — сказал Беклищев, кивнув на второй стул, стоящий у стола.

Рита прошла в кабинет, села на стул.

— Артем рассказал мне о вашем плане, — сказал Беклищев, глядя на Риту своими колючими глазами.

— И что вы решили? — сдерживая волнение, спросила Рита.

— План очень рискованный, — сказал Беклищев.

— Да, но он принесет компании много денег, — сказала Рита.

Беклищев покосился на Артема.

— Что думаешь? — спросил он.

Артем нахмурился и сказал:

— Думаю, мы можем рискнуть.

— А если будет расследование?

— Тогда мы возложим всю ответственность на нашу новую и очень дерзкую сотрудницу, — сказа Артем, с усмешкой глядя на Риту.

Она почувствовала, что краснеет.

— Я готова взять на себя ответственность, — сказала Рита спокойно, хотя сердце ее билось так быстро, что у нее слегка зашумело в висках. — Я хорошо знаю российские законы, — продолжила она, — и уверена, что никто не сможет нас прижать.

Беклищев задумчиво побарабанил толстыми пальцами по столу.

— Что ж... — сказал он после паузы. — Если вы готовы рискнуть — действуйте. Но если вас будут сильно прессинговать, мы от вас откажемся.

— Как от отработанного ресурса, — добавил Артем, с холодной иронией глядя на Риту. — И тогда вам конец.

Рита встретила его взгляд спокойно, хотя в душе у нее все бурлило. Она решила сегодня же вызвать Артема на прямой разговор; выяснить, наконец, отношения и расставить все точки над i.

...Час спустя Рита подкараулила Артема в коридоре, возле кофемашины и спросила прямо:

— Артем Борисович, почему мы с вами постоянно пикируемся?

— Вероятно, потому, что вся моя жизнь — это «хроника пикирующего бомбардировщика», — иронично проговорил он, нажимая на кнопку машины.

— Не поняла метафоры.

Артем хмыкнул:

— Куда вам!

Он взял стаканчик с кофе и хотел отойти в сторону, но Рита встала у него на пути и спросила:

— За что вы меня так ненавидите?

— Я вас не ненавижу, — спокойно и даже небрежно сказал Артем. — Как можно ненавидеть уродливое дерево? Или сухую траву?

Рита оторопела.

— Уродливое? Полагаю, вы говорите о моих душевных качествах, а не о внешности?

— Просто о «качествах», — вежливо поправил Артем. — Слово «душа» к вам неприменимо.

Рита слегка покраснела.

— Вы меня оскорбляете, но ведь вы ничем от меня не отличаетесь.

— Верно, — не стал спорить Артем. Отпил кофе и сказал: — Мы все тут одинаковые. Любители делать деньги из воздуха.

— Тогда почему вы считаете, что я хуже и бездушнее других?

— Потому что там, где вы проходите, вянут цветы, — сказал Артем почти презрительно. — И не только цветы, там вянет все живое.

Рита посмотрела ему в лицо и сказала:

— Знаете что... А ведь вы просто лицемер.

— Снова в точку, — кивнул Артем. И добавил с кривой усмешкой: — У вас просто талант давать верные определения!

Рита сжала кулаки.

— Ваше самобичевание фальшиво. Как и всё, что вы делаете и говорите. И знаете, вы намного хуже меня и Глеба Черных. Мы с ним, по крайней мере, не корчим из себя разочарованных чистоплюев, превратившихся в циников.

— Не корчите, — снова согласился Артем. — Вы просто цинично обираете людей. Всего доброго.

Он допил кофе, бросил стаканчик в урну и повернулся, намереваясь уйти.

— Мы не договорили! — яростно сказала Рита.

— Я договорил, — обронил Артем через плечо и неторопливо зашагал прочь.

— Лицемер, — бросила ему вслед Рита.

— Волчица, — сказал Артем, не оборачиваясь.

12

Профессор Старостин открыл глаза. Он увидел над собой все тот же потолок, ровный, белый, без единой трещины. Шевельнул правой рукой — наручника на ней не было. Слабость еще чувствовалась, но не была такой сильной, как прежде. Должно быть, действие седативного препарата заканчивалось. Значит, с минуты на минуту ему вколют новую дозу. Лекарство сделает его вялым, беспомощным и безвольным. В ватном, размякшем теле не останется сил для противостояния, остатки душевных сил будут растворены в препарате, язык развяжется и начнет болтать сам собой.

Старостин попытался вспомнить, рассказал ли он своим мучителям о той молодой женщине, которая попала под колеса его машины и в крови которой теперь так нуждался генерал Кальпиди. Если рассказал, то ее уже ничто не спасет. Она для Кальпиди всего лишь донор. Зверек-носитель, которого требуется поймать, исследовать, убить и препарировать.

Хотя... возможно, она уже мертва. Препарат не прошел полных клинических испытаний, и одному богу известно, какими побочными эффектами все это обернется. Возможно, она уже умерла от кровоизлияния в мозг. Сошла с ума и лежит сейчас на койке в психиатрической клинике, погрузившись в галлюциногенное забытье. А может, она покончила жизнь самоубийством, не выдержав того, что с ней случилось? Возможно и такое.

Старостин припомнил слова своего учителя, академика Рогова, произнесенные им еще в ту далекую пору, когда Валерий Старостин был аспирантом биофака.

— Валера, вы должны понимать, что человеческий разум находится вне мозга. Мозг — всего лишь принимающая станция. Как радиоприемник или телевизор. Когда ломается телевизор, изображение на экране меркнет. Но электромагнитные волны продолжают разносить его по всему миру, и оно отображается на экранах миллионов других телевизоров — в каждом со своими нюансами цвета и звука.

— Но нас учили, что разум — это всего лишь функция мозга. Как слюна, выработанная слюнными железами.

— Это устаревший подход.

— Вы можете это доказать?

— Я — нет. А вот вы вполне можете это сделать. Пусть не сейчас, но в будущем. Если продолжить нашу аналогию, то мозг ученого — это хорошо настроенный телевизор последней модели. Мозг обычного человека — дешевый телевизор, купленный на распродаже. Представьте себе, что будет, если обычный, самый заурядный, телевизор слегка усовершенствовать. Допустим, подключить его к улучшенной антенне. Изображение на экране станет четче. А если мы заменим динамики, то и звук станет чище.

— То есть мозг человека можно качественно улучшить?

— Об этом я и говорю. Валера, я уже старый человек, а вот у вас впереди все будущее. Посвятите его проблеме качественного усовершенствования человеческого мозга, и вы обязательно добьетесь результатов.

«Да, добился», — с горечью подумал Старостин.

Действительно, добился. Но кому от этого стало лучше? На пути к успеху он лишился сперва жены («Я так больше не могу, Валера. Прости, но я должна уйти»), потом Зиночки Непряжской (перед глазами у него до сих пор стояло ее бледное мертвое лицо, на котором застыла печать изумления — «за что?»).

А сколько человеческих судеб сломано?

Старостин зажмурил веки. Из краешка его глаза выступила и скатилась по щеке на подушку слеза.

...Кто-то негромко кашлянул рядом. Старостин скосил глаза и увидел охранника. Тот сидел в кресле с планшетником в руках и играл в какую-то игру. В ушах у него чернели пуговки наушников.

Профессор посмотрел правее и увидел лежащую на тумбочке биксу, а в ней — шприц на марлевой подушке, пропитанной антисептиком. Вероятно, медсестра выскочила куда-то на минуту и вот-вот должна была вернуться, чтобы сделать Старостину укол.

Действовать нужно было срочно. Профессор медленно протянул руку и опустил ее на шприц. Охранник, увлеченный игрой, ничего не заметил. Старостин взял из биксы шприц и положил большой палец на упорную пластину поршня. Мысленно досчитал до трех, пытаясь целиком сконцентрироваться на том, что сейчас сделает. Раз-два-три. Затем быстро поднял шприц и с размаху всадил иглу охраннику в бедро — и тут же нажал на поршень. Препарат вошел в мышцу прежде, чем охранник успел что-либо предпринять. У того еще хватило сил отбросить планшетник, он даже приподнялся со стула, но тут же рухнул обратно и замер, запрокинув голову, с приоткрытым безвольно ртом.

Старостин откинул одеяло и сел на кровати, опустив босые ноги на пол. Посидел несколько секунд, собираясь с духом, затем встал на ноги и повернулся к охраннику. Тот смотрел на профессора растерянным, чуть сонным взглядом. Старостин неуклюже разул охранника, стащил с него брюки. Надел все на себя. Потом снял с парня пиджак и накинул его поверх белой больничной пижамной курточки. Пистолет охранника он сунул за ремень, не вполне представляя, как им пользоваться. Потом, прихрамывая, подошел к двери, приоткрыл ее и выглянул наружу.

Медсестра, стоя у стола, беззаботно болтала с кем-то по мобильному телефону. Старостин тихо вышел в коридор, осторожно прикрыл за собой дверь и, стараясь идти твердо, зашагал к выходу.

13

Огромная яхта плавно скользит по серебрящейся в солнечных лучах океанской глади. Рита сидит на палубе, в кресле. Она одета в купальник и шляпку. Нежась на ярком солнце, Рита потягивает холодный вкусный коктейль через трубочку и смотрит на обнаженную сильную спину Виктора, который закрепляет парус.

Лиза осталась в Англии, она теперь школьница, учится в колледже вместе с детьми самых богатых и влиятельных людей мира. А Лешка — вон он! — стоит у штурвала. Высокий, сильный юноша, который уже второй раз в жизни выходит с приемным отцом в кругосветное путешествие на их собственной двухпалубной яхте. На этот раз Рита решила присоединиться к ним. Три дня назад она прилетела в Порто-Франко частным рейсом, прямо с Мальдивских островов, где отдыхала с двумя подругами. И пока об этом не пожалела. Ей нравился океан, нравилась яхта, нравился коктейль, а ночью ее ждал феерический секс с любимым мужчиной, который души в ней не чаял и который...

— Маргарита Алексеевна, пора? — громко и взволнованно проговорил один из трейдеров, коренастый парень в белой рубашке и красном галстуке.

Несколько трейдеров сидели за столами, уставленными компьютерами. Рита стояла перед столами, сложив руки на груди и пристально глядя на графики и мелькающие цифры.

— Да, — сказала она. — Сбрасывайте акции.

Трейдеры склонились над компьютерами, забормотали в микрофоны команды. Рита чуть прикрыла глаза, постаравшись расслабиться. Но там, в темноте, под веками, у нее перед глазами продолжали мелькать цифры, выскакивать термины и понятия из прочитанных учебников, а где-то вдалеке продолжала плыть яхта, а мрачный голос Беклищева говорил:

— Если вы готовы рискнуть — действуйте. Но если вас будут сильно прессинговать, мы от вас откажемся. Как от отработанного ресурса. И тогда вам конец.

— Есть! — произнесли в один голос несколько трейдеров.

Рита открыла глаза и взглянула на экраны компьютеров.

— Теперь ждем, — спокойно сказала она, делая вид, что всеобщее волнение совершенно ей не передалось.

С минуту все молчали, напряженно глядя на цифры.

— Акции начали падать, — дрогнувшим голосом сказал трейдер в красном галстуке. — Маргарита Алексеевна, они схватили наживку!

Рита усмехнулась, но ничего не сказала.

— Маргарита Алексеевна, уже пятьдесят! — сказал один из трейдеров, имени которого она не знала.

— Сорок пять! — крикнул второй трейдер.

— Ждем.

— Тридцать пять!

Рита сняла модные очки, взяла со стола салфетку для монитора и протерла стекла. Снова их надела.

— Тридцать! — воскликнул кто-то из трейдеров. — Маргарита Алексеевна...

Она сделала останавливающий жест рукой. Все замолчали, глядя то на нее, то на экраны компьютеров.

— Двадцать восемь! — не выдержал парень в красном галстуке.

— Покупайте! — громко приказала Рита.

Трейдеры, раскрасневшиеся, всклокоченные, вновь склонились над компьютерами.

Рита снова прикрыла глаза. Яхта виделась все четче, словно и впрямь становилась реальной, и Рита даже разглядела на ее борту название — «Маргарита».

— Есть! — торжествующим голосом объявил трейдер в красном галстуке. — Цены поползли вверх! Уже тридцать пять!

Теплый встречный ветер развевал волосы, коктейль приятно холодил небо и язык.

— Пятьдесят!

— Пятьдесят пять!

Пронесся радостный ропот. Рита открыла глаза.

— У нас получилось! — крикнул трейдер в красном галстуке. — Мы всех сделали!

Трейдеры, устремив взгляды на Риту, откинулись на спинки своих вертящихся кресел и зааплодировали ей. Рита улыбнулась и слегка им поклонилась. И тут же поймала на себе взгляд Артема.

— Отличная выдержка, — сказал он. — Вы только что наварили для компании двадцать миллионов долларов. Поздравляю!

— Спасибо, — с вежливой улыбкой сказала она.

— Теперь молите бога, чтобы все обошлось и комиссия не начала расследование.

— Не волнуйтесь, — твердо сказала Рита. — Никто ничего не сможет доказать.

К ней подошел только что приехавший Глеб Черных. Протянул ей руку и сказал:

— Ну, Марго, вы просто монстр.

Рита пожала ему руку.

— Точно, она монстр. — Артем положил руку Глебу на плечо. — Ну что, Глебка, — с усмешкой сказал он, — вот и тебе замена созрела. Хоть сейчас назначай ее начальником департамента. На месте моего всесильного брата я бы так и сделал.

По лицу Глеба пробежала тень, и это не укрылось от Ритиного взгляда.

— Я не собираюсь занимать ничье место, — сказала Рита. — А теперь извините, мне надо выйти.

Она повернулась к выходу.

— Глебчик, и ты ей веришь? — услышала она за спиной тихий, насмешливый голос Артема. — Она тебя уничтожит, мой мальчик.

Рита не видела лица Глеба Черных, но явственно почувствовала спиной его взгляд, и взгляд этот не сулил ей ничего хорошего.

Рита отняла руки от бортиков унитаза и выпрямилась. На этот раз она не могла бы точно сказать, отчего ее вырвало — из-за головной боли или от волнения. Слив воду, она вышла из кабинки, чуть покачиваясь (боль еще пульсировала в висках, хотя не так сильно, как десять минут назад).

Открыв холодную воду, она умыла лицо. Боль медленно отпускала. Рита посмотрела на свое отражение в зеркале. Лицо было бледным, в глазах лопнули мелкие сосудики. Рита разомкнула губы и тихо проговорила:

— Сегодня ты заработала свой первый миллион долларов, Рита. — Она усмехнулась. — Неплохой куш для начинающей.

Она увидела в зеркале уборщицу, которая натирала шваброй пол в другом конце туалета. Нахмурилась, посмотрела в глаза своему отражению и тихо, но четко проговорила:

— Ты — не она. И больше не будешь такой. Ты здесь, перед зеркалом. И сегодня ты стала миллионершей. И знаешь что... Это только начало.

Рита закрыла воду, вытерла руки и лицо бумажным полотенцем и, не заморачиваясь на макияже, вышла из туалета. Она решила, что на сегодня работы хватит и что самое время отправиться домой и хорошенько отдохнуть.

14

Нины снова не было дома. В последнее дни подготовка к выставке занимала все ее время. Лешка уехал с классом на экскурсию в Питер. Дома были только Лиза и Виктор. Они сидели на полу и увлеченно собирали пазл.

— А вот и наша мама! — поприветствовал Виктор, когда Рита вошла в комнату.

— Мамочка, а мы с дядь Витей собираем базил! — выкрикнула Лиза восторженным голосом.

— Лизавета Николаевна гениальный сборщик базилов, — с улыбкой сообщил Виктор. — Кстати, мы с Лизаветой Николаевной приготовили пиццу. И, кажется, она получилась очень вкусной.

— Мамочка, наша пицца — просто объеденье! — сообщила Лиза. — Мы с дядь Витей оставили тебе несколько кусочков.

— Это правда. — Виктор поднялся на ноги и с улыбкой сказал Рите: — Ты переодевайся, а я пока разогрею пиццу.

Внезапно Рита почувствовала такой приступ голода, что у нее свело желудок. Она вспомнила, что не ела с самого утра.

— Я бы съела кусочек прямо сейчас, — честно сказала она Виктору. — И даже холодную.

— Вот как? Тогда вперед на кухню! Лизавета Николаевна, вы с нами?

— Нет, — твердо сказала Лиза. — Не уйду отсюда, пока не соберу весь базил.

— Вы очень упорная девушка, — сказал Виктор. — И когда-нибудь это качество сделает вас богатой и знаменитой.

— Не хочу быть богатой, — заявила Лиза. — Хочу быть счастливой.

Рита посмотрела на серьезное, умное личико дочери и засмеялась.

— Будешь, — сказала она Лизе. — И счастливой, и богатой. Если проголодаешься — приходи к нам.

Рита и Виктор отправились на кухню, а Лиза, взяв кусочек пазла, устремила задумчивый взгляд на недособранный осенний пейзаж.

...На кухне Виктор усадил Риту за стол («Сиди, сиди, ты устала») и объявил, что будет за ней ухаживать. Быстро сделал чай, разогрел в микроволновке кусок пиццы.

— Вы правда сами ее сделали? — поинтересовалась Рита, откусив кусочек пиццы, которая оказалась действительно очень вкусной.

— Не совсем, — признался Виктор, посмеиваясь. — Я купил ее в нашей кондитерской, той, что на первом этаже. Но разогреть пиццу до оптимальной температуры — это тоже искусство. Разве нет?

— Да, — улыбнулась Рита. — Я всегда говорила: самое главное в приготовлении блюда — это процесс разогревания.

Из комнаты донесся кашель.

— Лиза? — насторожилась Рита. — Лиза, с тобой все в порядке?

Дочка не отозвалась. Рита встревоженно нахмурилась.

— Схожу посмотрю — все ли у нее в порядке, — сказал Виктор. — А ты ешь.

Он вышел из кухни. Рита прислушалась, пожала плечами и взяла чашку с чаем.

— Черт! — донесся из комнаты голос Виктора.

Рита побелела и выронила из пальцев чашку с чаем. Не заметив, что кипяток выплеснулся ей на юбку, вскочила из-за стола и вылетела из кухни.

Когда она вбежала в комнату, Виктор сидел на полу, обхватив Лизу сзади руками, и, как показалось Рите, встряхивал ее. Лицо Лизы было синюшно-бледным, выпученные глаза остекленели.

— Что случилось? — испуганно закричала Рита, бросаясь к дочери.

— Она подавилась! — сказал Виктор и снова встряхнул девочку.

Лиза безвольно дернулась в его руках, как тряпичная кукла.

— Боже! — хрипло выкрикнула Рита.

Она бросилась к дочери, но Виктор одной рукой оттолкнул ее.

— Не мешай! — сухо сказал он.

Затем снова обхватил Лизу руками, положив ей костяшки больших пальцев на солнечное сплетение и снова резко надавил. Изо рта Лизы выскочил кусочек пазла, девочка резко вздохнула и вдруг закашлялась, выпучив от боли глаза.

— Все хорошо, — облегченно проговорил Виктор. — Теперь все хорошо.

Он выпустил Лизу, девочка заплакала, Рита обняла ее, прижала к себе и тоже зарыдала от пережитого ужаса.

...Через полчаса Рита вошла в гостиную. Виктор сидел на диване, глядя на экран телевизора.

— Как она?

— Уснула.

Рита села на диван и вдруг заплакала.

— Ну-ну-ну. — Виктор обнял ее рукой за плечи. — Все хорошо. Она не пострадала.

— Спасибо... — со слезами в голосе проговорила Рита. — Спасибо, что спас ее.

Виктор притянул Риту к себе, и вдруг она, словно ожидала этого, обняла Виктора, впилась своими солеными от пролитых слез губами в его губы. Они стали целоваться, как подростки, как объятые огнем страсти любовники. Лишь раз Рита оторвалась от его губ и пробормотала:

— Боже... Что мы делаем?

— Сходим с ума, — сказал Виктор и снова прижал ее к себе.

* * *

Рита сладко поежилась в постели, посмотрела на лежащего рядом Виктора и спросила:

— Я тебе правда нравлюсь?

— Конечно, — сказал он.

— Очень?

— Очень!

Он наклонился и поцеловал ее в губы. Глаза его сияли, он не врал. Редкие волосы Виктора были растрепаны, на щеках проступила щетина, отчего широкое лицо его стало похожим на лицо пожилого морского капитана. Впрочем, слово «пожилой» Виктору не очень-то и подходило. Он был широк в кости и мускулист, выглядел слегка обрюзгшим, но совсем не толстым. «Мужчина средних лет» в лучшем его варианте.

Рита смотрела на него и думала о том, что вот такой-то муж ей и нужен. Интеллигентный, умный, добрый. Этот точно никогда ее не обидит, не пропьет квартиру. К тому же они неплохо будут смотреться вместе. Деловая, ухоженная молодая женщина и ее импозантный муж-писатель. Рита подумала, что Виктору очень подойдет дорогой темно-синий итальянский костюм и темная рубашка с темным шелковым галстуком. Ему бы еще волосы погуще, но, в принципе, нормально и так. К тому же он будет отличным отчимом для Лешки и Лизы (Лизаветы Николаевны, как он ее называет.)

Рита улыбнулась своим мыслям. Но тут она вспомнила про Нину, и улыбка покинула ее губы, а по лицу пробежала тень озабоченности. Она пристально посмотрела Виктору в глаза и сказала:

— Послушай, Вить, ты можешь для меня кое-что сделать?

Он ответил ей нежным, обожающим взглядом и проговорил:

— Все, что угодно.

Рита немного помедлила, собираясь с силами, а потом сказала, четко и прямо:

— Я хочу, чтобы ты ушел от Нины.

Лицо Виктора оцепенело. Потом слегка побагровело, на широком лбу у него вздулись жилки, и на мгновение Рите показалось, что это не просто жилки, а что на лбу у Виктора сквозь кожу проступили цифры.

08115036

Рита приоткрыла от изумления рот, сердце ее замерло, а потом учащенно забилось, но она зажмурила глаза, а когда через секунду снова открыла их, неприятное видение исчезло. Лицо Виктора по-прежнему выглядело напряженным и растерянным. Еще несколько секунд он молчал, а потом сдавленно спросил:

— Ты... точно этого хочешь?

— Да, — сказала Рита. — Я этого хочу.

Он глубоко вздохнул, явно решаясь, а потом выдохнул:

— Хорошо. Я уйду от Нины. Прямо сегодня.

Рита улыбнулась и покачала головой:

— Нет. Лучше завтра.

— Почему? — озадаченно спросил Виктор.

— Потому что с утра я еду смотреть квартиру, — сказала Рита. — Если она мне понравится, я ее сниму. И мы сможем сразу же в нее переехать. Ты, я и дети.

Виктор молчал.

— Что-то не так? — насторожилась Рита.

— Просто... подумал о Нине, — сказал Виктор. — Как она это переживет?

— Переживет, — сказала Рита. — Ты же писатель и знаешь, что женщины сильнее мужчин. Об этом даже Карен Хорни[1] писал.

— Да, но...

— Что?

Он выдохнул:

— Ничего.

Рита улыбнулась, обняла Виктора за шею и нежно поцеловала его в губы.

---

[1] Карен Хорни — выдающийся немецко-американский психолог, автор книги «Психология женщины».

ЧАСТЬ ЧЕТВЕРТАЯ

БОЛЬШОЙ КУШ

1

Полтора месяца спустя

Рита вышла из душа, обмотанная полотенцем, и подошла к своему шкафчику. В этот фитнес-клуб она записалась месяц назад по совету своего диетолога и три раза в неделю, честно, без отлыниваний, пахала на тренажерах. Клуб считался элитным, и годовой абонент в него стоил дороже подержанного «Мерседеса».

Рита открыла шкафчик, начала одеваться. Рядом с ней встала двадцатичетырехлетняя блондинка Кая. Кая была начинающей певицей, и по-настоящему ее звали Карина, но муж-продюсер заставил ее сменить имя на Каю и даже выправил ей новый паспорт. Кая сняла полотенце, обнажив свое прекрасное, загорелое тело с осиной талией и силиконовыми грудями.

(«Моему Масику вообще-то нравится «четверочка», но я его уговорила на «троечку» — с большими сиськами так неудобно спать!»)

— Марго, — окликнула Риту блондинка Кая. — Слушай, мы с девчонками хотим зайти в бар. Выпить по коктейлю. Ты с нами?

— Даже не знаю. — Рита надела блузку. — У меня еще сегодня дела.

Кая улыбнулась:

— Марго-о, девять часов вечера на дворе. У меня тоже свой бизнес, и я тебя понимаю, но надо же когда-то и отдыхать.

— А в какой бар вы идете? — уточнила Рита, вспомнив совет своего психолога не замыкаться в себе, а побольше общаться с другими женщинами, близкими по социальному статусу.

— В ресторан «Лермонт», — ответила Кая. — Ты там наверняка была.

— Нет. Кажется, не была.

Кая округлила глаза:

— Да ты что! Это же культовое место!

— Правда?

— Ну да! Короче, представь себе красивый старинный особнячок в центре города. Антикварный интерьер, приветливые официанты, культурная атмосфера. Еда вкусная, дворянская.

— Дворянская?

— Угу. Это их фишечка.

При упоминании о еде Рита почувствовала голодный болезненный спазм в желудке и вспомнила, что не ела с самого полудня, да и тогда удалось перехватить только свекольный салат и яблоко.

— Хорошо, — сказала она. — Я с вами.

...Час спустя Рита, певица Кая, журналистка Валерия, домохозяйка Стефи и бизнес-леди Аня сидели в уютном зале ресторана, за столом, уставленным салатиками, морепродуктами и бокалами с мартини и шампанским.

— Ну, короче, — продолжала свой увлекательный рассказ домохозяйка Стефи, — он передо мной лежит такой со спущенными штанами, и аж дрожит от нетерпения. Ну, я его немного подраконила, а потом говорю: или ты даришь мне «Салон красоты» и хорошую спортивную машинку, или делай себе нямушки сам.

— А он? — спросила с улыбкой Кая.

— А чего он — он ведь мужик! Давай, — говорит, — все, что хочешь, говорит, все, говорит, для тебя. Ну, я для верности ему сделала нямушки, по полной программе, даже не отплевывалась, и он растаял совсем. А я ему — только попробуй меня обмануть.

— А он?

— А что он — не обманул. Через три дня подписываем документы. И у меня будет свой «Салон красоты»!

Кая вздохнула:

— Стефка, какая ты счастливая. Твой-то и щедрый, и импозантный. Мой вообще жирный кабанище, и все время норовит сзади пристроиться. Я говорю — больно, а он только ржет да по попе рукой шлепает.

— Зато ты уже третью машинку за четыре года меняешь, — напомнила журналистка Валерия, потягивая коктейль.

— Девки, хватит зависеть от папсиков! — решительно проговорила молодая бизнес-леди Аня. — Я вот себе на джип «Ровер» сама заработала.

— Сказала племянница губернатора, — хмыкнула Стефи.

— Ну, дядька мне только на первых порах помог, когда я фирму на себя регистрировала, — сказала на это Аня.

— Марго, а ты чем зарабатываешь? — повернулась к Рите журналистка Валерия, жгучая брюнетка с умными глазами. — Ты ведь, кажется, бизнес-леди, да?

— Я... тружусь на одной фирме, — уклончиво ответила Рита и отпила глоток шампанского.

— Что там делаешь? — поинтересовалась Аня.

— Решаю, во что вкладывать деньги и какие ценные бумаги следует купить или продать.

— О! — улыбнулась Аня. — Прям как я! Я каждый день по два часа на «Форексе» в Интернете сижу. Уже шесть тысяч баксов проиграла. — Аня прищурила глаза и протянула: — Интересно-о! Прямо как в казино.

Рита почувствовала, как в висках у нее запульсировала боль — словно в черепе проснулась большая птица и, запаниковав, стала бить крыльями. Перед глазами у Риты все пошатнулось, боль переместилась в затылок. Она поднялась из-за стола.

— Марго, ты куда? — спросила Кая.

— Надо выйти, — сдавленно ответила Рита и пошла прочь из зала.

В туалете Риту вырвало, то ли от головной боли, то ли от отвращения, которое она испытывала, слушая разговор своих «подруг», и которое комом встало у нее в горле. Она вышла из кабинки, подошла к раковине, открыла воду и ополоснула рот и лицо.

— Полегчало? — услышала она голос журналистки Валерии.

Рита не стала оборачиваться, она уже увидела отражение брюнетки в зеркале, та стояла у нее за спиной и прикуривала тоненькую сигарету от золотой зажигалки.

— Немного, — сказала Рита.

Она закрыла кран.

— Ты вернешься за стол? — спросила Валерия.

— Вряд ли, — сказала Рита.

— Почему?

Рита усмехнулась и ответила:

— Не хочу еще полчаса слушать о том, как Стефи отбеливала себе анус, а Кая научилась горловому минету, чтобы сделать своему папсику подарок на день рожденья.

— Да. Ты права. — Валерия усмехнулась. — Я как-то привыкла к их болтовне, поэтому их глупость меня не раздражает. Кроме того, я пишу про этих самодовольных телок книгу.

— Книгу? — удивилась Рита.

— Угу. — Валерия выпустила уголком рта струйку табачного дыма. — Драму «Начальник службы безопасности». Скромная девушка из провинции выходит замуж за богатого мужчину и становится «хай сосаети»[1]. Сначала наслаждается жизнью, швыряясь деньгами направо и налево. Потом скучает, осознав бессмысленность скотского существования. А потом встречает настоящую любовь в лице нищего музыканта, хочет начать с ним новую жизнь.

— И как? — спросила Рита. — У нее получается?

Валерия покачала головой:

— Нет.

— И чем там у них все заканчивается?

— Она возвращается к своему богатому, но не любимому «папсику», который дарит ей за это беленький «Кайен» последней модели.

— Грустно, — сказала Рита.

— Жизненно, — сказала Валерия. — Допишу роман, а потом сделаю из него сценарий и продам киношникам, чтобы сняли по нему фильм.

— А они купят? — спросила Рита.

— Конечно, — улыбнулась Валерия. — Куда денутся! У меня ведь тоже есть свой собственный могущественный папсик. — Брюнетка заговорщицки подмигнула Рите. — А ты правда спекулируешь ценными бумагами?

— Правда, — сказала Рита.

— Поможешь, если я задумаю написать статью или роман про трейдеров?

---

[1] High society — высшее общество (*англ.*).

— Легко.

Валерия достала из сумочки визитную карточку и протянула Рите:

— Вот моя визитка. Захочешь поболтать — звони.

— Хорошо.

Рита взяла карточку, скользнула взглядом по надписи.

Валери М. Роффе
Журнал «Глэмми»
Заместитель главного редактора

Валерия бросила окурок в урну и проговорила иронично:

— Ладно. Пойду послушаю про отбеливание ануса — может, тоже пригодится. В конце концов, мы с тобой от них мало чем отличаемся. Пока!

— Пока, — сказала Рита.

Брюнютка вышла из туалета. Рита проводила ее взглядом, а когда дверь за брюнеткой закрылась, снова посмотрела на свое отражение в зеркале. «Что эта горе-писательница имела в виду? — подумала она. — Что я такая же паразитка, как и они?»

«Глупости, — сказало Рите ее отражение. — Они дуры, а ты умная. Все, что светит этим дурехам» — это новая машинка и трехэтажный домик на Новой Риге. А ты скоро сможешь купить сто таких машинок, а там и всю Новую Ригу в придачу!»

«И это все отличие?»

«А тебе этого мало?»

Рита отвела взгляд от зеркала — внезапно ей стало неприятно смотреть на собственное лицо.

За минувший месяц Рита провела несколько суперудачных сделок, заработала для компании кучу денег (не забывая и о себе), поднялась до должности заместителя начальника департамента, однако все еще чувствовала дьявольское неудовлетворение.

За это время она прочла десятки учебников и энциклопедий, изучила несколько дисциплин, она чувствовала в себе силы начать с нуля любой бизнес и преуспеть в нем. Но... время легких денег в России прошло. А долгий путь был не для нее.

После многих бессонных ночей Рита поняла, что человек ее способностей, ее ума и ее воли не должен годами тянуть лямку честного бизнеса, откладывая деньги на учебу детей и мечтая о том, как через пару лет накопит деньги на новенький «Бентли». Такие люди никогда не становятся настоящими Хозяевами Жизни, они остаются рабами, меняя дешевое ярмо на более дорогое, украшенное стразами.

Рите нужно было все и сразу. «Бентли» — сегодня, яхту — завтра, ну а послезавтра... место во втором десятке списка самых богатых людей мира. Как минимум, во втором!

Иначе зачем Богу понадобилось делать ее такой умной?

2

— Мы не можем играть на курсе валют, — сказал Беклищев. — Это слишком рискованно. И слишком непредсказуемо. — Он нахмурился и мечтательно добавил: — Вот если бы мы обладали инсайдерской информацией, полученной из самых верхних эшелонов власти... Но у нас нет своих людей на таком уровне.

Было раннее утро, ночью Рите удалось поспать всего пару часов, и сейчас она чувствовала себя немного разбитой. Однако в тот момент, когда Беклищев заговорил об инсайдерской информации, в голове у Риты что-то щелкнуло, а внутренний голос завопил:

«Вот оно!!!»

Рита еще даже не успела до конца осознать свой план, как ее рот сам собою произнес:

— А если я раздобуду инсайдерскую информацию?

Беклищев посмотрел на нее недоверчиво.

— Маргарита Алексеевна, — сказал он негромким, угрюмым голосом, — настоятельно рекомендую вам не играть в эти игры.

— А разве не этим мы здесь все занимаемся? — сказала Рита.

— Что вы имеете в виду?

Рита пожала плечами:

— Наша компания ничего не производит и ничего не выращивает. Никаких материальных благ. Мы даже из земли, в отличие от сырьевого сектора, ничего не выкачиваем. Все, что мы делаем, это покупаем и перепродаем. Смысл нашего существования — играть и выигрывать, а главная наша мечта — сыграть по-крупному и сорвать большой куш. Разве не так? И если у нас появится шанс это сделать, мы не должны от него отказываться.

Беклищев посмотрел на нее тяжелым взглядом и сухо уточнил:

— Значит, никакой морали?

— Только не в этих стенах, — сказала Рита. — Морализаторствовать мы можем перед родственниками или перед журналистами. Но здесь мы должны делать бизнес. А наш бизнес — превращать чужие разочарования и ожидания в звонкую монету. Или я не права?

Беклищев чуть прищурил тяжелые веки и проговорил:

— Знаете, какой главный враг у трейдера?

— Какой?

Сергей Анатольевич выдержал паузу и сказал:

— Жадность.

— Это второй его враг, — сказала Рита. — А первый и самый главный — трусость.

Глаза Беклищева вспыхнули недобрым огоньком, в лице появилось что-то упрямо-бульдожье.

— Значит, так, — сказал он. — Про инсайдерскую информацию забудьте. Я не хочу попасть под расследование и лишиться деловой репутации, денег и свободы. Это первое. А второе... О том, как нам тут работать, буду думать я. И правила буду придумывать я. Если вам не нравится эта ситуация — ищите себе другую работу.

— Простите, — сказала Рита, опустив взгляд. — Я вела себя слишком...

— Дерзко и нагло, — договорил за нее Беклищев. И добавил холодно: — Если у вас все, вы свободны.

Выйдя из приемной Беклищева в коридор и закрыв за собой дверь, Рита в сердцах проговорила:

— Трусливый лузер.

— Это вы про нашего босса? — услышала она голос Глеба Черных.

Рита повернула голову — Глеб стоял в двух шагах от нее, высокий, красивый, лощеный, как породистый конь, с холодной полуусмешкой на порочных надменных губах.

— Глеб Геннадьевич, у вас удивительный талант появляться не вовремя, — с досадой произнесла Рита.

— Это вам только кажется, — возразил Глеб. — То, что «не вовремя» для вас — вовремя для меня. Вот как сейчас. Подошел к кабинету босса вовремя — и узнал много интересного.

Рита посмотрела ему в глаза и увидела в них блеск, который ей совершенно не понравился. Сукин сын очевидно ненавидит ее. И очевидно не упустит шанса ей навредить. Хотя бы потому, что через месяц, максимум — два, Рита намерена занять его место, и он прекрасно это понимает. Почувствовав вскипающую ярость в душе, Рита холодно и угрожающе проговорила:

— Осторожнее, Черных. Осторожнее.

— Я всегда осторожен, Маргарита Алексеевна, — сказал Глеб. — А вот вам и впрямь следует вести себя чуть менее дерзко. А иначе...

Он замолчал, глядя на нее взглядом, в котором было больше ненависти, чем презрения.

— А иначе что? — спокойно уточнила Рита.

— А иначе вам будет очень и очень неуютно в нашем дружном коллективе. Я четко выразился?

— Четче некуда, — сказала Рита.

— Вот и хорошо. Зайдите ко мне через час, надо обсудить аналитическую записку по азиатским рынкам. И постарайтесь не опаздывать.

Он отвернулся и зашагал по коридору прочь. Глядя ему в спину, Рита вдруг со всей отчетливостью поняла, что сможет добиться своей цели только тогда, когда перестанет слушаться всех этих местных больших и маленьких боссов и начнет делать то, что считает нужным. И если для того, чтобы осуществить свою мечту, ей придется пожертвовать Беклищевым и его прихлебателями, она должна это сделать. Потому что она умнее, удачливее и лучше их всех, вместе взятых.

И тянуть с этим не стоит. Ведь годы идут, и ей скоро стукнет тридцать три. Слишком много времени потеряно. А значит, надо действовать без промедлений.

...Вечером, возвращаясь с работы домой, Рита зашла в книжный магазин и купила несколько учебников и пособий для программистов и инженеров-электронщиков, а к ним добавила хрестоматию по физике и научно-популярную книжку про электромагнитные волны.

3

Генерал Кальпиди сидел за столом в своем кабинете и смотрел на экран ноутбука. Он был бледен, морщины на лбу и под глазами стали еще резче, а на осунувшемся, усталом лице застыло выражение непреходящей боли. В последние дни голова у генерала болела не переставая. Таблетки и инъекции лишь немного притупляли боль. К тому же после побега профессора Старостина он постоянно пребывал в дурном расположении духа.

— Включай, — сказала генерал своему помощнику слабым голосом.

Помощник, стоявший возле стола, протянул руку к ноутбуку и нажал на клавишу «пуск».

— Мы пропустили запись с видеокамеры через фильтры, — прокомментировал он. — Изображение стало немного четче.

Некоторое время генерал Кальпиди, стараясь не шевелить головой, смотрел на экран ноутбука, где светлая машина сбивала с ног человека, идущего по пешеходному переходу. Человек падал на асфальт, выронив что-то из рук. Из машины выскакивал другой человек и садился рядом с первым.

— Это ты называешь четкой картинкой? — с досадой произнес генерал.

— Мы сделали все, что могли, — оправдываясь, сказал помощник. — Видеокамера была слишком далеко от места происшествия.

— Черт... — раздраженно проговорил генерал.

Он нажал на паузу и, болезненно скривившись, прикрыл глаза. Затем тихо прошептал:

— Боясь расплескать, проношу головную боль... В сером свете зимнего полдня...

Генерал замолчал. Помощник посмотрел на его желтовато-бледное, оцепенелое от боли лицо, похожее на лицо мумии, и осторожно сказал:

— Мы провели большую работу, и у нас уже есть список подозреваемых. Вот он.

Помощник положил на стол несколько листков бумаги. Генерал открыл глаза и, по-прежнему стараясь не шевелить головой, опустил взгляд на листки. Взял их худыми, подрагивающими пальцами, быстро просмотрел.

— Сто пятьдесят имен? — с еще больше досадой произнес он.

— Мы старались никого не пропустить, — сказал помощник.

Генерал снова скользнул взглядом по списку, выхватив из него взглядом несколько имен.

Ашкенази Александр Иосифович
Банщикова Ирина Константиновна
Дергунов Андрей Михайлович
Малахова Светлана Игоревна
Суханкина Маргарита Алексеевна...

Генерал снова поморщился и бросил листки на стол.

— Необходимо сузить круг поисков, — сухо проговорил он. Бросил взгляд на застывшую картинку на экране монитора и добавил: — Оставьте только женщин.

— Запись с видеокамеры была слишком нечеткой, — с сомнением произнес помощник. — Мы не уверены до конца, женщина это была или...

— Выполнять, — тихо произнес генерал, осторожно откинулся на спинку кресла и облегченно перевел дух.

— Слушаюсь, — отчеканил помощник.

— Да, и держите лабораторию наготове, — сказал генерал Кальпиди. — Пусть врачи и лаборанты постоянно там дежурят. Объект может прибыть в любой момент. И нужно, чтобы они были готовы провести операцию по гематокризу.

— Я распоряжусь, — сказал помощник. — Что-нибудь еще, Константин Олегович?

— Нет. Иди.

Помощник кивнул, повернулся и быстро вышел из кабинета. Генерал Кальпиди посмотрел на свои руки, лежащие на столе. Они были худые, перевитые голубоватыми венами, с длинными узловатыми пальцами. Генерал медленно сжал кулаки. Затем перевел взгляд на листки бумаги, которые все еще лежали на столе.

Листки с легким шелестом поднялись в воздух. Некоторое время, подчиняясь взгляду генерала Кальпиди, они медленно кружились в воздухе, сложившись в подобие белого цветка. Генерал чуть прищурил веки, взгляд его блеснул яростным, холодным блеском — белый цветок, зависший в воздухе, задрожал, а затем взорвался белым салютом и осыпался на черную столешницу белыми хлопьями снега.

Генерал Кальпиди, по-прежнему не двигая головой, скосил взгляд на стеллаж. Там, среди книг, стояла старинная икона Иисуса Христа Вседержителя.

— Неужели... — тихо проговорил генерал. Запнулся и повторил с болью, досадой и горечью в голосе: — Неужели ТЫ допустишь, чтобы и эта способность умерла вместе со мной?

Ответа не последовало.

Генерал вздохнул. Опустил глаза, медленно открыл верхний ящик стола и достал из него шприц и ампулу с обезболивающим препаратом. Потом осторожно смахнул со стола обрывки бумаги и положил шприц и ампулу на стол. Один из клочков прилип к его ладони. Генерал поднял руку к глазам. На клочке бумаги было имя из списка.

— Маргарита... — тихо прочел генерал Кальпиди. Усмехнулся и, вытянув сухие губы трубочкой, сдул обрывок бумаги со своей руки.

4

Рита швырнула норковую шубку на руки Виктору, разулась и проговорила усталым голосом:

— Вить, сделай мне чаю, пожалуйста.

Виктор повесил ее шубку на вешалку, повернулся к ней и сказал серьезным, чуть напряженным голосом:

— Рита, нам надо поговорить.

— Поговорим завтра. Я устала.

Она взяла сумку с книгами и двинулась в комнату. Виктор попытался запротестовать:

— Но...

— Завтра, Витя, завтра! — раздраженно сказала она.

Прошла мимо него, но вдруг остановилась, повернула голову и сказала примирительно:

— Прости, что повысила голос, но я действительно устала. Мне еще всю ночь над учебниками корпеть.

— Конечно. — Виктор утрированно улыбнулся. — Разумеется. Само собой. Кто-то ведь в этой квартире должен зарабатывать деньги.

Рита пристально посмотрела на Виктора и чуть прищурилась.

— Я так никогда не говорила, — сказала она.

— Да, но наверняка думала. — Виктор не отвел взгляд. — Ты ведь все время думаешь о деньгах. Разве не так?

— Виктор, ты несешь ерунду, — едва сдерживая раздражение, проговорила Рита. — А теперь сделай мне, пожалуйста, чаю.

Она хотела отвернуться, но на этот раз вспылил Виктор.

— Я превратился в домработницу, — сказал он. — А ведь я писатель!

Рита секунду стояла неподвижно, затем медленно развернулась, глядя на Виктора таким взглядом, что он невольно попятился.

— Писатель, говоришь? Замечательно. — Она улыбнулась приторно-холодной улыбкой. — Ты часами торчишь за своим компьютером, а толку от этого никакого. Слушай, а может быть, тебе сменить профессию?

— Что? — растерялся Виктор.

— Ты только не воспринимай мои слова в штыки. Ведь очевидно же, что ты довольно средний автор. Тебе никогда не стать ни Фолкнером, ни Достоевским, ни Музилем. Так стоит ли тешить себя несбыточными надеждами? Тем более в сорок шесть лет.

Виктор слушал ее молча, лицо его побагровело. Но это только подстегнуло Риту.

— Ты как-то сказал, что мечтал в детстве выращивать цветы или разводить пчел, — с улыбкой сказала она. — Может, тебе и правда заняться чем-нибудь этаким? Пользы явно будет больше. Может, и душевное равновесие обретешь? Ты ведь сам говорил, что никак не можешь обрести душевное равновесие.

Виктор разомкнул губы и тихо сказал:

— Ты стала жестокой.

Рита пожала плечами:

— Просто я говорю тебе правду. Помнишь, мы дали друг другу слово всегда быть искренними?

Виктор молчал. Рита подняла руку и погладила его по щеке.

— Не будем ссориться, ладно? А теперь иди и приготовь мне чай. А я пока переоденусь.

Рита подошла к Виктору вплотную, поцеловала его в щеку, затем повернулась и вышла из прихожей.

В этот вечер ей было не до ссор и не до выяснения отношений. У нее не было времени анализировать настроение Виктора, его желания, его проблемы и его недовольство. Как-нибудь потом. Завтра. Или послезавтра. А сейчас она может думать только об одном.

Рита прошла в свой домашний кабинет и положила книги на стол. Лешка и Лиза уехали погостить к матери Виктора, и сегодняшние вечер и ночь должны были принадлежать только ей.

Виктор прошел на кухню, но делать чай не спешил. Некоторое время он стоял посреди кухни, о чем-то задумавшись. Потом устремил взгляд на мобильный телефон, лежащий на столе, еще пару секунд колебался, после чего взял телефон и быстро нашел в нем номер Нины.

Но тут на него снова накатила волна нерешительности. Еще несколько секунд он стоял, хмуря брови, потом вздохнул и положил трубку обратно на стол.

5

Почти всю последующую ночь Рита провела за чтением нужных книг, а утром, едва приехав в офис, она набрала номер Артема и, прижав трубку к уху, спросила:

— Артем, в нашей службе безопасности есть хорошие компьютерщики?

— Конечно, — донесся из телефонной трубки голос Артема.

— Я имею в виду не системных администраторов, я имею в виду... хакеров.

Пауза.

— Хакеров, говорите? Есть и такие.

— А кто из них самый лучший?

Рита поняла, что Артем усмехнулся.

— А вам зачем? — спросил он. — Собираетесь взломать сервер ЦРУ и узнать, почем нынче боевые самолеты?

— Что-то вроде этого. Так к кому из техотдела мне обратиться?

— Обратитесь к Семену Парщикову. Этот парень очень похож на вас.

— В смысле? — не сразу поняла Рита.

— Он отлично знает свое дело и при этом начисто лишен моральных принципов. Думаю, вы с ним легко найдете общий язык.

«Подрезать бы тебе твой собственный язык», — нахмурившись, подумала Рита. Но вслух сказала дружелюбным голосом:

— Спасибо, Артем. Знаю, что между нами напряженные отношения, но я... В общем, я бы хотела попросить вас об одной услуге.

— Попросить вы, конечно, можете, — сказал Артем. — Но я не подаю по вторникам.

Рита покраснела от ярости. Сделала над собой усилие и сказала с улыбкой:

— Артем, сегодня среда.

— Правда? Ладно, ваша взяла. Так что там за просьба?

Рита покосилась на дверь и, понизив голос, тихо проговорила в трубку:

— Пусть все, о чем мы сейчас говорили, останется между нами.

— А о чем мы сейчас говорили?

— Вы сами знаете. Я ваш должник.

Прежде чем Артем что-либо сказал, Рита отключила связь. Потом набрала номер техотдела и попросила к телефону программиста Семена Парщикова.

* * *

Двадцать минут спустя Артем сидел перед столом Беклищева, слегка раскачиваясь на стуле, и слушал, что тот говорит. А говорил Беклищев следующее.

— Черт, Артем, мне тебя будет здорово не хватать. Может, передумаешь?

— Я и так задержался в компании дольше, чем рассчитывал, — сказал Артем. — И все это из-за тебя.

— Знаю. — Беклищев вздохнул. — И все же я надеюсь, что ты одумаешься. Уходить в реальный сектор сейчас рискованно.

— Ничего, я готов рискнуть. — Артем дернул уголком губ и добавил: — Достали меня все эти обезьяньи пляски.

— Обезьяньи пляски? — Беклищев посмотрел на сводного брата и хмыкнул. — И с чего это ты стал таким чистоплюем? Все равно ведь не сможешь быть белым и пушистым. После всего, что мы с тобой натворили в девяностых. Помнишь?

Артем помрачнел.

— Никогда не забываю, — сказал он. — Но говорить об этом не хочу.

— Ладно. Кстати, я хотел с тобой обсудить нашу новую сотрудницу.

— Марго?

— Да. Она жаждет сорвать «большой куш». Ищет источник информации. — Беклищев помолчал несколько секунд, хмуря брови, затем сказал: — Мне не нравится, что эта девчонка слишком много на себя берет. Она слишком безбашенная, понимаешь?

— Она работает у нас всего два месяца, и уже принесла тебе кучу денег, — напомнил Артем.

— Да, голова у нее варит, — согласился Беклищев. — Но есть в ней что-то... даже не знаю, как сказать...

— Пугающее? — предположил Артем.

Беклищев бросил на него недовольный взгляд.

— Прости, — сказал Артем. — Я забыл, что тебя трудно чем-то испугать. Ты хочешь от нее избавиться?

— У меня есть такая мысль. Но я хочу знать, что *ты* об этом скажешь.

Артем задумчиво наморщил лоб.

— Мы с тобой видели много «финансовых гениев», — сказал он. — Но она круче их всех вместе взятых. У нее звериное чутье и звериная хватка. О таких сотрудниках можно только мечтать.

— Бойцовская собака хороша, пока сидит у ноги, — с сомнением проговорил Беклищев.

Артем прищурился.

— Боишься, что однажды она вцепится тебе в ногу? — Беклищев не ответил. Тогда Артем сказал: — Мы не можем ее выгнать. Представь, что будет, если она уйдет к конкурентам.

— Тогда что мне с ней делать?

— Повысь ей зарплату. И процент премиальных. Пусть она получает столько же, сколько Черных.

— Ты серьезно? — удивился Беклищев. — Она же у нас без году неделя.

— И что? Собака хочет стать матерым волком. — Артем пожал плечами. — Ради бога! Но пусть этот волк будет *твоим* волком. Главное, все время держать его на поводке и не спускать с него взгляда. А начнет клацать на тебя зубами... тогда и поступишь так, как диктует ситуация.

Беклищев посмотрел на Артема пристальным взглядом и вдруг улыбнулся.

— Что мне в тебе нравится, так это твоя любовь к метафорам, — сказал он. — Их мне тоже будет не хватать.

— Если у тебя все, то я пойду, — сказал Артем. — Мне еще нужно связаться с питерским паевым фондом и обговорить предварительные условия сделки по лесу.

— Ладно. Рад был с тобой поговорить по душам. В последнее время мы делаем это слишком редко.

Артем поднялся из-за стола.

— Заходи к нам сегодня в гости, — сказал Беклищев. — У нас годовщина свадьбы. Мы с Ликой будем рады тебя видеть.

— Насчет Лики сомневаюсь, — с усмешкой сказал Артем. — Но, может быть, и зайду.

Он повернулся и вышел из кабинета. Беклищев посмотрел на закрывшуюся за ним дверь, вздохнул и опустил взгляд на деловые бумаги, лежащие перед ним на столе.

6

Артем вышел на лестничную площадку и достал пачку сигарет. Он уже два месяца бросал курить и теперь выкуривал не больше трех сигарет в день. Щелкнув зажигалкой и задымив сигаретой, он посмотрел в окно. Погода стояла ненастная, накрапывал дождь, оставляя на стекле потеки, похожие на шрамы.

На душе у Артема было мрачновато. Хотя повода для плохого настроения, казалось бы, не было. Около года назад он задумал уйти из компании и начать свое дело. Целый год он провел в размышлениях и расчетах, занимаясь переговорами и оформлением необходимых бумаг. И вот фирма была зарегистрирована, все договоры с поставщиками подписаны, и на следующей неделе должен был состояться запуск первой линии по производству анкерного листа. А вслед за тем, в течение месяца, должны были заработать еще четыре линии по производству крепежных стройматериалов. Строили в России много, и Артем надеялся отвоевать себе на этом рынке достойную нишу. В конце концов, строительство — это реальное дело, а не выдувание финансовых пузырей.

Артем докурил и бросил окурок в железную урну. Вышел с площадки для курения к лифту и прошагал было мимо, но увидел незнакомую женщину, которая стояла возле лифта, растерянно глядя по сторонам.

— Ищите кого-то? — поинтересовался у нее Артем.

— Да. — Женщина была бледна, волосы ее были причесаны наспех, под глазами темнели круги, и в целом она выглядела так, словно не спала несколько ночей подряд.

Артем ободряюще улыбнулся незнакомке.

— Скажите, кого именно — возможно, я подскажу.

— Мне нужен кабинет Риты... — Она сбилась и поправилась, как бы с трудом произнося слова: — То есть... Маргариты Алексеевны. Ковальской.

— Он на этом этаже, — сказал Артем. — Идемте, я вас провожу.

Они пошли по коридору. Артем искоса разглядывал незнакомку, что-то в ее облике и манере держаться настораживало.

— Как вас зовут? — спросил Артем.

— Нина, — ответила женщина.

— А я Артем. Нина, вы, кажется, плакали?

— Что?

— Вы плакали, — констатировал он. — У вас глаза красные.

Женщина посмотрела на него удивленно.

— Какая вам разница? — сказала она.

Артем вдруг обратил внимание на то, что одну руку Нина держала в раскрытой сумочке, как если бы намеревалась что-то достать из нее. Возможно, носовой платок. Возможно, что-то еще.

— Что она вам сделала? — спросил вдруг Артем.

— Ничего, — тихо ответила женщина.

Артем помолчал пару секунд, а затем осторожно проговорил:

— Дело в мужчине, да?

— Я не хочу это обсуждать, — резко сказала Нина.

И вдруг заплакала. Артем остановился и мягко удержал ее за предплечье, тоже заставляя остановиться.

— Ну-ну-ну, — сказал он. — Не стоит так расстраиваться. Рано или поздно все всегда налаживается. — Артем достал из кармана платок и протянул его Нине. — Держите. И постарайтесь успокоиться. Если мужчина предпочел вас другой, значит, он вам не подходит. Он вас просто не заслуживает.

Нина взяла платок. Стыдливо высморкалась. Посмотрела на Артема снизу вверх быстрым взглядом и сказала недоверчиво:

— Вы правда так думаете?

— Конечно. Вы красивая, добрая, умная.

— Откуда вы знаете?

Артем улыбнулся:

— Вижу.

Артем бросил взгляд на ее открытую сумочку и вдруг увидел, что она сжимает в руке. Это был пистолет.

Артем быстро оглянулся по сторонам и сказал, кивнув на сумочку:

— А вот это уже лишнее. Не стоит портить себе жизнь.

Нина всхлипнула и сказала:

— Он травматический.

— Тем более. — Артем посмотрел ей в глаза и улыбнулся. — Этот болван вам изменил, а вы хотите наказать за это себя? Пусть лучше он страдает, а не вы. *Он* ведь виноват.

Нина отняла платок от лица, робко и с надеждой посмотрела на Артема, словно ее жизнь и впрямь зависела от его совета, и спросила:

— Что же мне тогда делать?

— Во-первых, вам нужно отдохнуть и хорошенько все обдумать, — уверенно сказал Артем. — Поезжайте куда-нибудь к морю. Снимите номер в хорошем отеле и постарайтесь отвлечься. Если вы собираетесь бороться за своего мужчину, вам понадобятся силы. И вы должны быть в хорошей форме. Извините, но сейчас вы выглядите так, словно попали под поезд и чудом остались живы.

Нина вяло улыбнулась и сказала с горечью:

— Так я себя и чувствую.

— В этом-то и проблема, — мягко сказал Артем. — Для победы вам нужны силы, уверенность в себе и четкая стратегия. Иначе вы проиграете.

— Да, — сказала Нина после паузы. — Наверное, вы правы. — Она посмотрела на кабинет с табличкой «М. А. Ковальская».

— Ваша соперница никуда не денется, — сказал Артем веско и уверенно. — Кроме того, у нее скверный характер. Мужчины не выносят таких, как она, и быстро в них разочаровываются. И ваш мужчина не исключение. Дайте время, и он сам от нее сбежит. И приползет к вам на коленях.

Нина всхлипнула и прижала платок к лицу.

— Да, — сдавленно пробормотала она.

Артем улыбнулся ей и погладил ладонью по предплечью.

— Все будет хорошо. Идемте, я провожу вас до лифта.

— Не надо. — Нина рассеянно протянула ему платок. — Я... дойду сама. — И добавила с вымученной улыбкой: — На это у меня сил еще хватит. Спасибо за добрые слова.

Артем взял платок и сунул в карман пиджака.

— Не за что, — сказал он дружеским голосом. — Мне было приятно с вами познакомиться, Нина.

— Мне с вами тоже. До свидания!

— Пока!

Нина повернулась и зашагала к лифту. Артем стоял и смотрел ей вслед, пока она не уехала. Лишь после этого он облегченно перевел дух. В эту секунду дверь кабинета открылась и в коридор вышла Рита. Увидев стоящего возле двери Артема, она нахмурилась.

— Что вы здесь делаете? — спросила Рита.

— Спасаю репутацию компании, — ответил Артем. — А заодно — вашу аппетитную задницу.

— Что? — изумленно приподняла брови Рита.

— В следующий раз, когда задумаете переспать с чужим мужем, проверьте, нет ли у вашей соперницы пистолета.

— Пистолета? — тихо и рассеянно проговорила Рита.

— Да, пистолета. Впрочем, это ваши личные дела. А я хотел поговорить о другом.

— О чем же?

Артем посмотрел ей в глаза и четко и сухо проговорил:

— Я хочу знать, что вы задумали.

— Я?

— Да, вы. Зачем вам понадобился хакер? Что за «большой куш» вы вознамерились «сорвать»? Выкладывайте, если хотите, чтобы я был вашим союзником. Или хотя бы не был вашим врагом.

Рита несколько секунд размышляла, затем кивнула и сказала:

— Хорошо. Идемте ко мне в кабинет.

7

Артем сидел в кресле, закинув ногу на ногу, Рита от волнения не могла сидеть на месте и прохаживалась по кабинету.

— Я уверена, что через две, максимум — через три недели в стране произойдет резкая девальвация, — говорила она.

Легкая скептическая полуусмешка не сходила с лица Артема.

— И вы хотите на этом заработать?

Рита прекратила свой бег по кабинету и посмотрела Артему в глаза:

— Только если получу надежную инсайдерскую информацию.

— Надежную? — Артем усмехнулся. — Для этого вашим источником должен стать сам президент. Ну, или хотя бы глава Центробанка.

Рита не улыбнулась, она продолжала смотреть Артему в глаза. И лицо у того слегка вытянулось от удивления, когда он понял, что означает ее взгляд.

— Что? — изумленно проговорил он. — ...Вы серьезно?

— Да, — сказала Рита.

— Глава Центрального банка? — Артем хмыкнул и покачал головой. А затем вежливо уточнил: — Маргарита Алексеевна, вы давно были у психиатра?

Она пропустила его колкость мимо ушей.

— Нашим источником информации будет председатель Центрального банка Эдгар Чанышев, — отчеканила Рита. — Но ему самому не обязательно об этом знать.

Артем помолчал, обдумывая ее слова и пытаясь понять, стоит ли серьезно к ним относиться.

— Так, — сказал он затем. — Не зря я почувствовал неладное. Неужели вы думаете, что сможете уговорить Беклищева на эту аферу?

Рита покачала головой:

— Нет. Ваш сводный брат слишком осторожен. А вот вы...

Рита оставила фразу незаконченной и вопросительно, выжидающе посмотрела на Артема.

— Вы точно сумасшедшая, — выдохнул он.

— Мы можем заработать десятки миллионов долларов, — сказала Рита. — А может быть, даже сотни.

— Или пустить компанию под откос, — заметил Артем.

— Чтобы этого не случилось, нам и нужен глава Центробанка! — Рита больше не могла скрывать своего волнения. — Через две недели состоится конференция в СППР. Чанышев выступит на ней с докладом. Насколько я знаю, представители нашей компании тоже будут находиться в зале.

— И что?

Рита чуть подалась вперед и проговорила нервным голосом:

— Сделайте так, чтобы я участвовала в конференции.

Артем удивленно на нее уставился. Потом качнул головой, словно бы говоря — «эта женщина точно рехнулась».

— Я все сделаю сама, — продолжила Рита. — Но вы должны мне немного помочь. Это в ваших силах.

Артем чуть склонил голову набок и осведомился ироничным голосом:

— И какая мне от этого выгода?

— Я ведь уже сказала: на кону десятки миллионов. Часть из них может стать вашими.

Они снова смотрели друг другу в глаза.

— Я знаю, что вы собираетесь уходить из «Витановы», — снова заговорила Рита. — И знаю, что вы собираетесь основать собственную компанию, работающую в реальном секторе. Чтобы завоевать рынок, вам придется постоянно развиваться. И очень скоро вам понадобятся дополнительные вложения.

Артем чуть стушевался, и Рита поняла, что попала в его уязвимое место.

— Вижу, вы хорошо информированы, — сухо проговорил Артем.

— Я слышу чужие разговоры и умею анализировать то, что услышала, — сказала Рита.

— И вы настолько сильно в себе уверены?

— Да, я уверена в себе. И я готова рискнуть.

— Готовы рискнуть всем, что у вас есть? — приподнял брови Артем.

Рита сжала кулаки и решительно произнесла:

— Всем, что у меня есть. Цель оправдывает средства. Тем более, когда цель — великая. Разве вы так не дума...

Внезапно она прервалась. Лицо Риты побелело, она пошатнулась и схватилась рукой за спинку стула.

— Что с вами? — удивленно спросил Артем.

Рита медленно улыбнулась обескровленными губами, затем подняла руку ко лбу и слабым движением потерла лоб кончиками пальцев.

— Небольшой приступ мигрени, — произнесла она сиплым голосом. — Через сорок минут в мой кабинет придет тот паренек... Хакер. Приходите и вы. Мы все обсудим.

Поняв, что разговор окончен, Артем поднялся с кресла.

— С вами точно все в порядке? — неуверенно спросил он.

— Да. — Рита нашла в себе силы на еще одну улыбку. — Просто надо немного отдохнуть.

Артем еще несколько секунд стоял в нерешительности, затем пожал плечами, повернулся и вышел из кабинета. Как только дверь за ним закрылась, Рита обессиленно рухнула на стул, сжала пальцами виски и тихо застонала. Из ее вздрагивающих от боли ноздрей вытекли две красные струйки крови и закапали на пол.

8

Сергей Анатольевич Беклищев с самого утра пребывал в прекрасном настроении. На вторую годовщину свадьбы он купил Лике дизайнерские платиновые серьги с трехкаратными бриллиантами. Беклищев знал, как сильно Лика обожает дорогие украшения, и надеялся, что подарок приведет ее в восторг.

Изначально он намеревался подарить жене серьги вечером, во время ужина в ресторане, но уже в полдень понял, что до вечера не дотерпит. До трех часов дня Сергей Анатольевич разгребал дела, а затем положил сафьяновую коробочку с серьгами в карман, встал из-за стола, оделся и решительно вышел из кабинета. Он знал, что Лика сейчас дома, и собрался преподнести ей сюрприз.

Он представил себе восторженное лицо Лики, представил, как она обнимет его и покроет его лицо поцелуями... и решил, что, пожалуй, сегодня он в офис уже не вернется. К черту работу! Уж лучше проваляться с Ликой в постели до самого вечера, принимая ее благодарные ласки, а потом закатить в ресторан и как следует шикануть. А после ресторана можно будет отправиться в отель, снять «президентский» номер и провести там ночь, перемежая любовные утехи глотками ледяного шампанского. Лика любит романтику, а это будет очень романтично!

Подъехав к дому, Беклищев увидел возле подъезда желтый «Порше» Лики и улыбнулся. Она точно дома!

Отпустив водителя, Сергей Анатольевич вошел в подъезд и поднялся в лифте на свой этаж. Перед тем, как войти в квартиру, Беклищев достал из кармана бархатистую коробочку с серьгами. Представил, как обрадуется Лика, увидев подарок, о котором мечтала, и улыбнулся своим мыслям.

Он убрал коробочку обратно в карман, достал ключи, после чего, стараясь не шуметь, отомкнул замок, вошел в квартиру и тихо прикрыл за собой дверь. И тут же услышал голос Лики. Она с кем-то болтала на кухне по телефону.

«Наверное, обсуждает с подружками сегодняшний вечер», — подумал Беклищев и усмехнулся. Ох уж эти юные девчонки!

Он уже хотел окликнуть Лику, но вдруг насторожился и прислушался.

— Мой старый дурак еще не пришел, — говорила кому-то Лика. — Да, вечером тащит меня в кабак. Типа «отметить годовщину свадьбы». Уф-ф... Придется снова ему улыбаться... Что? ...И не говори. Одно радует — явно притащится с подарком, и с подарком дорогим. ...Что ты сказал? ..Дурачок! — (Голос Лики прозвучал нежно и ласково.) — Я не продам тебя ни за какие подарки. Если бы ты знал, как я скучаю по тебе. ...Ты сам в этом виноват! Давай поскорее избавимся от этого старого козла, меня уже с души воротит от его морды! ...Нет, я хочу быстрей! Я устала ждать! Мне тоскливо и плохо без тебя...

Беклищев припал спиной к холодной стене прихожей и положил руку на грудь. На лбу у него выступили бисеринки пота. Несколько секунд он стоял, словно бы в какой-то прострации, глядя прямо перед собой невидящим взглядом. Потом медленно выпрямился, неуклюже повернулся к двери и вышел из квартиры так же тихо, как вошел.

9

Рита сидела на краешке стола. После получасового приступа дикой головной боли и носового кровотечения она чувствовала себя так, как, вероятно, чувствует себя только что родившийся человек. Слегка ошеломленная, напуганная, но готовая бороться за жизнь. Слабость еще оставалась. Тем не менее Рита старалась выглядеть бодрой, чтобы сидевшие перед ней в креслах Артем и программист Семен (толстый рыжий очкастый парень с сосредоточенным лицом) ничего не заподозрили.

— Я тут пролистала несколько учебников для айтишников и программистов, — сказала Рита, глядя на Семена. — И вот что выяснила. Оказывается, даже когда компьютер не подключен к Интернету, он все равно излучает маломощные электрические сигналы. То есть, даже если компьютер отключен от Интернета, он продолжает распространять информацию. Это так?

Семен поднял толстую, покрытую веснушками руку к лицу и поправил очки.

— Ну... можно сказать и так, — проговорил он.

— Каждая операция, которую выполняет компьютер, вызывает разные сигналы, — продолжила Рита. — Процессор потребляет ток в зависимости от характера выполняемой операции, создавая колебания физических полей в пространстве, которые могут быть измерены. Так?

Артем смотрел на Риту изумленным взглядом.

— Так или нет? — снова спросила Рита.

— Так, — кивнул Семен.

Лицо Риты слегка просветлело, а уголки губ чуть дернулись, как бы обозначая улыбку.

— Но если это так, — продолжила она, — значит, мы можем эту информацию незаметно аккумулировать и использовать для атаки на сам компьютер. Ну, или на смартфон. Можем?

— С помощью утечек по этим сторонним каналам?

— Да.

Семен задумался.

— Гипотетически это возможно, — сказал он после паузы. — Это возможно, если у нас есть специальный прибор. Но проблема в том, что такого прибора у нас нет.

— В таком случае, нужно его создать, — сказала Рита.

— Создать? — удивленно повторил Семен.

— Да. Я, конечно, не компьютерщик, но мне кажется, что это вполне реальная задача. По сути, для того, чтобы уловить электромагнитные сигналы чужого компьютера, нам нужна антенна. Так?

— По сути, да.

— А звуковые колебания, которые издаются конденсаторами внутри компьютера, мы можем уловить с помощью чувствительного микрофона. Ведь можем?

Теперь не только Артем, но и Семен смотрел на Риту обескураженно.

— Можем или нет? — нетерпеливо спросила Рита.

— Да, — сказал Семен. — Можем.

Рита улыбнулась:

— Вот видишь. Значит, мы на правильном пути. Продолжим наши рассуждения. — Она встала на ноги и принялась прохаживаться по кабинету. — Узнать, что делает чужой компьютер, мы можем даже по микроскачкам напряжения, верно?

— Верно, — сказал Семен. — Но их нужно суметь зафиксировать.

Рита остановилась перед ним, чуть прищурила карие глаза и осведомилась:

— И как мы это сделаем?

Семен задумался.

— Ну... Можно зафиксировать их при помощи «фейкового» зарядного устройства, вставленного в ту же розетку, что и адаптер ноутбука.

— Отлично! — улыбнулась Рита. — Что еще? Не стесняйся, предлагай!

Семен оживился, рассуждения увлекли его, в глазах заплясали огоньки.

— Некоторые сигналы можно уловить при помощи анализаторов электромагнитного спектра, — сказал он. — И я могу собрать такой анализатор.

— Молодец! — похвалила Рита. — А теперь подумай над тем, как собрать прибор, который скомбинирует все способы перехвата электромагнитной информации, о которых мы только что говорили.

Парень поправил очки, покосился на Артема и пробормотал:

— Вообще-то это будет не совсем законно.

Рита усмехнулась:

— А мы никому об этом не скажем. — Она перевела взгляд на Артема и иронично добавила: — Да ведь, Артем Сергеевич?

Артем ничего не сказал, лишь хмыкнул в ответ. Он все еще выглядел обескураженным и сейчас смотрел на Риту так, как могли бы смотреть театральные зрители на рабочего сцены, который вдруг начал читать перед ними монолог Гамлета и сделал это лучше Лоуренса Оливье и Иннокентия Смоктуновского.

— Мне... понадобится время, — неуверенно сказал Семен. — И средства.

— Времени у тебя мало, — сказала Рита. — Нужно управиться за двенадцать дней. Что касается средств, то в этом недостатка не будет.

Программист посмотрел на нее снизу вверх, открыл было рот, потом снова закрыл, помялся еще несколько секунд, а затем негромко спросил:

— Если я сделаю такой прибор... сколько я получу?

— А сколько ты хочешь? — спросила Рита.

— Ну... — Он снова замялся, вероятно, не зная, какую сумму озвучить. — Ну, скажем...

— Сто тысяч. Сто тысяч долларов США.

Семен замер с открытым ртом, недоверчиво и изумленно глядя на Риту.

— Ты согласен? — спросила она.

Он перевел дух и, покраснев как рак, сбивчиво проговорил:

— Хорошо. Я этим займусь.

— О ходе работы докладывай лично мне. Если будут заминки или проблемы — обращайся. Уверена, что смогу тебе помочь.

— Хорошо. Спасибо. — Семен поднялся на ноги. — Ну я пошел?

— Иди, — с улыбкой сказала Рита.

Программист покосился на Артема, коротко и смущенно ему кивнул, после чего вышел из кабинета.

— Где вы возьмете сто тысяч долларов? — спросил Артем.

— Отдам свои, — ответила ему Рита.

— А если дело не выгорит?

— Дело выгорит.

Артем поднялся со стула. Пару секунд молчал, о чем-то размышляя, потом сказал:

— Я думаю, будет правильным рассказать обо всем Беклищеву.

По лицу Риты пронеслась тень тревоги. Она подошла к Артему — встала перед ним почти вплотную. Помолчала, собираясь с духом, потом положила Артему руку на плечо и заглянула ему в глаза.

— Расскажешь, когда мы все сделаем, — сказала она мягким, почти нежным голосом. — Когда у нас будет информация. Ладно?

Артем покосился на ее руку, лежащую у него на плече, усмехнулся и проговорил нарочито развязным голосом, за которым пряталось смущение:

— Ты готова зайти так далеко?

— Я хочу сорвать этот куш, — тихо сказала Рита. — Хочу больше всего на свете. Это мой шанс. И ради этого я горы сверну.

Артем усмехнулся, но усмешка у него вышла напряженной.

— Я знал, что ты беспринципная и прожорливая акула, но не знал, что до такой степени беспринципная. Ты не перестаешь меня удивлять!

Он сбросил ее руку с плеча и повернулся к двери.

— Артем, пожалуйста! — взмолилась Рита. — Второго такого шанса может и не быть!

Он остановился. Секунду стоял неподвижно, потом обернулся и проговорил глухим голосом:

— Делай, что собираешься сделать. Беклищеву скажем потом.

— Спасибо!

Артем отвернулся и вышел из кабинета. Рита облегченно вздохнула. Потом прошла к креслу, тяжело в него опустилась и пробормотала:

— Только бы получилось. Только бы все получилось!

Она прислушалась к своим ощущениям, пытаясь понять, не возвращается ли боль. Все было в порядке. Тогда она устало улыбнулась, подняла руки к голове и осторожно помассировала пальцами виски.

10

Диван был обшарпанный и дырявый. Такой же обшарпанной и дырявой была его жизнь. Да ну и черт с ней!

Николай взял со стола (а вернее, с полугнилой двери, которая лежала на двух деревянных ящиках и служила столешницей) сильно початую бутылку водки и сказал трем своим собутыльникам:

— Мужики, водяра кончается. Надо еще бежать.

— Бежать? — усмехнулся один из них. — А бабки у тебя есть?

— Нету. А у тебя?

— И у меня тоже.

— Так че будем делать?

— Пиво еще есть, — сказал третий собутыльник. И кивнул на двухлитровую баклажку «Жигулевского», в которой пива оставалось меньше чем на треть.

— Че ты гонишь, там же осталось с дэцл! А ты че лыбишься?

Мужики заржали. Николай на секунду задумался, решая, вмазать кому-нибудь из них кулаком по зубам, или лучше пока не суетиться, как вдруг взгляд его упал на экран старенького черно-белого телевизора, стоящего на деревянном ящике, служившем тумбой.

— Ритуха? — изумленно выдохнул он. — Мужики... Это ж моя Ритуха! Смотрите!

Николай ткнул указательным пальцем в сторону телевизора.

— Что? ...Где? — завертели головами его дружки.

Николай снова кивнул на телевизор:

— Да вот она! Ритуха моя! Интервью дает!

Собутыльники уставились на экран телевизора. Журналистка, лица которой не было видно, брала интервью у красивой женщины в дорогом вечернем платье. Волосы женщины, остриженные выше плеч, были зачесаны назад, на шее и груди сверкали бриллианты. Отличный макияж подчеркивал строгую красоту ее лица.

— Ишь, какая цаца! — восхищенно проговорил один из собутыльников.

— Ага, — подтвердил второй. — К такой красотке на хромой кобыле не подъедешь. Слышь, Колян, а ты чего там про Ритуху-то кричал?

— Это она, — проговорил Николай, завороженно глядя на экран.

— Кто она?

— Моя жена. Ритуха.

— Где?

— Да по телику! — вспылил Николай.

Его собутыльники переглянулись. Один из них, кивнув на Николая, повертел пальцем у виска, дескать «сбрендил наш Колян». Николай этого не заметил, он во все глаза смотрел на преобразившуюся жену.

— Слышь, Колян, — окликнули его, — у тебя че, «белочка»?

— А? — не понял он.

— Я говорю: глюки начинаются?

— Заткнись ты! — рассердился Николай. — Говорю вам: это моя жена! Ритуха, мать ее за ногу!

Собутыльники Николая снова переглянулись. Но Николай на них уже не смотрел.

— Рита, Рита... — бормотал он, вперив взгляд в экран. — Вот как высоко ты взлетела... Прям как птица, мля... А я? Я-то как же, а? Я-то как же, Ритуся?

За окном приготовленной под снос хрущобы, в которой они теперь обитали, прогрохотал гром. Николай вздрогнул, медленно повернул голову и посмотрел в окно — на серое небо и черные верхушки деревьев. Начал накрапывать дождь...

11

...За окном начал накрапывать дождь. Беклищев посмотрел на рябое от дождевых капель окно, затем поднял со стола бокал с коньяком и отпил глоток. Начальник службы безопасности компании «Витанова» Игорь Степанович Корбан терпеливо ждал, пока босс снова с ним заговорит. Корбан выглядел как типичный силовик: плотного сложения, с холодными глазами не доверяющего никому человека, с тяжелой нижней челюстью и обритой наголо головой.

Беклищев допил коньяк, поставил бокал на стол и негромко проговорил, не глядя Корбану в глаза:

— Сегодня я узнал, что у моей жены есть любовник.

Начальник службы безопасности молчал, ожидая продолжения, но поскольку продолжения не было, а пауза затянулась, он позволил себе негромко проговорить:

— Вот как.

Беклищев посмотрел на него тяжелым взглядом.

— Я хочу, чтобы ты узнал, кто он. Я понимаю, что это не входит в твои прямые обязанности, поэтому готов заплатить. Можешь считать это частным заказом.

Корбан обдумал его слова, после чего уточнил:

— Вам нужно только имя?

— Имя, — сказал Беклищев. — И доказательства.

Корбан кивнул и вежливо осведомился:

— Фотографий будет достаточно?

— Достаточно, — мрачно произнес Беклищев.

— Хорошо, — сказал Корбан. — Я попытаюсь выяснить.

— Постарайся сделать это побыстрее, — сказал Беклищев. Помолчал и добавил: — Как только что-то узнаешь — сразу позвони мне. Все, свободен.

Беклищев потянулся за бутылкой коньяка, намереваясь наполнить бокал, а Корбан послушно встал со стула и вышел из кабинета.

В коридоре Корбан некоторое время стоял, о чем-то размышляя, затем усмехнулся своим мыслям и направился в кабинет Глеба Черных.

...Войдя в кабинет и пожав руку Глебу, Корбан вежливо поинтересовался:

— Как у вас дела, Глеб Геннадьевич?

— Лучше всех, — ответил Глеб, настороженно и выжидающе глядя на Корбана. — Но ты ведь пришел ко мне не за тем, чтобы вести светские беседы. Верно?

— Верно, — кивнул Корбан.

Глеб указал ему на кресло:

— Садись.

Начальник службы безопасности сел в кресло. Глеб вернулся за стол.

— Ну? — сказал он. — И что ты хочешь мне сообщить?

Корбан кашлянул в кулак и сказал:

— Глеб Геннадьевич, есть еще кое-что, что может вас заинтересовать.

Глеб пристально посмотрел ему в глаза и коротко проговорил:

— Выкладывай.

— Я только что был у босса. И он... В общем, он попросил меня провести кое-какое расследование. Мне кажется, это будет вам интересно.

Глеб, предчувствуя недоброе, слегка нахмурился:

— Так. Продолжай.

— Когда я вошел к нему, я сразу понял, что он не в духе. Наш босс человек прямой. Он не кружил вокруг да около, а сразу сказал мне, что...

Корбан замолчал, не то делая театральную паузу, не то подбирая нужные слова.

— Что сказал? — нетерпеливо поторопил его Глеб.

— Что у его жены есть любовник, — сказал Корбан.

При этих словах Глеб слегка побледнел.

— Сергей Анатольевич попросил меня найти этого... человека, — продолжил Коробан. — Я сказал, что найду.

— Так-так. — Глеб Черных задумчиво постучал пальцами по столу, исподволь поглядывая на Корбана, который сидел перед ним с невозмутимым лицом. — Значит, молодая женушка нашего старика развлекается на стороне?

— Похоже на то, — сказал Корбан.

— Интересно. — Глеб перестал стучать и на этот раз прямо посмотрел начальнику службы безопасности в глаза. — И как? У тебя уже есть кто-то на подозрении?

— Есть, — сказал Корбан.

— И кто же он?

Несколько секунд они молча смотрели друг другу в глаза, потом Корбан нахмурился и негромко проговорил:

— Глеб Геннадьевич, боюсь, что это конфиденциальная информация.

— Ясно. — Глеб усмехнулся. — Что ж, надеюсь, ты найдешь этого парня. И знаешь что — я даже сам готов тебе приплатить за это от себя. Я ведь работаю в «Витанове». И хочу, чтобы у нашей компании было поменьше проблем. Ведь если босс в порядке, то и компания будет в порядке. Верно я говорю?

— Верно, — согласился Корбан.

— И я готов подтвердить свои слова делом.

Глеб открыл верхний ящик стола, порылся в нем, достал пачку стодолларовых банкнот и протянул Корбану.

— Считай это моим вкладом в наше общее дело, — сказал он с полуусмешкой. — И, конечно, Сергею Анатольевичу не обязательно знать о нашем разговоре.

— Разумеется, — сказал Корбан.

Он взял деньги и, не пересчитывая, сунул их в карман пиджака. Глеб посмотрел на него лукавым взглядом, побарабанил пальцами по столу, а затем сказал:

— Знаешь, Корбан, кажется, у меня есть для тебя отличный подозреваемый. Этот парень часто трется возле Лики. Он молод, богат и нравится женщинам. Я не удивлюсь, если он хочет занять место Беклищева не только в его кабинете, но и в его постели.

— Правда? — утрированно приподнял брови Корбан. — И кто он? Я его знаю?

— Знаешь. Я, конечно, могу ошибаться, но... мне кажется, что Лика тайно встречается с Артемом.

На лице Корбана отразилось замешательство.

— Вот как, — неопределенно проговорил он. — Значит, вы думаете, что это Артем Борисович?

Глеб пожал плечами:

— Это всего лишь версия. Но ты обязан ее проверить, ведь так?

— Да, — согласился Корбан. И добавил вежливо: — Спасибо за наводку, Глеб Геннадьевич. Однако Беклищеву понадобятся доказательства.

— Само собой, Игорь, само собой. — Глеб улыбнулся. — Уверен, ты найдешь доказательства. Со своей стороны, я готов посодействовать тебе и в этом. Да, и спасибо, что зашел. Я этого не забуду.

Корбан хотел подняться, но Глеб остановил его жестом.

— Подожди. Не одному Беклищеву нужна сегодня твоя помощь.

Начальник службы безопасности снова сел в кресло и выжидающе посмотрел на Глеба. Тот сдвинул брови и сказал:

— Ты, конечно, знаешь Маргариту Ковальскую?

— Конечно, — ответил Корбан.

— Мне надо, чтобы ты кое-что о ней разузнал. Но сделал это... тайно. Не привлекая внимания. Сможешь?

Корбан склонил лысую голову в знак готовности помочь и ответил:

— Думаю, что да. Что конкретно вы хотите о ней узнать?

— Меня интересует ее жизнь до того, как она устроилась в нашу компанию. Любая информация. Детали, мелочи... Все.

Корбан чуть прищурил холодные глаза и поинтересовался:

— Она вам чем-то насолила?

Взгляд красивых глаз Глеба тоже похолодел.

— Я должен отвечать на этот вопрос? — сухо осведомился он.

— Нет, — сказал Корбан. — Извините. К какому сроку вы хотите получить информацию?

— Чем быстрее, тем лучше.

Глеб снова выдвинул ящик стола, достал из него еще одну пачку стодолларовых купюр, перетянутую резинкой, и положил на стол перед Корбаном.

— Надеюсь, этого хватит?

Корбан взял деньги и молча положил их в карман.

...После того, как начальник службы безопасности покинул кабинет, Глеб взял со стола телефон и набрал номер Лики. Гудок... Еще один.

— Да, любимый, — проворковала из трубки Лика.

Глеб нахмурился.

— Я сто раз просил тебя не отвечать мне так по телефону, — с легким раздражением проговорил он. — А если бы с моего телефона тебе позвонил кто-нибудь другой?

— Кто?

— Неважно! — рявкнул Глеб. Но тут же взял себя в руки и произнес напряженным, но терпеливым голосом: — Лика, мы должны быть осторожными.

— Но милый...

— Не перебивай. Твой муж знает, что у тебя есть любовник.

— Что? — изумленно переспросила Лика.

— Только не пугайся. Он не знает, что это я. А это значит, что мы можем разрулить сложившуюся ситуацию.

— Но как?

— Слушай меня внимательно. Во-первых, ты должна пригласить Артемчика к себе...

12

Рита присела на край кровати. Она только что пришла из ванной комнаты, где принимала душ, и от нее пахло дорогим ароматным гелем.

Виктор отложил книжку, которую читал до ее прихода, на тумбочку, протянул руку и нежно погладил Риту ладонью по плечу.

— Не сегодня, — не оборачиваясь, сказала Рита. — Я слишком сильно устала.

Виктор убрал руку. Глядя на то, как Рита втирает в лицо ночной крем, грустно проговорил:

— Знаешь, а ты очень сильно изменилась.

— Правда?

— Да. Даже в постели.

— Вот как? — Рита, продолжая втирать в лицо крем, усмехнулась: — И что же *нового* я делаю в постели?

— Ты стала более жесткой. И требовательной. И еще ты... — Виктор сбился, но заставил себя закончить фразу: — ...Ты все время пытаешься доминировать.

— Ну... — Рита пожала плечами, обтянутыми тонкой тканью халата, и улыбнулась. — Значит, я становлюсь более страстной. Тебе это должно нравиться.

Виктор на это ничего не сказал, лишь тяжело вздохнул. Потом проговорил негромко:

— Лешка с Лизой просили, чтобы ты зашла к ним и пожелала спокойной ночи.

— Чего это вдруг?

— Не знаю. Наверное, соскучились. В последнее время они очень редко тебя видят. Как, впрочем, и я.

— О'кей.

Рита поднялась с кровати, поставила баночку с кремом на ночной столик и вышла из спальни. Виктор посмотрел ей вслед грустным взглядом. Потом выключил настольную лампу, повернулся к стене и натянул одеяло на голову.

Когда Рита вошла в комнату детей, они уже спали. Комната была освещена тусклым светом ночника, и в этом неверном свете лица сына и дочери вдруг показались Рите незнакомыми. Словно это были чужие дети, но ей только что сообщили, что это ее сын и дочь.

«Какие глупости, — подумала Рита. — Я люблю своих детей. Люблю сильнее всего на свете».

Она наклонилась и поцеловала Лешку в прохладный лоб. Потом подошла к кровати дочери, так же нежно поцеловала ее в щеку и поправила одеяло.

Вернувшись в спальню, она обнаружила, что Виктор тоже спит. Или делает вид, что спит. Задумываться об этом ей не хотелось. Делает вид, что спит? Ну, тем лучше. Не будет болтать попусту и жаловаться на жизнь. Даст ей спокойно уснуть.

В последнее время, опасаясь приступов головной боли, которые становились все невыносимее, Рита не читала по ночам книг и заставляла себя ложиться в постель не позднее часа ночи. Заснуть удавалось не всегда, и тогда Рита просто лежала в постели, смотрела в черный потолок и стараясь ни о чем не думать. Она словно бы впадала в некое подобие транса, созерцая картины будущей богатой жизни, проносящиеся у нее перед глазами. Иногда вместо этих картин возникали сцены из ее прошлой жизни — дырявая одежда, вчерашний пустой суп в тарелках, пьяный муж, бьющий ее кулаком по лицу, смех его дружков и вечный запах перегара, который невозможно было выветрить из квартиры. А еще — швабра с тряпкой, унитазы и горы грязной посуды с остатками еды.

И это было хуже, чем если бы ей приснился кошмар.

...В эту ночь она смогла уснуть только часам к четырем утра. А в восемь поднялась по звонку будильника, приняла душ, оделась и, позавтракав мюсли, апельсином и чашкой кофе, отправилась на работу.

Возле офиса ее ждал сюрприз. Когда она выбиралась из машины, со скамейки поднялся небритый мужчина в сером старомодном пальто и быстро пошел к ней навстречу. Ритин водитель (а заодно и ее личный телохранитель) быстро встал у мужчины на пути. Тот остановился и крикнул:

— Ритуль, это ж я!

И, напряженно улыбнувшись, помахал ей рукой. Поняв, кто это, Рита испытала что-то вроде приступа тошноты, но справилась с собой и коротко распорядилась:

— Пропусти его.

Водитель послушно отошел в сторону. Николай, а это был он, медленно подошел к Рите, остановился в трех шагах от нее и сказал:

— Ну, привет, женушка. — Затем осмотрел Риту с ног до головы жадными глазами и, усмехнувшись щербатым ртом, восхищенно добавил: — Высоко же ты взлетела!

— Что тебе нужно? — сухо осведомилась Рита.

Николай глупо улыбнулся.

— Соскучился. Может, присядем?

— У меня мало времени, — отчеканила Рита.

Николай состроил скорбную мину.

— Мы с тобой прожили одиннадцать лет, а ты не хочешь уделить мне одну минутку, — заблажил он.

Рита глянула на циферблат наручных часов, недовольно дернула уголком губ и сказала:

— Хорошо, давай присядем.

Когда они пошли к скамейке, водитель двинулся было за ними, но Рита, перехватив его взгляд, качнула головой, и он остался стоять в стороне, метрах в десяти от них.

— Итак, что тебе нужно? — сухо спросила Рита бывшего мужа.

Он глянул на нее маслянистыми глазами и ощерил рот в улыбке.

— Солнышко, разве можно так разговаривать с любимым мужем?

Рита пожала плечами и сказала:

— Я подала на развод. Через несколько дней мы перестанем быть мужем и женой.

— Ну, не знаю... — уклончиво проговорил Николай, не глядя на Риту.

Она подозрительно на него посмотрела.

— То есть?

Николай снова посмотрел на жену и вдруг выпалил — как в омут с обрыва прыгнул:

— Мне нужна половина всего, что ты имеешь.

Несколько секунд оба молчали. Марго смотрела на мужа удивленно и недоверчиво.

— Половина всего, что я имею?

— Угу. — Николай нагло усмехнулся. — Ты ведь теперь богатая. — Он кивнул подбородком в сторону «Лексуса». — Вон какую тачку себе насосала! Подкинь и мне деньжат — на новую квартиру. От тебя не убудет.

— Ты свихнулся? — Глаза Риты блеснули металлическим блеском. — С какой стати я отдам тебе свои деньги?

— Можешь не только деньгами, — миролюбиво произнес Николай. — От твоей тачки я бы тоже не отказался. Сколько она стоит? Миллион, не меньше. А то и два.

— Мне надоело этот бредовый разговор. Прощай!

Марго поднялась со скамейки.

— Я не дам тебе развод! — громко сказал Николай. — И найму этого... как его... адвоката. Подниму шумиху. Расскажу всем, какой ты была раньше. И фотки твои журналюгам отдам. Те, на которых мы с тобой голые. На Слободе, у озера, помнишь? В наш медовый месяц. Ты там еще портвешок из горла хлещешь. — Николай хохотнул. — Приятно вспомнить.

И вдруг осекся, встретившись с Ритой взглядом. Она разомкнула губы и тихо проговорила:

— Только попробуй.

И от ее спокойного, ледяного голоса Николай растерялся. *Его* жена *так* никогда не разговаривала. А это значит...

— Это значит, что если ты попытаешься нагреть меня на деньги, — холодно и отчетливо произнесла Рита, — я сделаю так, что ты станешь инвалидом. И даже на костылях передвигаться не сможешь. На этом все. И чтобы я больше тебя не видела.

Рита поднялась со скамейки и зашагала к офису. Николай молча посмотрел ей вслед, от его былой уверенности не осталось и следа, он выглядел жалким, спившимся, никому не нужным и никому не страшным человечком. Каковым, по сути, и был.

На крыльце стоял и курил начальник службы безопасности Корбан. Поздоровавшись с Ритой, он кивнул в сторону Николая и спросил:

— Этот человек вам досаждает?

— Нет, — небрежно сказала Рита.

— Хотите, чтобы мои люди с ним разобрались?

— Я же сказала — нет.

Рита прошла мимо Корбана и скрылась в офисном здании. Начальник службы безопасности внимательно посмотрел на Николая. Затем отбросил окурок в сторону и стал спускаться по ступенькам вниз.

Игорю Михайловичу Корбану было сорок семь лет. В свои годы он мечтал только об одном — раздобыть столько денег, чтобы их хватило до конца жизни, послать всех к черту, выйти на настоящую пенсию и целыми днями сидеть на берегу Оки с удочкой. Или бродить по лесу в охотничьим ружьем в руках. А по вечерам сидеть у телевизора с собакой у ног и, глядя на экран, пить маленькими глотками дорогой ароматный коньяк.

И сейчас, глядя на сизоносого забылдыгу-алкаша, поднявшегося со скамейки и заковылявшего прочь, он вдруг почувствовал, что близок к своей мечте как никогда.

Нагнав незнакомца, Корбан негромко окликнул:

— Уважаемый!

Мужчина вздрогнул. Оглянулся, посмотрел на Корбана испуганным взглядом и опасливо проговорил:

— Я тебя знаю?

— Вряд ли, — сказал Корбан. — Но у меня к вам есть выгодное предложение. Мы можем поговорить?

— Об чем? — недоуменно спросил мужчина.

— О Маргарите Алексеевне.

Мужчина быстро и испуганно глянул по сторонам, словно боялся внезапного нападения.

— Не бойтесь, — сказал Корбан. — Я на вашей стороне. Возможно, мы сможем друг другу помочь.

13

Генерал Кальпиди сидел за столом, перед раскрытой папкой и держал в руке фотографию молодой, ухоженной и красивой женщины.

— Маргарита Алексеевна Ковальская, — комментировал стоявший перед столом помощник. — До недавних пор — Суханкина. Тридцать два года. Двое детей. Работает в компании «Витанова» заместителем главы департамента...

— Я умею читать, — сухо оборвал его Кальпиди, продолжая вглядываться в лицо женщины с фотографии. — ...Так, говоришь, перед тем, как начать карабкаться на вершину пищевой цепочки, она выиграла викторину «Модная сделка»?

— Да. Именно так мы на нее и вышли.

— Замечательно. — Кальпиди улыбнулся сухими тонкими губами, отчего лицо его стало похожим на морду хищной глубоководной рыбы. — Из прислуги в княгини. И это всего за пару месяцев. Замечательно, — повторил он.

— Мы можем взять ее сегодня же, — сказал помощник.

Генерал покачал головой:

— Нет. Сперва понаблюдаем за ней немного. Мне придется ее «съесть», а я внимательно отношусь к тому, что ем.

— Мы можем понаблюдать за ней в клинических условиях, — предложил помощник. — Я уже известил наш медперсонал.

Кальпиди покачал головой:

— Нет. Эти «убийцы в белых халатах» сразу раскромсают ее на куски, чтобы изучить. И могут упустить самое главное.

— Самое главное? — непонимающе переспросил помощник.

— «Душа всякого тела есть кровь, она душа его. Потому я сказал сынам Израилевым: не ешьте крови ни из какого тела, потому что душа тела есть кровь. Кровь есть душа, не ешь души», — процитировал генерал Кальпиди. — Кровь этой женщины скоро станет частью меня. Понимаешь, о чем я?

— Не совсем.

— Не важно. Мне нужна ее подробная медицинская карта и медицинские карты ее детей. Возможно, дети тоже могут понадобиться. И еще — сделайте подробный перечень всего, что она делает в течение дня. Во сколько встает, что ест и пьет, сколько часов в сутки работает. Сколько раз ходит в туалет, с кем трахается, и как часто, испытывает ли при этом оргазм... Я должен знать о ней все.

— Слушаюсь. — Помощник смущенно посмотрел на генерала и тихо произнес: — Константин Олегович, можно спросить?

— Ну?

— Вы правда верите, что душа человека находится в его крови? Или это просто такой образ?

— На свете ничего не бывает «просто». Теперь я это точно знаю. Слышал когда-нибудь про академика Богомолова? Он генетик.

— Нет.

Кальпиди иронично дернул уголком губ.

— Разумеется. Так вот, академик Богомолов бросил науку и стал священником. Рано или поздно наука наталкивается на стену, за которой начинается непонятная, незаконная и пугающая бездна.

— И вы наткнулись на эту стену?

Генерал усмехнулся.

— Я даже ощупал ее руками. А потом... заглянул за нее.

— И что за ней? Правда, бездна?

Вместо ответа генерал Кальпиди пристально воззрился на помощника. Тот вдруг стал пятиться, глаза его покраснели, он тихо застонал, вскинул к лицу руки и стал тереть глаза, и на руках у него оставались пятна крови.

— «Будет час, и даже твердый камень заплачет кровавыми слезами...» — негромко и торжественно процитировал генерал. Затем отвел взгляд от помощника и, не глядя в его сторону, небрежно произнес: — Зайди по пути к врачу. Пусть закапает тебе в глаза антисептик.

Помощник смотрел на своего шефа окровавленными глазами, и в глазах этих застыл ужас.

— Мо... Можно идти? — сипло пробормотал он.

— Иди, — небрежно сказал Кальпиди.

Помощник торопливо повернулся и выскочил из кабинета. Генерал Кальпиди откинулся на спинку кресла и устало прикрыл веки.

— «И тогда откроется беззаконник, которого Господь Иисус убьет духом уст Своих, — пробормотал он. — ...И истребит явлением пришествия Своего того, которого пришествие, по действию сатаны, будет со всякою силою и знамениями и чудесами ложными...» ...«И чудесами ложными», — повторил генерал медленно, растянув губы в подобие усмешки.

Затем он открыл глаза и тихо проговорил:

— Аминь.

14

Лика открыла дверь и, увидев на пороге Артема, приветливо ему улыбнулась:

— Привет! Рада, что ты пришел! Проходи!

Артем не спешил проходить в городскую квартиру Беклищевых (обычно они жили в особняке за городом, а эту квартиру держали на тот случай, если кому-то из них придется задержаться в городе). Он окинул взглядом стройную фигурку Лики, задержался на мгновение на ложбинке между ее грудей, которую не скрывал халат, после чего спросил:

— Зачем звала?

Лика нахмурилась:

— А ты чего грубишь?

Артем посмотрел Лике в глаза. Она улыбнулась и торопливо проговорила:

— Ладно, прости. Проходи. Я все тебе объясню в квартире.

И посторонилась, впуская Артема внутрь.

...Через пару минут он сидел на диване в гостиной, и Лика, полуприсев на подоконник, лицом к Артему, говорила:

— Я позвала тебя, потому что... Ну, в общем, я хочу с тобой помириться.

— Мы с тобой не ссорились, — сказал Артем.

— Но ты меня не любишь. Ведь не любишь?

— Я? Тебя? — Он хмыкнул. — Конечно, не люблю. А с какой стати мне тебя любить?

— Любить тебе меня не обязательно, — сказала Лика. — Но мы могли бы быть друзьями. В конце концов, я законная жена твоего сводного брата, а это значит, что я прихожусь тебе...

— Ерунда, — небрежно перебил Артем. — Ты мне никто, и мне на тебя плевать. Тебе удалось охмурить моего брата и запустить пальцы в его кошелек. Но это не значит, что ты моя родственница. А теперь говори, зачем звала?

Лика прикусила губку и на секунду задумалась. Затем сказала с напускным волнением в голосе:

— Я должна тебе кое-что рассказать. Это касается Сергея. Но сначала... мне надо выпить. Чтобы прийти в себя. Налей мне, пожалуйста, вина. Оно на столике.

Артем пару секунд неприязненно смотрел на Лику, затем поднялся с дивана, подошел к столику, взял бутылку и плеснул вина в пустой бокал. Подошел к Лике и протянул бокал ей:

— Пей.

— А ты? — Лика улыбнулась. — Я одна не могу.

— Ничего, сможешь.

Лика протянула руку за бокалом, но вдруг замерла, а потом быстрым движением сбросила с плеч халат, схватила Артема за руку, резко притянула к себе и поцеловала в губы. Артем отшатнулся и изумленно уставился на Лику. Под скинутым халатом у нее ничего не было.

— С ума сошла? — неприязненно, почти с отвращением, проговорил он.

— Только не говори, что ты этого не хочешь.

— Дура! Я ухожу.

— Прямо сейчас?

— «Прямо сейчас», — иронично повторил он. — А ты оденься. Пока что-нибудь не продуло.

15

Утром следующего дня Корбан вошел в кабинет Глеба Черных, сел на стул, посмотрел на Глеба и сказал:

— Думаю, я отработал свои деньги. По крайней мере, их часть.

— Ты меня заинтриговал, — Глеб чуть прищурил свои красивые «голливудские» глаза. — Выкладывай, не томи.

— Ее настоящее имя — Маргарита Алексеевна Суханкина. Ковальская — девичья фамилия. Она сменила паспорт всего месяц с небольшим назад.

— Продолжай, — нетерпеливо поторопил Глеб.

— Маргарита Суханкина приехала в наш город из рабочего поселка Амвросиевка. Ей тридцать два года, и она замужем за Николаем Игоревичем Суханкиным.

— Значит, она замужем? — Глеб задумчиво сдвинул брови. — Гм... А кольцо не носит.

— В данный момент ее адвокат готовит развод. Но это все не так интересно.

— А что интересно?

— То, что у нее нет даже законченного среднего образования. Она ушла из школы после девятого класса.

Глеб присвистнул.

— Оп-па. Ну, надо же! Кто бы мог подумать, а?

— И это тоже не самое интересное. Приехав в наш город, Маргарита Суханкина устроилась на работу... Куда, ты думаешь?

— Куда?

— В компанию «Витанова». И было это...

— Подожди... Но тогда она еще не работала в компании.

— Работала. Но на другой должности.

— На какой?

— Она работала уборщицей.

Лицо Глеба вытянулось. Потом он усмехнулся и кивнул:

— Ясно. Слушай, у меня сейчас не самое радужное настроение. И если ты вздумал шутить...

— Это не шутка, — сказала Корбан. — У нее нет образования. И до прошлого месяца она работала уборщицей, посудомойкой и санитаркой в больнице. Это все.

Глеб замер с открытым ртом.

— Квартиру в Амвросиевке у них с мужем отобрали черные риелторы, — продолжил начальник службы безопасности. — После этого она и приехала в город. А теперь самое главное. Перед отъездом она обокрала мужа. Он подал заявление в полицию, но от него отмахнулись.

— Почему?

— Были свои нюансы. Но мы можем без труда довести дело до конца. И свидетели найдутся без проблем.

Глеб улыбнулся и задумчиво проговорил:

— Значит, она воровка?

— Выходит, что так.

— И она может лишиться не только свободы, но и профессиональной лицензии?

— Думаю, это можно устроить.

— А если подключить журналистов и предать дело широкой огласке... — задумчиво теребя пальцами губу, прищурился Глеб. — А потом и социальные службы... У нее ведь двое несовершеннолетних детей?

— Мальчик и девочка, — сказал Корбан.

Глеб усмехнулся:

— Замечательная комбинация прорисовывается. Правда, придется воспользоваться кое-какими связями, но это не проблема. — Вдруг на лице Глеба отобразилось недоверие, и, пристально посмотрев на Корбана, он сухо спросил: — Надеюсь, ты не водишь меня за нос? И все, что ты мне рассказал, — правда?

— Это правда, — ответил Корбан. Он достал из портфеля пластиковую папку и положил на стол: — Здесь все, что я узнал. С копиями документов, с фотографиями.

Глеб пододвинул к себе папку, открыл ее и достал одну из фотографий. На ней была изображена немолодая женщина, неухоженная, бедно одетая, с нелепо зачесанными волосами цвета грязной соломы и с каким-то затравленным взглядом.

— У меня в голове не укладывается, — тихо произнес Глеб.

— Да, — согласился начальник службы безопасности. — У меня тоже.

Глеб помолчал немного, затем деловито проговорил:

— Что по второму нашему делу?

— Все готово, — сказал Корбан. — Запись смонтирована, фотографии напечатаны.

— Дашь послушать?

— Конечно.

Корбан достал из кармана диктофон, положил его на стол и нажал на кнопку воспроизведения.

— *Привет!* — донесся из динамика ласковый голос Лики. — *Рада, что ты пришел! Проходи!*

ЧАСТЬ ПЯТАЯ

СХВАТКА

1

Артем встретил Риту и Семена в холле ресторана. На Рите был деловой костюм и новые стильные очки (с простыми стеклами, естественно, о чем до сих пор никто не догадывался), Семен был в пиджаке и галстуке, отчего выглядел немного нелепо.

Нервное, худощавое лицо Артема выглядело слегка взволнованным, и Рите вдруг показалось, что он похож на средневекового рыцаря, готовящегося к сражению с драконом.

— Все готово? — спросил Артем. — Устройство у вас с собой?

— Да, — сказала Рита.

— Можно посмотреть?

— Конечно.

Рита тоже немного нервничала, и, когда она расстегивала сумочку, пальцы ее слегка подрагивали. Артем заметил это и криво усмехнулся. Рита, наконец, достала мобильный телефон и протянула Артему.

— Мобильник? — удивился он.

— Только с виду, — пробасил Семен.

— Семен поменял в нем начинку, — сказала Рита.

Артем повертел телефон в руках.

— И что, действительно работает?

— Иногда сбоит, — со вздохом сказал Семен. — Мы с Маргаритой Алексеевной трижды его протестировали. Из трех раз два он сработал на «отлично».

— Значит, все будет в порядке?

Семен и Рита переглянулись.

— Если у главы Нацбанка в сумке нет специального устройства, которое блокирует утечку сигнала, — сказала Рита.

А Семен нахмурился и добавил:

— Либо специального перехватчика.

— Какого перехватчика? — уточнил Артем.

— Ну... — Программист пожал плечами. — Какого-нибудь устройства, похожего на наше. Только наше выуживает информацию из чужих дивайсов, а перехватчик...

Семен замялся, подыскивая подходящее слово, и Рита договорила за него:

— Пеленгует таких, как мы, и вычисляет их месторасположение.

По лицу Артема пробежала тень тревоги.

— Это действительно возможно? — спросил он у Семена.

— Возможно все, — со вздохом ответил тот. — Было бы желание.

Артем нахмурился еще больше.

— Но ведь если нас вычислят...

— Нас не вычислят, — заверила его Рита. — А если это случится... — Она пожала плечами. — ...Я возьму все на себя.

Артем пристально на нее посмотрел, усмехнулся и сказал:

— Это само собой. Ладно, пора идти. Глава Центробанка прибудет с минуты на минуту. Столик для вас я зарезервировал, он в пяти метрах от нашего. Но нужно все сделать быстро, он заедет всего минут на десять, потом сразу поедет в Дом правительства.

За длинным столом главу Центробанка ожидали представители «финансовых кругов» России, с которыми он должен был ужинать. Вместе с Артемом финансистов было восемь человек, и он был среди них самым молодым. Потягивая из бокалов вино, они о чем-то негромко переговаривались; было видно, что все эти люди давно друг друга знают.

Рита и Семен сидели за соседним столиком. Фальшивый мобильник лежал перед Ритой на столе. Официант успел принести им заказ (минеральную воду и салат — для Риты, бифштекс и спрайт — для Семена), когда в зал ресторана вошел Эдгар Владимирович Чанышев, высокий, представительный, с аккуратно подстриженной бородкой и в золотых очках. Главу Центробанка сопровождали молодой мужчина-секретарь и два телохранителя. На плече у Чанышева висел портфель из черной кожи.

Чанышев подошел к столу, за которым его ждали финансисты. Его телохранители заняли заранее забронированный столик поблизости. При его появлении все они поднялись со стульев, и он по очереди пожал руки представителям финансовых кругов России, на встречу с которыми пришел. Затем все снова сели на свои стулья, а Чанышев занял место во главе стола. Свой портфель он повесил на спинку стула.

Рита взяла фальшивый мобильник и нажала на кнопку связи. На дисплее возникла шкала, обозначающая процент считывания информации, затем еще одна, и еще, и еще, и еще... Замелькали, наслаиваясь друг на друга, цифры.

— Что-то не так, — взволнованно проговорила Рита. — Посмотри!

Она протянула мобильник Семену. Он взял трубку, взглянул на дисплей, озадаченно нахмурился.

— В зале около ста мобильников, планшетных компьютеров и ноутбуков, — сказал он взволнованно. — Нужно включить фильтры и откалибровать сигнал.

— Ты сможешь это сделать? — спросила Рита.

— Наверное.

Толстые пальцы Семена забегали по клавишам смартфона. Рита повернула голову и посмотрела на Чанышева. Слушая своих собеседников с дежурной улыбкой на губах, глава Центробанка поднял руку и бросил взгляд на циферблат наручных часов.

— Он скоро уедет, — сказала Рита. — Семен, поторопись.

— А я что делаю? — буркнул в ответ программист.

Полное лицо его раскраснелось, глаза возбужденно блестели. Рита встретилась глазами с Артемом. Он чуть приподнял брови, как бы спрашивая — «ну, что?». Рита едва заметно качнула головой — «пока ничего». Он нервно дернул уголком губ.

Тем временем глава Центробанка проявлял все большее нетерпение, то и дело бросая взгляды на часы.

— Сейчас... — проговорил Семен через минуту. — Еще немного.

— Давай, Семен, — поторопила Рита. — Давай, милый.

Рита пристально смотрела на Эдгара Чанышева. Продолжая беседовать с финансистами, он поднял руку к голове и легонько потер пальцами висок. Потом, вежливо улыбаясь своим собеседникам, снял со стула портфель, расстегнул его и опустил туда руку.

— Он полез в портфель, — тихо сказала Рита. — Что он там забыл?

Чанышев вынул руку из портфеля и повесил его обратно на спинку стула.

— Есть! — тихо воскликнул программист. — Я начинаю скачивать!

Рита облегченно вздохнула.

Прошло еще несколько минут.

— Как там? — спросила Рита.

— Девяносто восемь процентов, — сказал Семен, глядя на дисплей смартфона. — Еще немного и...

— Тише, — коротко приказала Рита.

К их столику подошел официант. Взял бутылку минеральной воды и услужливо наполнил опустевший бокал Риты.

— Спасибо! — поблагодарила она.

Официант вежливо склонил голову, затем повернулся, чтобы отойти, но сделал это слишком неловко, локоть его задел бокал с минералкой, бокал опрокинулся и минеральная вода выплеснулась на смартфон, который Семен только что положил на стол.

— Черт! — испуганно и яростно выкрикнула Рита.

Семен схватил со стола мокрый смартфон. Люди, сидевшие за соседними столиками, обернулись. Глава Центробанка тоже повернул голову и посмотрел на Риту.

— Прошу прощения, — виновато бормотал официант, суетясь вокруг столика. — Я все вытру.

— Оставьте, вытрете потом, — сказала ему Рита.

— Я сейчас...

— Я же сказала — потом!

На нее снова заоглядывались. Официант, еще раз извинившись, отошел от столика. Рита посмотрела на Семена:

— Ну? Что?

— Не знаю, — мрачно отозвался он, тыча пальцами на кнопки мокрого телефона. — Дисплей отключился.

Рита посмотрела на главу Центробанка. Он уже поднялся на ноги и, прощаясь, жал руки финансистам.

— Он уходит! — сказала Рита.

— Знаю, — буркнул Семен и встал из-за стола.

— Ты куда?

— В туалет, — мрачно сообщил Семен. — Посмотрю, что с устройством. Если в него попала вода — нам конец.

Семен пошел к выходу из зала. Рита смотрела ему вслед, но видела другое. Яхты и дворцы, которые стали почти реальностью в ее воображении, стремительно таяли, а слова, с которыми она за последние дни почти свыклась, — «богатство», «независимость», «власть», — снова становились абстракциями, не имеющими никакого отношения к ее жизни.

Пятнадцать минут спустя Рита и Артем сидели в машине, ожидая прихода Семена. Ждали молча, говорить не хотелось, оба чувствовали страшную досаду.

Первой тишину нарушила Рита.

— Неужели все было зря? — негромко проговорила она. — Ведь мы так тщательно все подготовили!

Артем не отозвался.

— Почему ты молчишь? — с горечью спросила Рита.

— А что говорить? — Он пожал плечами. — Мы попробовали — у нас не получилось. Никто не застрахован от случайностей. — Затем помолчал секунду, усмехнулся и добавил: — По крайней мере, одним грешком на наших черных душах будет меньше.

Рита вздохнула:

— Я могла стать богатой. Могла стать хозяйкой своей жизни... И больше никогда и ни от кого не зависеть.

— Ерунда, — сказал Артем. — На любую зубастую рыбу всегда найдется рыба, у которой зубы покрупнее.

— Ты так говоришь, потому что сам богат, — с досадой сказала Рита. — Ты никогда не считал копейки, никогда не штопал детям джинсы, которые почти превратились в труху. Никогда не ел с чужих подносов.

Рита замолчала, сжав кулаки. Артем несколько секунд с удивлением разглядывал ее, а потом сказал:

— Я вложил в новый бизнес все свои средства. Заложил дом, квартиру, машину. Если я прогорю — останусь нищим.

Рита хмыкнула.

— Тоже мне — нищий. Если прижмет, ты всегда можешь попросить у Беклищева.

— Могу, — согласился Артем. — Но не стану. Кстати, насчет чужих подносов. В юности я работал официантом, чтобы оплачивать учебу в институте. И еще раздельщиком мяса. И грузчиком.

Рита хотела сказать ему, что нищета от гордости и нищета от безысходности — вещи разные. Потому что в первом случае у человека остается его человеческое достоинство, а во втором — ничего. Но сказать этого она не успела, потому что из ресторана вышел Семен.

— Идет, — сказал Артем.

— Да, вижу.

— Лицо мрачное. Нехороший признак.

Семен действительно был серьезен и сосредоточен, на пухлом лице — ни намека на улыбку, не говоря уже про выражение радости. Он открыл дверцу и забрался на заднее сиденье машины. Рита и Артем (он сидел в водительском кресле) обернулись и выжидательно на него посмотрели.

Семен удрученно вздохнул.

— Ну? — нетерпеливо спросила Рита.

Он еще пару секунд молчал, потом улыбнулся и сипло проговорил:

— Устройство в порядке. Мы это сделали!

2

Утром следующего дня Артем вошел в кабинет Беклищева, оставив дверь приоткрытой.

— Сергей, у тебя есть время для разговора? — спросил он.

— Есть, — ответил Беклищев, отрываясь от деловых бумаг, в которых делал карандашные пометки. — Проходи.

— Я не один. Со мной Маргарита Алексеевна.

Беклищев чуть прищурил тяжелые веки.

— Входите оба, — сказал он.

Артем и Рита прошли в кабинет. Лица у них были сосредоточенные. Пока они садились в кресла, Беклищев наблюдал за ними с некоторым удивлением.

— Сергей, я хочу, чтобы ты внимательно меня выслушал, — сказал Артем.

— Ну, говори. Я слушаю.

— У нас есть инсайдерская информация о том, что через несколько дней произойдет резкая девальвация рубля. Как минимум в полтора раза.

— Вот как? — Беклищев внимательно посмотрел на сосредоточенные лица Артема и Риты. — И кто же ваш источник? — сухо осведомился он. — Какой-нибудь четвертый помощник третьего подающего из кредитного отдела Сбербанка?

— Наш источник — Эдгар Чанышев, — сказал Артем.

Лицо Беклищева оцепенело.

— Это что, такая шутка? — проговорил он после паузы.

— Нет, не шутка.

С этими словами Артем достал из сумки ноутбук, открыл его и поставил на стол. Клацнул пальцем по клавише и повернул монитором к Беклищеву. Тот с легкой растерянностью посмотрел на экран, нахмурился и спросил:

— Что это?

— Информация, которую мы получили. Можешь открыть любой из этих файлов и ознакомиться. Мы скачали их с планшетного компьютера и мобильника Эдгара Чанышева.

— Мы?

— Я и Маргарита Алексеевна.

Рита чуть подалась вперед.

— Мы использовали специальное электронное устройство, — сказала она, — которое сконструировали сами. И скачали его деловые документы и информационные записки. А также просмотрели его электронную почту. Чанышев ничего не заподозрил.

Беклищев посмотрел на нее тяжелым взглядом, потом поднял руки и чуть ослабил галстук.

— Вот как, — снова сказал он. — В полтора раза?

— Как минимум, — сказал Артем. — Мы можем сыграть на этом и оказаться в большом плюсе. Хороший подарок к Новому году.

— Ерунда, — мрачно проговорил Беклищев.

— Открой файлы, — спокойно сказал ему Артем.

Беклищев пару секунд недоверчиво и рассеянно смотрел на него, потом перевел взгляд на монитор и протянул руку к сенсорной панели ноутбука.

Несколько минут он просматривал файлы, и выражение лица его постепенно менялось с недоверчивого на изумленное. Затем откинулся на спинку кресла, посмотрел на Артема и хрипло проговорил:

— Надеюсь, ты понимаешь, что все это смахивает на большую аферу?

— Это и есть афера, — сказал Артем. — Как и все, чем мы тут занимаемся.

Беклищев молчал, сдвинув брови и постукивая по столу пальцами.

— Мы можем неплохо на этом заработать, — сказала Рита. — И не только обогатиться лично, но и увеличить капитализацию компании. Как минимум в полтора раза! А то и больше. Времени у нас мало, но если начнем действовать прямо сегодня, мы успеем.

Беклищев ничего не говорил. Лишь поглядывал мрачным, задумчивым взглядом на Риту и Артема.

— Сергей, другого такого шанса может не быть, — сказал Артем.

— Шанса... — тихо повторил Беклищев. — А если нас разоблачат? Если начнут расследование?

— Не начнут, — сказал Артем. — Через несколько дней на валютном рынке начнется полный карнавал. Поднимется много мутной воды, и в этой воде...

— Ладно, — выдохнул Беклищев и пристукнул по столу широкой ладонью. — Я принял решение.

— И? — приподнял брови Артем.

— Мы на этом заработаем.

Рита не сдержала радостной улыбки. Артем откинулся на спинку кресла и облегченно вздохнул. Он знал, что брат с трудом принимает решение, но уж если принял — никогда не отступается от намеченного.

3

Спустя четыре дня

Сергей Анатольевич Беклищев и его сводный брат Артем сидели в кабинете Беклищева и не отрывали взглядов от экрана телевизора.

— Сто рублей — за евро! Восемьдесят — за доллар! — вещал телеведущий, вытаращив от волнения глаза. — Такие котировки сегодня днем можно было увидеть на торгах ММВБ и в обменных пунктах банков! Рубль «обвалился»!

На экранах замелькали картинки с бирж, ажиотажные очереди держателей банковских вкладов, толпы людей, штурмующих банкоматы, а голос телеведущего продолжал мрачно вещать за кадром:

— Председатель Центробанка Эдгар Чанышев предупредил, что в ближайшие дни положение на финансовом рынке будет сравнимо с самым тяжелым периодом две тысячи восьмого года.

На экране возник Эдгар Чанышев. Золотые очки его сидели на носу криво, лицо раскраснелось, и даже аккуратная бородка не казалась такой уж аккуратной. Десятки микрофонов влезли в кадр, и Чанышев нервно проговорил в эти микрофоны:

— Столь критической ситуации руководители Центробанка год назад не могли себе представить. Однако российский финансовый рынок далеко не всегда поддается прогнозам — даже на самую краткосрочную перспективу...

Беклищев усмехнулся, взял со столика пульт и выключил звук. Повернулся к Артему и сказал:

— Даже не верится! Простейшая модель. Выкупили на минимуме, продали на максимуме.

— И заработали двести лямов, — в тон ему сказал Артем.

Беклищев улыбнулся, и Артем поймал себя на том, что не видел, как брат улыбается, уже лет пять.

— Ты и свои вложил? — осведомился Беклищев.

Артем кивнул:

— Да. Все, что было. И прокрутил кредитные.

— Что ж, поздравляю!

— И я тебя!

Беклищев поднял бутылку коньяка и плеснул напиток по бокалам. Один передал Артему, другой взял сам.

— За удачу, — сказал Беклищев.

— И с наступающим Новым годом, — улыбнулся Артем.

Братья чокнулись бокалами и отпили по глотку.

— Слушай, а может, она колдунья? — предположил Беклищев.

— Может быть, — сказал Артем. — Но пока она на нашей стороне — все в порядке.

— Где она сейчас?

— У себя в кабинете.

Беклищев отпил коньяка.

— Она умная баба, — сказал он после паузы. — И слишком удачливая. И знает о финансах больше нас с тобой. С ней явно что-то не так.

Артем пожал плечами и тоже отпил из бокала.

— Она кажется мне опасной, — продолжил Беклищев. — У нее слишком большой аппетит и слишком острые зубы.

— У нас с тобой тоже.

— Я не тот, что прежде. А ты... Ты вообще «соскочил».

— Если кого-то боишься, старайся держать его рядом с собой. Чтобы всегда был на виду. Ты сам меня когда-то этому учил, помнишь?

Беклищев отпил из бокала, посмотрел на брата и раздумчиво произнес:

— Хочешь, чтобы я предложил ей партнерство?

Артем пожал плечами:

— Почему бы нет? За пару месяцев она сделала тебя богаче на пару миллионов долларов.

Беклищев задумчиво повертел в пальцах бокал и сказал:

— Что ж, ты прав. Женщины, женщины... В мире нет никого опаснее самоуверенной женщины. — Потом посмотрел на брата и вдруг сказал: — Я тебе говорил, что собираюсь развестись?

— Нет, — сказал Артем. — Но я не удивлен.

— Еще бы! — Беклищев безрадостно усмехнулся. — Ты предупреждал меня еще до того, как я на ней женился. — Он вздохнул. — Ты всегда был умнее меня в сердечных делах. Да и в других тоже. Если бы я почаще тебя слушал...

Он оставил фразу незаконченной. Хотел отпить из бокала, но передумал. Снова посмотрел на Артема и сказал с холодной злобой в голосе:

— Но еще один должок за мной.

— Должок? — не понял Артем.

— Да, должок. Я найду ублюдка, с которым она трахалась у меня за спиной. Найду — и сдеру с него кожу живьем. Кем бы он ни был.

Беклищев поднял бокал к губам и сделал большой глоток. Глаза его чуть замаслились.

Артем внимательно посмотрел на брата. Он невольно вспомнил кровавые и мрачные вещи, которые Сергей творил лет пятнадцать-двадцать тому назад. И подумал вдруг о том, что под лоском респектабельности по-прежнему прячется безжалостный монстр, готовый закопать живьем любого, кто встанет у него на пути. Отпил коньяка, посмотрел на брата и сказал:

— Надеюсь, ты помнишь, что ты — легальный бизнесмен, а значит, должен держать себя в руках.

— Только не в личных делах, — с ледяным спокойствием возразил Беклищев. И добавил, холодно усмехнувшись: — Не волнуйся за меня. Я все еще умею заметать следы. Твое здоровье!

Беклищев отсалютовал Артему, отпил коньяка, потом протянул руку к коммутатору, нажал на кнопку и сказал:

— Вызови ко мне Ковальскую.

— Хорошо, Сергей Анатольевич, — отозвался из динамика голос секретарши.

Артем допил коньяк и поднялся с кресла.

— Ты не останешься? — спросил его Беклищев.

— Нет, — ответил тот.

— Ладно. Позвони мне в конце дня, может, зайдем куда-нибудь выпить. Как в старые времена.

— Хорошо.

Артем вышел из кабинета. Ожидая Риту, Беклищев налил себе еще коньяка. На душе у него, несмотря на финансовую победу, было мрачновато.

Услышав стук в дверь, он громко сказал:

— Входите!

Рита вошла в кабинет. Беклищев кивнул ей на кресло у стола:

— Садитесь.

Рита прошла к столу и села. Беклищев посмотрел на ее строгое лицо, которое вдруг показалось ему очень интересным и даже красивым (как это я не замечал раньше?), и сказал:

— Буду краток, Маргарита Алексеевна. Вы заслужили награду.

Рита едва заметно улыбнулась:

— Да, пожалуй.

Хозяин компании посмотрел ей в глаза и негромко произнес:

— Премия — пятнадцать миллионов долларов плюс пожизненное партнерство. Вы согласны?

— Я? — Рита чуть стушевалась от грандиозности награды. — Да. Я согласна.

— Отлично. — Беклищев улыбнулся. — С вашим талантом вы очень скоро превратите эти пятнадцать миллионов в тридцать. Верно?

— Может быть, — сказала Рита.

Беклищев о чем-то задумался. Рита ему не мешала.

— И еще кое-что, — сказал он после паузы.

Затем поставил бокал с коньяком на стол, открыл верхний ящик стола, достал из него красную сафьяновую коробочку и поставил на стол перед Ритой.

— Это вам.

Рита удивленно взглянула на красную коробочку.

— Что это?

— Откройте, и увидите.

Рита взяла коробочку, осторожно открыла. Брови ее приподнялись от изумления, а губы приоткрылись — удивленно, ошарашенно. Она подняла взгляд на босса и сказала:

— Серьги? Зачем?

— Я хотел подарить их своей молодой жене, — сказал Беклищев странным голосом. — Но недавно понял, что ей мои подарки не нужны.

Рита несколько секунд разглядывала его лицо, держа в руках раскрытую коробочку с бриллиантовыми серьгами, после чего сказала:

— Я не могу их взять, — сказала она затем.

— Можете, — веско проговорил Беклищев. Пожал тяжелыми плечами и добавил: — Считайте это премией.

Еще пару секунд Рита раздумывала, потом кивнула и сказала:

— Хорошо. Надеюсь, вы поможете мне их надеть?

— Что? — не сразу понял Беклищев.

— Помогите мне, пожалуйста, надеть эти серьги, — спокойно сказала Рита. — Это ведь ваш подарок.

На лице Беклищева застыло удивленно-недоверчивое выражение.

— Значит, вы хотите надеть их прямо сейчас?

— А зачем ждать? — Рита улыбнулась. — Украшения существуют для того, чтобы их носить.

Беклищев еще пару секунд разглядывал ее, потом хмыкнул.

— Логично.

Он встал из-за стола. Рита тоже поднялась. Он обошел стол, остановился рядом с ней. Рита, глядя Беклищеву в глаза, достала одну сережку и протянула ему. Он неуверенно взял.

— Вы точно этого хотите?

— Да, — ответила Рита. И повернула голову так, чтобы ему было удобнее.

Беклищев расстегнул застежку, осторожно вставил сережку ей в мочку уха.

— Не больно?

— Нет.

Он закрепил застежку.

— Теперь вторую, — сказала Рита, протянув ему вторую сережку. Дождалась, пока он возьмет, и повернула голову. Беклищев осторожно вдел вторую серьгу.

— У вас хорошие духи, — похвалил он, щелкнув застежкой.

— Спасибо, — с улыбкой сказала Рита.

Его пальцы коснулись ее шеи и задержались там чуть дольше, чем требовалось.

— Я могу идти?

— Да, — сказал Беклищев. — Идите.

— Еще раз спасибо за серьги. И за все остальное тоже.

Рита повернулась и вышла из кабинета. Беклищев взял со стола бокал с недопитым коньяком, но не стал пить, а замер, погрузившись в задумчивость. Он все еще чувствовал запах ее духов, и ему это было приятно. Неожиданно для себя он подумал о том, что эта женщина не только умна, но и красива. И не слишком молода. Кажется, ей тридцать два. В этом возрасте женщины наконец-то обзаводятся умом. Опыт прожитой жизни позволяет им с легкостью отделять зерна от плевел и не рисковать тем, что имеешь.

Пожалуй, с такой женщиной он мог бы начать новую жизнь.

Беклищев тряхнул головой, прогоняя неуместные мысли.

«Ладно, — подумал он. — Это все в будущем. А пока...»

Беклищев сжал в руке бокал с коньяком, лицо его потемнело.

«Пока надо найти мерзавца, который посмел трахать мою жену!»

Из горла Беклищева вырвался звук, похожий на тихий злобный рык, бокал с хрустом треснул в его мощной пятерне, и коньяк полился по окровавленным пальцам.

«Ожил» коммутатор.

— Сергей Анатольевич, — донесся из динамика голос секретарши, — к вам начальник службы безопасности Корбан.

— Пусть войдет, — сухо сказал Беклищев.

Он швырнул сломанный бокал в урну и прошел за стол. Достал из стола салфетку и быстро перевязал пальцы.

Вошел Корбан.

— Разрешите?

— Проходи.

Начальник службы безопасности прошел в кабинет, сел на стул и положил на колени свою сумку.

— Ну? — спросил Беклищев негромко. — Что-нибудь узнал?

— Да, — ответил Корбан.

— Рассказывай.

— Прежде чем начать разговор, я хочу вас кое о чем предупредить.

Беклищев прищурил холодные глаза.

— Ну, давай.

— Информация, которую мне удалось раздобыть, вам точно не понравится. Есть вещи, о которых человеку лучше не знать. Просто для того, чтобы спокойно спать по ночам.

Беклищев посмотрел на него тяжелым взглядом.

— Это и есть твое предупреждение?

Корбан кивнул:

— Да.

— Тогда переходи прямо к делу.

Пока Корбан открывал сумку и доставал папку, Сергей Анатольевич взял бутылку коньяка и отпил глоток прямо из горлышка. Поставил бутылку обратно и взял конверт из плотной желтой бумаги, который протянул ему Корбан. Быстро открыл его и достал тонкую пачку фотографий. И — замер с открытым ртом.

Это продолжалось несколько секунд, после чего Беклищев хрипло выдохнул:

— Артем?

— Да, — сказал Корбан.

На верхней фотографии были запечатлены Лика и Артем. Лика, сидя на подоконнике (снимок был сделан с улицы), обнаженная, обнимала Артема и целовала его.

Беклищев отбросил верхнюю фотографию, посмотрел на вторую. Почти тот же ракурс. Отбросил и ее. Посмотрел на третью. Потом коротким движением швырнул всю пачку на стол и посмотрел на Корбана, и тот едва удержался, чтобы не поежиться под этим страшным взглядом.

Стараясь не показать страха, Корбан достал из кармана диктофон и положил на стол.

— Есть еще аудиозапись. Вы готовы послушать?

Беклищев молчал, глядя на него странными, безумно мерцающими глазами. Корбан счел это за молчаливый приказ. Он протянул руку и включил запись.

Из динамика донеслись голоса Лики а Артема.

— Артем, ты меня любишь? Ведь любишь?

— Конечно, люблю!

— Но я законная жена твоего сводного брата.

— Ерунда. Плевать мне на брата! Я хочу тебя — прямо сейчас!

— Да. Но сначала мне надо выпить... Налей мне вина.

Беклищев взял диктофон со стола, размахнулся и швырнул его об стену. Диктофон разлетелся на куски. Начальник службы безопасности не вздрогнул, но слегка побледнел. Беклищев посмотрел на него тяжелым взглядом.

— Вы хорошо поработали. — А потом добавил все тем же страшным негромким голосом: — Я вам что-нибудь должен? Поверх гонорара?

— Нет, — сказал Корбан, чувствуя, что на лбу у него выступают капли поты. — Мы в расчете.

4

Рита отпила глоток кофе маккиато и вдруг подумала о том, что в прежней жизни она даже названий таких не слышала: капучино, маккиато, глясе, бичерин. И кофе не особенно любила. Пила все больше чай, черный, «со слоником», с сахаром и лимоном. И вот теперь она сидит в модной кофейне и пьет великолепный маккиато, который стоит столько, что на эти деньги она с Лешкой и Лизкой могла бы когда-то прожить дня три, нормально и сытно питаясь.

Рита почувствовала что-то вроде ностальгии по тем временам, хотя ничего приятного в них, конечно же, не было.

Потом она вспомнила жесткое лицо Беклищева, его седые волосы, широкие плечи и твердый подбородок. Он выглядел старше своих лет, но дорогой стильный костюм делал его интересным и импозантным. Рита вспомнила его взгляд, когда он надевал ей серьги, и улыбнулась — она совершенно четко осознала, что нравится ему.

У Беклищева явно проблемы с молодой женой. Судя по тому, как скверно он выглядит, проблемы эти очень большие. Вероятнее всего, он застукал ее с молодым любовником и теперь разбит и дезориентирован. Интересно, как он поступит? Выгонит ее? Простит? А может, убьет обоих, и Лику, и ее любовника?

Последний вариант маловероятен. Скорее всего, просто выгонит, оставив без копейки денег. А это значит, что место его супруги останется вакантным.

Рита отпила глоток кофе и припомнила страничку из журнала «Форбс» со списком самых богатых людей России, в этом списке бизнесмен Сергей Анатольевич Беклищев занимал сороковую строчку, состояние его оценивалось в два с половиной миллиарда долларов. Большие деньги. Просто огромные.

Рита попыталась представить себе эти деньги, сперва в виде горы банкнот, потом в виде золотых слитков, а потом в виде имущества, которое можно на них купить — дворцов, островов, яхт... А если понадобится — судей, продажных политиков...

Она отпила еще глоток маккиато. И попыталась представить, что бы она сделала, имея такие деньги. Перед глазами мелькали, возникая и испаряясь, картинки возможной жизни.

А если помножить два с половиной миллиарда на ее нынешние способности? Можно удвоить капитал за год и не останавливаться на этом, а пойти еще дальше. Через пару лет сороковая строчка в журнале «Форбс» может превратиться в двадцатую.

Рита отпила еще глоток кофе.

Есть ли у нее шанс прибрать к рукам компанию «Витанова»?

Кажется, да. И вполне реальный. Рита поняла это сегодня, в тот момент, когда сильные пальцы Беклищева коснулись ее щек и ушей.

«Боже, о чем я думаю?» — удивилась себе Рита.

Она почувствовала, как кровь прилила к ее лицу. Сердце учащенно забилось, откуда-то пришли неприятные предчувствия. Затылок налился тяжестью, виски сдавила боль. И вдруг она явственно ощутило чужое зловещее присутствие. Рита быстро огляделась. Народу в кафе было мало, и никто из посетителей не выглядел подозрительным. Люди как люди.

И вдруг Рита поняла. Кто-то действительно был рядом. Но он был не снаружи. Он был *внутри Риты.*

А точнее — у нее в голове. Подобно инородному телу. Нет, лучше — паразиту! Твари, которая забралась ей под череп и теперь пожирала не только ее плоть, но и ее... мысли?

Риту обдало волной ужаса. Она подняла руки и стиснула пальцами виски.

ТЫ МОЯ, — прозвучал у нее в голове чуждый страшный голос. — ТЫ МОЯ.

— Что со мной? — пробормотала Рита.

И вдруг реальность пошатнулась у нее перед глазами, а затем все вокруг затянула серая полупрозрачная пелена. Она по-прежнему видела зал ресторана, но как бы в дымке, а затем в этой дымке стала прорисовываться другая реальность, как если бы кто-то спроецировал на серую полупрозрачную взвесь другое изображение — стол, стулья, портрет президента на стене, стеллажи, уставленные книгами... Эта вторая реальность пришла в движение...

Возник темный шкаф со стеклянной дверцей, потом он стремительно наплыл на Риту, словно она наклонилась к шкафу, и вдруг она увидела отражение в стеклянной дверце, но это было не ее отражение. Она увидела худое мужское лицо с резкими морщинами и узким, усмехающимся ртом. Темные глаза мужчины смотрели прямо на нее, нет — в ее сознание, в ее душу. Тонкие губы приоткрылись, и она снова услышала тихий зловещий шепот:

— ТЫ МОЯ.

— Нет, — пробормотала Рита. И повторила громче: — Нет!

— Простите, с вами все в порядке? — услышала она встревоженный женский голос.

Серая пелена перед глазами развеялась, и Рита увидела официантку, замершую у ее столика с озадаченным лицом. Несколько секунд Рите понадобилось, чтобы прийти в себя и окончательно стряхнуть странный морок.

— Все хорошо, — сказала она официантке. — Принесите, пожалуйста, счет.

Официантка ушла. Рита глубоко вздохнула и постаралась успокоиться. Вероятно, она просто задремала на пару минут и даже успела увидеть сон. Нужно поменьше сидеть по ночам за книгами. И ложиться спать пораньше. Да, и обязательно купить снотворное, иначе бессонные ночи ее окончательно доконают.

К тому моменту, как официантка принесла счет, странное ощущение чужого враждебного присутствия ушло окончательно, хотя и оставило после себя неприятный осадок.

В ту же минуту за много километров от кафе, в темном кабинете, генерал Кальпиди посмотрел на вытянувшегося по струнке помощника и сказал:

— Я ее видел. Интересное ощущение.

— Кого видели? — уточнил помощник. — Донора?

Генерал Кальпиди, казалось, пропустил его слова мимо ушей.

— Я знаю ее, — задумчиво проговорил он.

— Знаете?

— Ее жизнь, ее мысли. Знаю, о чем она мечтает. Она многого добилась, но запросы ее продолжают расти. Очень интересный экземпляр. Даже немного жаль, что ее мечтам не суждено сбыться. — Он посмотрел на помощника холодными глазами живого мертвеца и сказал: — Позвони в лабораторию, скажи, чтобы приготовились.

— Они готовы, — сказал помощник. — Мне отдать своим людям приказ?

Генерал хотел что-то сказать, но вдруг задумался.

— Все получается интереснее, чем я рассчитывал, — сказал он после паузы. Снова устремил взгляд на помощника и добавил: — Пусть твои люди будут готовы. Но заберу я ее сам.

5

— Подожди, не нажимай! — Рита едва успела войти в кабину лифта, как двери за ней захлопнулись.

Человек, стоявший в лифте, даже не подумал нажать на кнопку в ответ на возглас Риты, он даже не шевельнулся, стоял себе и усмехался. Это был Артем Соколов.

Рита хотела нажать на кнопку двенадцатого этажа, где находился офис Беклищева, но кнопка уже светилась голубоватым светом. Лифт двинулся вверх.

— Спасибо, что подождал, — сердито сказала Рита.

Артем пожал угловатыми плечами:

— Доехала бы на другом. Делов-то.

Рита посмотрела на него недовольным взглядом и сказала:

— Может, хватит?

— Хватит что? — уточнил Артем.

— Корчить из себя циника, — ответила Рита. — Я ведь навела о тебе справки.

В серых глазах Артема мелькнуло удивление.

— Да ну?

— Да, навела, — сказала Рита. — Это было несложно. Я знаю, что за семь минувших лет ты перечислил детским домам и интернатам почти полтора миллиона долларов.

— И что? — небрежно проговорил Артем.

— А то, что циники и мизантропы так не поступают.

Артем поморщился:

— А, брось ты. Это как машину освятить.

— То есть? — не поняла Рита.

— Хороший способ немного подмазать бога, — небрежно ответил Артем. — Что-то вроде «отката» или взятки. Ну, или страховки.

Рита внимательно вгляделась в его лицо, и ей показалось, что он немного смутился под ее взглядом.

— Почему ты все время говоришь гадости? — спросила она. — Про других, про себя. Неужели нельзя хотя бы раз просто поговорить по-человечески?

— Легко, — усмехнулся Артем. — Все, что нужно, это бутылка вискаря и два стакана. А если будет две бутылки, то в конце разговора мы просто расплачемся друг у друга на плече. И поклянемся друг другу в вечной дружбе! А потом проснемся в одной постели без трусов. Способ проверенный.

Рита нахмурилась.

— Опять говоришь гадости.

— Почему? — Он добродушно улыбнулся. — Если честно, я был бы не против проснуться с тобой в одной...

— Хватит, — оборвала Рита. — Ты...

Лифт вдруг резко остановился, и Рита, потеряв равновесие, упала на пол, ударившись по пути о стальной поручень рукой.

— Черт! — выругался Артем. — Опять лифт сломался! А еще «Аттес», американское качество! Дутый авторитет.

Он ткнул пальцем в кнопку двенадцатого этажа — ничего не изменилось, лифт стоял на месте. Артем нажал на кнопку связи.

— Да, — откликнулся из динамика мужской голос.

— Мы застряли в лифте! — сказал Артем, чуть нагнувшись к решеточке микрофона.

— Да, вижу, — произнес в ответ голос. — Между десятым и одиннадцатым этажами. Проблемы с тросами, сработал аварийный фиксатор. Ничего страшного.

— Так вы нас отсюда выпустите?

— Пока не могу. Ждите, сейчас отправлю ремонтников.

Артем, тихо чертыхаясь, выпрямился и посмотрел на Риту, сидевшую на полу с рукой, прижатой к груди.

— Что с тобой? — взволнованно проговорил Артем.

Рита не ответила и даже не посмотрела на него. Лицо ее было перекошено от боли. Артем быстро присел рядом с ней.

— Где болит? — спросил он. — Рука? Дай я посмотрю!

Рита протянула ему руку.

— Локоть? — спросил Артем.

— Да, — тихо пробормотала Рита.

Артем, осторожно закатал рукав кофточки Риты и осмотрел локоть.

— Пошевели пальцами, — попросил он.

Рита пошевелила. Артем снова осмотрел локоть и сказал:

— Просто ушиб. Хорошо бы приложить лед, но и так пройдет. Вставай!

Он выпрямился и помог Рите подняться на ноги. Рита прислонилась спиной к стальной стене лифта. Посмотрела на Артема — он снова напустил на себя холодновато-безмятежный вид.

— Ты искренне за меня испугался, — сказала Рита.

— Что?

— Ты вовсе меня не ненавидишь. — Рита улыбнулась и шагнула к Артему.

— Что за ерунда? — фыркнул он.

Она подошла еще ближе, продолжая смотреть ему в глаза.

— Может быть, я даже тебе нравлюсь, — тихо сказала Рита.

Артем нахмурился и грубо уточнил:

— Ты что, еще и головой долбанулась?

Рита встала прямо перед ним, лицом к лицу.

— Помолчи, — негромко сказала она. — Хотя бы раз.

Артем посмотрел на нее слегка растерянным взглядом; тогда она, чувствуя его смущение, чуть привстала на цыпочки и поцеловала его в губы. Он не противился. Тогда она поцеловала снова. Чуть отшатнулась и посмотрела на его покрасневшее лицо.

— Все это глупо, — проговорил Артем сбивчивым голосом. — И неправильно.

Рита улыбнулась.

— Конечно, неправильно. Я стерва, но я тебе нравлюсь. И ты ничего не можешь с собой поделать, верно?

Он еще несколько секунд смотрел на нее, а потом обнял, притянул к себе и поцеловал — страстно и нежно. А потом разжал объятия и слегка отодвинулся, потому что тоже хотел видеть ее лицо. Из-за двери послышались голоса ремонтников, один из них громко окликнул:

— Эй! Вы там?

Артем повернулся к двери.

— Это вы «там», а мы здесь! — сказал он.

— Скоро вас освободим! Подождите минут пять!

Артем отвел взгляд от стальной двери лифта и встретился взглядом с Ритой.

— Почему ты решил уйти из компании? — спросила она.

Артем нахмурился.

— Ты правда хочешь это знать? — негромко произнес он.

— Да, — сказала Рита, глядя ему в глаза.

Он немного помолчал, затем заговорил — спокойным, серьезным голосом:

— У меня рядом с домом есть супермаркет. Там, возле касс, постоянно стоит один старичок. Он возомнил, что работает в супермаркете — откатывает тележки, помогает складывать покупки в пакеты... Продавцы на него не обращают внимания, но главное — не гонят. А он, конечно, уверен, что занят важным делом, а к персоналу относится как к своим коллегам. Как-то раз я проходил мимо супермаркета, когда тот закрылся. Старичок стоял у закрытых дверей с потерянным видом.

Артем сделал паузу, сосредоточенно нахмурился и продолжил:

— Раньше меня раздражало, когда он хватал мои покупки и распихивал их по пакетам. Я даже пару раз посылал его. Но однажды я понял, что, в сущности, он ничем не отличается от меня, и — случись со мной серьезная неприятность — мы с ним легко могли бы поменяться местами. И я перестал на него злиться.

— Зачем ты это рассказываешь? — спросила Рита.

— Затем, что в мире существуют капиталы, годовые отчеты, маржа, валютный рынок. И я нахожусь по одну сторону со всей этой бессмысленной чудовищной дребеденью, а по другую стоят такие вот старички. И усталые продавщицы. И терпеливые люди в очередях. И в них гораздо больше человечности, чем в том мире, в котором приходится обитать мне. Но самое главное — только жизнь этого никому не нужного старичка оправдывает мое собственное никчемное существование.

— Значит, тебе просто стало... стыдно? — тихо произнесла Рита.

— Стыд — не самая плохая вещь на свете, — ответил Артем.

Рита посмотрела на его худощавое скуластое лицо, и он снова показался ей похожим на усталого рыцаря, который понял, что всех драконов ему не перебить, но еще с одним он, пожалуй, справится. Она вдруг захотела обнять его, уткнуться лицом ему в грудь и так затихнуть, но тут двери лифта с лязгом разъехались в стороны. На площадке перед лифтом стояла пара ремонтников в синих спецовках с оранжевыми вставками.

— Ну, вот! — весело сказал один из них. — Можете выходить!

...На двенадцатый этаж они поднимались по ступенькам лестницы.

— Послушай, — сказал ей Артем. — То, что было в лифте...

— Да, я понимаю, — кивнула Рита. — Это была глупость. Мы просто перенервничали.

Он вдруг остановился, посмотрел на нее и сказал:

— Ты так считаешь?

— Да, — ответила Рита, тоже остановившись и посмотрев ему в глаза. — А ты... разве нет?

— Да, — сказал он. — Конечно, да. — И усмехнулся. — Ты грохнулась на пол, и я вынужден был корчить из себя джентльмена. По законам жанра. Ладно, всего хорошего!

Артем отвел взгляд и быстро поднялся по ступенькам, а затем скрылся за дверью с надписью «36». Рита задумчиво и растерянно смотрела ему вслед. В сумочке у нее зазвонил телефон. Она достала мобильник, глянула на дисплей. Звонил Виктор.

— Да, Виктор, — сказала Рита в трубку. — ...Да, конечно. Сегодня вечером? — На лице Риты отобразилась неуверенность. — Хорошо, — сказала она после паузы. — Я тебе позвоню, когда освобожусь. До вечера. ...Да, и я тебя тоже.

Рита убрала мобильник в сумку. Посмотрела на дверь, за которой скрылся Артем. А потом проговорила с горечью:

— Позер. Какой же ты позер, Артем Соколов!

Рита вздохнула. Она была расстроена, хотя сама до конца не понимала — чем именно.

6

Войдя в приемную Беклищева, Марго спросила у секретарши:

— Сергей Анатольевич у себя?

— У себя, — ответила та.

— Я звонила, он не взял трубку. Скажите ему, что мне очень нужно поговорить.

— Хорошо. Минуту. — Секретарша потянулась к коммутатору. — Сергей Анатольевич, к вам Маргарита Алексеевна, — проговорила она в динамик.

Ответа не последовало. Секретарша снова наклонилась к коммутатору.

— Сергей Анатольевич?

Беклищев не отзывался. Секретарша растерянно посмотрела на Риту.

— Он точно там? — спросила Рита.

— Да, — ответила секретарша.

Рита быстро подошла к кабинету и легонько постучала в дверь. Выждала несколько секунд и снова постучала. А потом повернула латунную ручку и открыла дверь.

Беклищева она увидела сразу. Он лежал на полу возле стола, с запрокинутым бледным лицом. Рядом валялась пустая бутылка от коньяка.

— Вызывайте «Скорую» и нашего врача! — крикнула Рита секретарше. — Быстро!

Она прошла в кабинет, присела рядом с Беклищевым и потрогала пальцами шею. Пульс был. Только сейчас она заметила, что Беклищев смотрит на нее.

— Сергей Анатольевич, вы меня слышите?

Он не отвечал. Лицо его было как бы слегка перекошено на левую сторону.

— Сергей Анатольевич, вы должны...

Он что-то замычал, приоткрыл рот, словно хотел что-то сказать, но язык его завалился к уголку губ, и Беклищев не произнес ни слова. Вбежала секретарша.

— Я вызвала «Скорую», — взволнованно, запинаясь, проговорила она, с ужасом глядя на Беклищева. — И нашего врача. Он будет через пару минут.

Рита выпрямилась. И вдруг увидела фотографии, рассыпанные по столу. Брови Риты приподнялись, глаза расширились. Рита быстро заслонила стол спиной от секретарши и сказала:

— Принесите воды! Быстрее!

Секретарша выскочила из кабинета. Рита собрала фотографии в пачку, стараясь не смотреть на них, и сунула в сумочку.

7

Артем сидел на диване в комнате отдыха, пиджак его был расстегнут, галстук съехал на сторону, темные волосы были растрепаны. Он выглядел растерянным и уставшим. Рита тихо подошла к дивану, остановилась в паре шагов от Артема и спросила:

— Ты был у него?

Артем поднял на нее взгляд. Нахмурил ломкие брови и ответил:

— Да. Только что приехал из больницы.

— Что сказали врачи?

— Инсульт. Состояние стабильно тяжелое.

— Он пришел в себя?

— Да. Только ничего не говорит. Только смотрит. — Артем вздохнул. Потом добавил: — Я никогда не видел Сергея таким. Он всегда был сильным, деятельным. А теперь лежит там...

Он не закончил фразу. Рита пристально рассматривала Артема, словно пыталась что-то понять о нем. Он тоже на нее посмотрел. Посмотрел как-то по-особенному, не так, как раньше.

— Послушай, Рита, там, в лифте...

— Да, — оборвала она. — Ты уже говорил, что мы сглупили.

— Я не думаю, что это было глупо, — сказал он, и голос его стал мягким, почти нежным. — Я вел себя, как глупый мальчишка. Задирал тебя, язвил. Вот это было глупо. А там, в лифте...

— Что? — снова перебила Рита, продолжая изучать его взглядом. — Хочешь мне в чем-то признаться?

— Признаться? — Он удивленно приподнял брови. Но тут же проговорил все тем же мягким голосом: — Да, наверное.

Артем поднялся с дивана и подошел к Рите. Взял ее руку, поднял и сжал в своих ладонях.

— Ты была права, — сказал он, глядя ей в глаза. — Я...

— Ей ты говорил то же самое? — перебила вдруг Рита. — И тоже брал ее за руку, да?

Артем непонимающе моргнул.

— Слушай, как тебе не стыдно, а? — яростно произнесла Рита и вырвала руку из его ладоней.

На худощавом лице Артема отобразилась растерянность.

— Что-то я не понимаю...

— Я думала, ты и правда хороший человек, — с болью и горечью произнесла Рита. — Деньги детдомам перечислял... Как ты там говорил? «Страховка»?

Лицо Артема дернулось, как от удара.

— Рита, прослушай...

— Замолчи! — оборвала Рита.

Она отступила на шаг, быстро расстегнула сумку, вынула фотографии и швырнула их Артему в лицо.

— Как ты мог? — проговорила она. — Он ведь твой брат!

Она повернулась и вышла из комнаты отдыха. Артем стоял на месте, ошеломленный и растерянный. Он опустил взгляд и взглянул на фотографии, рассыпавшиеся по полу. Увидел себя, профиль Лики и ее голые плечи. На его скулах вздулись желваки. Он поднял руку, провел по взъерошенным полосам ладонью и хрипло проговорил:

— Вот, значит, как!

Покинув кабинет Артема, Рита стремительно зашагала по коридору. На душе у нее было тяжело, в висках стучало, мысли теснились в больной голове.

Как он мог? — думала она. Как посмел? Чистоплюй проклятый! Дурак! А еще рассказывал ей про того несчастного старика в магазине! Позер!

Как она могла так легко купиться на его красивые слова? Как могла поверить в благородство человека, который сколотил свое состояние, обманывая и обирая простаков?

Порыв ветра со стуком распахнул где-то окно, волна пронесшегося по коридору сквозняка застудила веки, и Рита поняла, что глаза ее полны слез. Она остановилась и яростно сжала кулаки.

Хватит слез! Хватит переживаний! Больше она не будет такой дурой! Беклищев слег? Что ж, помогай ему бог. А теперь надо сделать так, чтобы его кресло пустовало недолго. Аминь!

Рита вытерла рукою глаза и хотела свернуть за угол, но тут у нее на пути появился человек — высокий, плотный, побритый наголо. Рита остановилась и вопросительно посмотрела на него. Он разомкнул губы и негромко произнес:

— Вы знаете, кто я?

— Вы Корбан, — сказала Рита. — Начальник службы безопасности. Какого черта вам тут нужно?

Он едва заметно усмехнулся и ответил:

— Кое-что нужно.

8

Был вечер. Глеб Черных шел по коридору быстрым шагом, то и дело оглядываясь и проверяя — нет ли кого поблизости. Последние дни он размышлял только об одном — как распорядиться полученной от Корбана информацией так, чтобы попасть в цель наверняка? Сперва он хотел сообщить о самозванке Беклищеву. Но босс теперь в больнице и, наверное, не скоро оттуда выйдет.

«Никогда бы не подумал, что буду жалеть о том, что Беклищева хватил кондрашка», — пронеслось в голове у Глеба. Он не удержался от усмешки.

Сегодня утром у него созрел новый план. Он знал об афере на валютном рынке, которую провернула Ковальская. И знал, что она сотрудничала с парнем из техотдела — Семеном Парщиковым.

Картинка нарисовалась следующая.

Беклищев сейчас практически «овощ». О его сговоре с Ковальской никому ничего не известно. А значит, можно все подать так, словно у бедолаги Беклищева случился инсульт, когда он узнал о том, какую змеюку пригрел на груди, и о том, какими махинациями она тут занималась. Чтобы отдать эту красивую историю журналистам, необходимо добавить к ней еще несколько штрихов. Во-первых, прижать к стене программиста Семена Парщикова (Корбан сказал, что это несложно). А во-вторых, порыться в столе у Ковальской. Содержимое этого стола может заинтересовать не только журналистов, но и полицейских. А Глеб очень хотел, чтобы ближайшие десять лет Ковальская провела на казенных нарах у вонючей параши.

Пока Корбан отвлекал Ковальскую, Глеб подошел к ее кабинету, открыл замок электронным ключом-дубликатом (добыть его для начальника службы безопасности компании не составило никакого труда) и вошел внутрь. В кабинете царил полумрак. Глеб достал из кармана ручку-фонарик, нажал на кнопку, высветил желтым лучом стол и направился к нему.

— Что-то ищете, Глеб Геннадьевич? — услышал он спокойный голос Риты.

Вспыхнул свет. Глеб резко развернулся на голос. Рита сидела в кожаном кресле, мрачно глядя на Глеба. Корбан стоял слева от нее и тоже смотрел на Глеба, пожевывая зубочистку.

— Ты? — воскликнул Глеб, изумленно глядя на Корбана.

— Маргарита Алексеевна предложила мне сотрудничать, — спокойно произнес Корбан. — И я согласился. Ничего личного.

Глеб перевел взгляд на Риту.

— Думаешь, ты умнее всех? — процедил он сквозь сжатые зубы, злобно сверкая на нее глазами. — Думаешь, ты победила, уборщица?

Он презрительно усмехнулся, затем сплюнул себе под ноги и добавил:

— Может, уберешь? Так и быть, я дам тебе денег на новую швабру.

Рита молчала, с мрачным интересом разглядывая Глеба. Он сжал кулаки и прорычал:

— Я ненавижу тебя. Ненавижу все — твои наглые глаза, твою фальшивую ухмылку, твой голос. Ты не должна быть здесь, в этом кабинете. Твое место у помойного ведра. Твое и таких, как ты.

Корбан едва заметно усмехнулся. Рита молчала, продолжая разглядывать Глеба.

— Из-за таких выскочек, как ты, — процедил он, — я вынужден зубами выгрызать себе право на успех.

Рита и на это ничего не сказала. Тогда Глеб усмехнулся и презрительно проговорил:

— А теперь я уйду. И не пробуй меня остановить, стерва.

Глеб Черных шагнул к двери, но Корбан преградил ему путь. Несколько секунд они стояли друг напротив друга — спокойный, как скала, Корбан и побагровевший от ярости Глеб. Потом Глеб повернул голову к Рите и прорычал:

— Это незаконно! Ты ничего не сможешь мне сделать!

— Ошибаешься, — спокойно возразила Рита. — Я могу разрушить твою жизнь. И это будет справедливо. Ты ведь хотел разрушить мою?

Глеб молчал, угрюмо и недоверчиво глядя на Риту.

— Я знаю про твою прошлогоднюю аферу с деривативами, — сказала она. — Знаю, как ты выманил у страховых компаний пять миллионов долларов минувшей зимой. Знаю про твои кредиты, которые ты, конечно же, не собираешься возвращать. Этого хватит, чтобы навсегда отлучить тебя от кормушки.

Глеб обратил искаженное злобой лицо к Корбану.

— Ты! — хрипло выдохнул он.

Тот пожал плечами и проговорил с кривой ухмылкой:

— Маргарита Алексеевна сделала мне предложение, от которого я не смог отказаться. Мы с ней теперь партнеры.

Глеб долго молчал, тяжело дыша и с ненавистью глядя на Риту, потом глухо проговорил:

— Чего ты хочешь?

— Я хочу, чтобы ты помог мне возглавить компанию, — сказала Рита.

Багровое лицо Глеба вытянулось от изумления.

— «Витанову»? — пробормотал он, не поверив своим ушам.

— Да, — сказала Рита.

— Но... как?

— У меня есть кое-какие идеи на этот счет, — сказала Рита. — Но мне нужны союзники. Ты согласен стать одним из них?

— А... как же Артем? — растерянно произнес Глеб.

По лицу Риты пробежала тень.

— Человек, который спит с женой свого брата? — Она усмехнулась уголками губ. — Нет. Он нам не нужен. Кажется, он уходит в реальный сектор? Вот и пусть себе идет.

— Но он может...

— Ничего он не сможет, — оборвала Рита. — Я об этом позабочусь. Так ты станешь моим союзником? Или предпочитаешь сдохнуть в нищете?

Глеб тяжело вздохнул и пробормотал:

— Я буду... Буду твоим союзником.

— Вашим, — сказал Корбан. И подчеркнул: — *Вашим* союзником.

— Вашим, — послушно буркнул Глеб.

— Хорошо. — Рита тронула пальцами лоб и устало произнесла: — А теперь — пошел прочь. Когда понадобишься — вызову.

Глеб повернулся и вышел из кабинета.

— Маргарита Алексеевна, — заговорил Корбан, — вы не спрашивали — я не рассказывал. Но если вам интересно... Те фотографии... ну, на которых Артем и Лика... они постановочные.

— Что? — то ли не поняла, то ли не расслышала Рита.

— Это идея Глеба Геннадьевича, — сказал Корбан. — Черных хотел подставить Артема, чтобы отвести подозрение от себя. И у него это получилось.

9

Рита шла по вечерней заснеженной улице, и ей казалось, что она задыхается. Мимо витрин с наряженными новогодними елками, мимо окон уютных кафе, мимо деревьев, украшенных голубыми фонариками гирлянд. Норковая шубка ее была расстегнута, но Рита не чувствовала холода. Ветер холодил заплаканные, раскрасневшиеся глаза. Сумятица мыслей не давала ей сосредоточиться, и она чувствовала себя так, будто заблудилась в темном лесу и никак не могла найти выход.

Она шла и шла, не зная, куда идет. И шла так, пока вдруг не обнаружила, что стоит у здания вокзала.

Она остановилась как вкопанная, в замешательстве глядя на это здание. Почему ноги привели ее сюда? Наверное, потому, что это то самое место, откуда все начиналось — тогда, два с половиной месяца назад. Новая жизнь. Светлое будущее. Вон из-за памятника Ленину торчит крыша бежевой пятиэтажки, откуда ее выгнали.

Рита вдруг вспомнила, что теперь она богата и что при желании могла бы купить всю эту пятиэтажку со всеми ее проклятыми жильцами. ...Но счастлива ли она теперь? Счастливы ли ее дети? Рита постаралась припомнить, когда в последний раз беседовала с детьми... И не смогла.

Конечно, с горечью подумала она. У них ведь теперь есть няньки. Есть репетиторы, которые обучают их языкам и готовят к поступлению в престижные частные школы. Уже пришли приглашения из английского Итон-колледжа и швейцарского Institute Le Rosey. А что потом? Кембридж, Гарвард, Оксфорд, Йель? И вся их жизнь пройдет мимо нее, Риты, потому что они будут далеко, за тысячи километров от нее, и она будет видеть их только во время каникул и по праздникам. А где будет она сама? Так ли свободна она будет, как мечтала? И свободна от кого? От детей? От самой себя?

Рита тронулась с места и вошла в здание вокзала. Здесь все напоминало о ее прошлой жизни. Грязный пол, урна с грудой окурков вокруг, запах рассольника, долетавший из столовой. Снова хмурые люди в темных дешевых куртках, недоверчиво, с любопытством и завистью поглядывая на нее, яркую куклу в норковой шубке «Блэкглама», в нелепых зимой туфлях «Лубутэн» и с сумкой «Гуччи» в ухоженных руках.

Что у нее общего с этими людьми? Кто они вообще такие? А кто теперь она сама?

Рита хотела достать из сумки платок, чтобы промокнуть мокрые от выступивших слез глаза, и в эту секунду мужской голос негромко, но четко произнес у нее за спиной:

— Не оборачивайтесь. И слушайте меня внимательно.

Рита повернула было голову:

— Что вы...

— Я сказал — не оборачивайтесь! — перебил ее мужчина. — За нами могут наблюдать. Сядьте на скамейку. Я сяду с другой стороны. И не смотрите в мою сторону, даже когда будете со мной говорить. Садитесь же!

Рита еще секунду стояла, не зная, как поступить. В голосе мужчины прозвучали искренние нотки беспокойства и страха, и она решила сделать, как он просит.

Рита прошла к скамье и села. Теперь она видела своего собеседника. Высокий, в темном пальто, с бородой — он прошелся по вокзалу, внимательно поглядывая по сторонам, затем тоже подошел к скамейке и сел с другой стороны, так, что теперь они сидели практически спиной к спине.

— Что вам нужно? — спросила Рита, чуть повернув голову, но не глядя на бородатого мужчину.

— Моя фамилия Старостин, — сказал он, не оборачиваясь. — Я нейрофизиолог. — И добавил глухо: — Простите, что втянул вас в это.

— Во что?

Он тоже чуть повернул голову и тихо сказал:

— Укол. Помните?

Она вспомнила все раньше, чем он закончил фразу.

— Вы были в той машине?! — воскликнула она.

— Да, — сказал мужчина. — Только прошу вас — потише.

Рита перевела дух.

— Значит, мне не померещилось, — сказала она. — Что вы мне вкололи?

— Вы сами знаете. С вами ведь за последние два месяца произошло много перемен, не так ли?

— Это все из-за укола?

— Да. Это «M8MB7», экспериментальный препарат, призванный улучшить мозговое кровообращение. По крайней мере, таким он поначалу задумывался. Но потом мы выяснили, что носферон не только улучшает кровообращение, но и стимулирует определенные участки мозга.

— Те, которые отвечают за когнитивную гибкость, абстрактное мышление и семантическую память? — уточнила Рита.

— Да, — сказал незнакомец.

— Это связано с синтезом нейромедиаторов?

— Да. — Незнакомец едва заметно усмехнулся. — Вижу, вы интересовались этим вопросом.

— Я пыталась выяснить, что со мной. Посмотрела кое-какие статьи в Википедии.

— Думаю, не только в Википедии. Вы запоминаете все, на что бросили взгляд, верно?

— Да.

— Вы помните все тексты, которые когда-либо читали, все разговоры, в которых участвовали, все визуальные изображения, которые видели.

— Да.

— Но вы сумели не сойти с ума от обилия информации. Как вам это удалось?

— Замок, — сказала Рита. — Я построила в своем сознании замок с огромной библиотекой, залами, комнатами и чуланами. Когда мне что-то нужно...

— Вы просто идете в нужную комнату, — закончил за нее профессор. — Отличный метод структурирования информации. Хотя и далеко не новый.

Рита хрипло вздохнула.

— Зачем вы сделали мне тот укол?

— У меня не было другого выхода. Это была единственная пробирка. Остальное сгорело вместе с лабораторией.

— Ваши преследователи хотели забрать ее у вас?

— Да.

— Но почему вы просто не разбили ее?

Он пару секунд молчал, потом проговорил с горечью в голосе:

— Я работал над этим препаратом несколько лет. И я... Я не мог его уничтожить.

— Но ведь его все равно больше нет!

— Зато есть вы. Ваш организм — система, и носферон стал структурным элементом этой системы. Он запустил процесс беспрерывного самосинтеза, и его можно выделить из ваших органов.

— Из моих органов?

— Да. — Незнакомец перевел дух. — И кое-кто хочет вас заполучить.

Сердце Риты забилось учащенно, она быстро и испуганно посмотрела по сторонам. А затем спросила с отчаянием:

— Как мне от этого избавиться? Как вывести эту дрянь из организма?

Старостин молчал.

— Может, есть какое-нибудь противоядие? — снова заговорила Рита. — Или мне надо сделать переливание крови? Что мне делать?

— Ничего, — сказал профессор. — Вы — единственный донор для миллионов реципиентов. Препарат будет самовоспроизводиться, пока жив ваш мозг. Это не остановить.

Рита молчала, не зная, что сказать, и пытаясь осмыслить все услышанное.

— Ваш мозг функционирует в предельных режимах. Рано или поздно вас постигнет та же участь, что и других испытуемых.

— И что мне грозит?

— В лучшем случае — тяжелая инвалидность. В худшем — смерть.

Сердце Риты словно бы остановилось в груди.

— Значит, единственный способ снова стать нормальной — это умереть? — дрогнувшим голосом спросила она.

Профессор пару секунд не отвечал, а затем виновато проговорил:

— Простите. Я постараюсь что-нибудь придумать. Но мне нужно время.

Она повернула голову и посмотрела на него. Он смотрел куда-то в сторону, и во взгляде его вдруг появилась тревога.

— *Они* здесь! — быстро проговорил он вдруг. — Мне надо идти. Вам нужно бежать — как можно дальше! *Они* постоянно мониторят информацию, и однажды обязательно вас найдут.

— Кто «они»? — спросила Рита.

Но профессор уже поднялся со скамьи.

— Вон мой телефон, — сказал он и бросил ей на колени кусок картонки с цифрами. — Позвоните мне через пару дней с телефона-автомата.

Старостин повернулся и, не прощаясь, быстро зашагал прочь.

— Профессор! — негромко окликнула его Рита.

Он вздрогнул, ссутулился и ускорил шаг. Рита вздохнула. И вдруг обратила внимание на двух крепких молодых мужчин в темных куртках, которые вошли в зал и стали быстро оглядывать толпу. Затем один из них увидел удаляющегося профессора, он коротко сказал что-то своему спутнику, и оба быстро пошли за профессором.

Рита сунула обрывок картона с номером в сумочку, поднялась со скамьи. Профессор и мужчины уже скрылись из вида. Рита пошла за ними. Откуда-то со стороны киосков донесся женский крик. Стала собираться толпа, Рита поспешила туда.

Пробившись через небольшую толпу зевак, она увидела профессора Старостина. Он лежал на полу. Под головой у него медленно растекалась лужа темно-красной, вязкой, как сироп, крови.

— Он упал! — воскликнула какая-то женщина. — Я видела! Сначала побежал, потом поскользнулся, упал и ударился об угол киоска!

— Да, я тоже видела! — затараторила другая. — Он просто поскользнулся!

И тут Рита увидела тех двух парней в темных куртках. Они стояли в толпе со спокойными лицами, быстро и зорко поглядывая по сторонам. Один из них вдруг остановил на ней свой цепкий холодный взгляд. Рита отвернулась и пошла прочь. Она шла с быстро бьющимся сердцем, каждую секунду ожидая услышать за спиной шаги преследователей. Но не услышала.

Дойдя до выхода из здания вокзала, Рита не выдержала и обернулась. Толпа по-прежнему обступала мертвого профессора, но парней в куртках там уже не было.

Рита вышла на улицу. И вдруг явственно поняла, что за ней наблюдают. Она огляделась и увидела машину такси. Быстро подошла к ней, открыла дверцу и прыгнула на заднее сиденье.

— Езжайте прямо! — быстро проговорила она водителю.

Тот посмотрел на нее в зеркальце заднего обзора и недовольно нахмурился.

— Барышня, мне нужен адрес.

Рита выглянула в окно и увидела двух парней в темных куртках. Они быстро шли от здания вокзала. Времени на дискуссии не было, Рита вынула из сумочки кошелек, достала из него пачку банкнот и, не считая, сунула их водителю.

— Возьмите! И езжайте прямо!

Водитель не стал спорить. Взяв деньги, он завел машину и быстро тронул ее с места. Рита обернулась. Парни в темных куртках запрыгнули в бежевый седан, и он тут же сорвался с места.

— Видите тот седан? — спросила Рита у водителя такси.

Тот глянул в зеркальце и сказал:

— Ну.

— Сумеете от него оторваться, получите еще столько же.

Водитель усмехнулся:

— Не вопрос!

И прибавил газу.

Он оказался настоящим профессионалом, минуты через три они уже петляли по переулкам города, оторвавшись от преследователей.

— Ну, как? — весело спросил водитель.

— Отлично! Спасибо вам!

— Куда дальше? — спросил он.

Рита задумалась. Домой ей сейчас ехать было нельзя. В офис — тоже. ...И вдруг страшная мысль пронзила ей сердце. Она выхватила из сумочки телефон, быстро набрала номер и прижала трубку к уху.

— Лешка, это мама! — взволнованно проговорила она в трубку. — У вас все в порядке? ...Слава богу! Виктор дома? ...Нет? Тогда слушай меня внимательно. Забирай Лизу и уходите из квартиры! Да, прямо сейчас! ...Куда? — Она задумалась, прикусив губу. — Через дорогу от нашего дома есть развлекательный центр. Идите туда! ...Да, сейчас же! Я надеюсь на тебя, сынок! Перезвоню через пять минут!

Рита убрала телефон от уха.

— Выезжайте на магистраль, потом скажу адрес! — сказала она водителю.

Он кивнул, тут же свернул направо и погнал машину по переулку к магистрали.

10

Уже пару минут они ехали по направлению к дому Риты, когда она снова почувствовала преследователей. Они были где-то тут, рядом, ехали за ней по пятам, а, возможно, даже опережали ее.

«Черт, ведь это же так просто! — подумала Рита. — Они знали, что я поеду к детям, и просто караулили меня на всех дорогах, по которым я могла проехать!»

А если не знали? ...Значит, она сама приведет их к детям? Нет, этого нельзя допустить. Внезапно водитель резко затормозил, так что Рита ударилась о переднее сиденье. Машина остановилась.

— Черт! — в сердцах воскликнул водитель.

Рита глянула вперед и увидела столпотворение машин. И только сейчас до нее дошло, что на улице слишком шумно — крики людей, гудки автомобилей, вой полицейских сирен.

— Что там? — спросила Рита.

— Авария! — ответил водитель. — Сразу несколько машин! Первая впаялась в молоковоз, а другие в нее!

— Мы можем объехать? — спросила Рита.

Водитель дернул щекой и проговорил с досадой:

— Да какое там!

Рита, не тратя времени на вопросы, открыла дверцу и выскочила из машины. Быстро огляделась. На дороге творился ад. Она увидела полицейских и двинулась было к ним, но тут на пути у нее появился один из тех двух парней. Он выхватил из-за пояса пистолет и направил на Риту. Кричать было бесполезно — в адском шуме никто бы ничего не услышал. Рита повернулась и побежала в сторону переулка. Но там ее поджидали еще двое — оба коренастые, оба в темных куртках.

Рита развернулась и устремилась вверх по улице. Успела пробежать метров двадцать, как вдруг увидела еще одного — он целился в нее из странного пистолета с красной точкой в стволе.

«Снотворное!» — поняла Рита.

Она почувствовала, как его палец коснулся гладкой прохлады спускового крючка. Рита резко остановилась и вперила взгляд в лицо парня.

«Нет!» — беззвучно воскликнула она.

Парень вдруг скорчился, выронил пистолет и, схватившись руками за голову, громко застонал. Рита бросилась к нему, быстро подбежала, подхватила с асфальта пистолет, развернулась и, почти не целясь, выстрелила в сторону преследователей.

Один из парней остановился, словно наткнулся на невидимую стену, и опустил взгляд на свою грудь, из которой торчало красное оперение пули-шприца.

Второй парень выстрелил в Риту, но она успела отпрыгнуть в сторону. Потом отбросила пистолет и побежала дальше. У дороги были припаркованы два автомобиля, и Рита, сама не зная как, поняла, что владелец одной из них позабыл ключ в замке зажигания.

Она ринулась к машине, но за спиной прогрохотал выстрел, и боковое стекло машины взорвалось фейерверком стеклянных брызг. Путь к машине был отрезан. Рита огляделась. Опасность была повсюду, и она не знала, какой путь выбрать. Слева — опасность! Справа — опасность! Куда бежать? И вдруг она увидела подвесной автомобильный мост, под которым мерцала, отражая фонари, темная поверхность реки. Возможно, за мостом ее никто не ждет. А значит — она может попытаться скрыться!

Рита бросилась к мосту. Меньше чем за минуту добежала до него и оглянулась. Преследователей не было видно. В голове у Риты мелькнула мысль, что преследователи — вовсе не преследователи, а загонщики! И что они гнали ее к *этому мосту!*

Но отступать было поздно, и Рита побежала дальше. Добежав до середины моста, она остановилась и снова оглянулась. Мост был пуст, ни людей, ни машин, ни преследователей. Впереди тоже было пусто — только сумеречные улицы и тусклые желтки фонарей. Каким-то образом *им* удалось перекрыть дорогу не только здесь, но и за мостом. А это значит...

«Это значит, я попалась!» — с отчаянием подумала Рита.

Она вдруг поняла, что идти дальше не имеет смысла. И что все решится здесь и сейчас. А раз так...

Рита достала из сумочки мобильник и набрала номер сына.

— Алло, Лешка! — выдохнула она в трубку. — Где вы? ... Молодцы! Оставайтесь там! ...Что? Виктор с вами? — Рита неуверенно закусила губу, а потом решилась: — Дай ему, пожалуйста, трубку.

Она выждала секунду, поглядывая по сторонам.

— Виктор? Послушай... Нет, просто послушай. Ты должен уйти. Да, уйти! Попроси у Нины прощения. Скажи, что любишь ее и никогда больше не предашь. ...Не перебивай! Ты ведь и сам собирался уйти, правда? Просто не мог решиться. Если она тебя простит — никогда больше ее не обижай. Она — лучшее, что есть в твоей жизни. И позаботься о Лешке с Лизой. Прощай!

Рита отключила связь и бросила мобильник в реку. Затем повернулась и увидела то, что ожидала увидеть. Высокий, сухопарый человек в длинном пальто неторопливо шел к ней по мосту.

11

Мужчина остановился в нескольких шагах от Риты и посмотрел на нее с любопытством энтомолога, обнаружившего бабочку с нетипичным рисунком крыльев.

— Здравствуйте, Маргарита Алексеевна! — сказал он и улыбнулся сухими губами. — Давно хотел с вами встретиться. Вы меня знаете, не так ли?

Рита хмуро смотрела на мужчину. Лицо его было ей знакомо.

— Я вас видела, — сказала она. — В кошмарном сне.

Он снова улыбнулся, хотя ничего забавного в ее словах не было.

— Моя фамилия Кальпиди, — проговорил он, продолжая разглядывать Риту. — Вы, конечно, понимаете, что сопротивляться бесполезно.

— Не уверена.

— Вы про того парня? Забраться к нему в голову не составило для вас труда. Но со мной такой фокус у вас не пройдет.

— Забраться в голову?

— Думаете, у вас это впервые? — Он покачал головой. — Нет. Вы и раньше это делали. Помните главу Центробанка? Вы подключились к его компьютеру и скачали оттуда всю информацию. Но дело в том, что все «сторонние» сигналы компьютера были заблокированы. Он сам отключил блокиратор. А знаете почему? ...Вы заставили его это сделать.

— Не может быть, — тихо проговорила Рита.

Она вспомнила, как Эдгар Чанышев полез в портфель, вспомнила его рассеянное лицо...

— Вы сами не знаете, на что способны, — сказал Кальпиди. — Но это уже не важно. Сейчас вы пойдете со мной.

— Нет, — сказала Рита. И устремила на него яростный взгляд.

Кальпиди чуть поморщился.

— Сопротивляться бесполезно, — сказал он. — Я на порядок сильнее вас.

— Я сказала — нет!

«Прочь!» — мысленно приказала Рита, вложив в этот приказ всю свою ярость.

Кальпиди слегка побледнел и отступил на шаг. Но тут же остановился и посмотрел Рите в глаза. В ту же секунду острая боль пронзила голову Риты — от затылка ко лбу, в висках у нее запульсировало, перед глазами потемнело.

«Сопротивляться бесполезно, — услышала она голос своего противника, но звучал он у нее прямо в голове. — Вы только сделаете себе хуже».

Рита собрала волю в кулак и попыталась выбросить противника из своего сознания. У нее почти получилось, но вдруг боль усилилась, а потом сделалась страшной и нестерпимой — словно кто-то продел раскаленный железный провод сквозь ее мозг.

Рита вскрикнула и, схватившись за голову, рухнула на колени. Из носа у нее закапала на асфальт кровь, перед глазами засверкали всполохи.

— Пожалуйста... — хрипло прошептала Рита. — Не надо...

— Не сопротивляйтесь, — сказал Кальпиди. — Этим вы делаете себе только хуже.

Он усилил давление. Рита хрипло вскрикнула, повалилась на асфальт и, сжав голову ладонями, громко застонала. Ей показалось, что в голове у нее что-то взорвалось и череп вот-вот разлетится на куски.

Она с трудом приоткрыла глаза и посмотрела на сухопарого человека, стоявшего перед ней. Она видела его как бы сквозь кровавую пелену, и лицо его, искаженное этой пеленой, показалось ей рылом свиноподобного монстра, а усмешка — чудовищным плотоядным оскалом.

Рита до крови закусила губу, чтобы снова не застонать. Взгляд ее вдруг наткнулся на рекламный щит, висевший над полотном дороги и освещенный светом фонарей.

То ли Санта-Клаус, то ли моложавый Дед Мороз (белое лицо, красные щеки, седая бородка) улыбался Рите с рекламного щита в тридцать два зуба и показывал пальцем на рекламную надпись, которая гласила:

ХОЧЕШЬ БЫТЬ УСПЕШНОЙ И СЧАСТЛИВОЙ?
РАСКРОЙ СВОЙ ПОТЕНЦИАЛ!
ТЕЛ. ТРЕНИНГОВОЙ СЛУЖБЫ (08) 11-50-36

— Ноль-восемь-один-один-пять... — машинально пробормотала Рита.

Это были те самые цифры, которые преследовали ее в видениях последние два месяца. Но что это значит? Каким-то образом она знала, что увидит их здесь? ...И дала себе подсказку?

Рита еще раз посмотрела на улыбающегося рекламного человека, на его улыбку, на его палец, направленный на рекламную надпись. ...Нет, не только на нее. Палец указывал на стальной трос моста.

— Мы застряли в лифте! — прозвучал в ушах у Риты голос Артема.

— Проблемы с тросами, — ответил ему другой голос. — Сработал аварийный фиксатор.

«Проблемы с тросами...» — пронеслось в голове у Риты.

Она посмотрела на трос подвесного моста — толстый, стальной.

Но что она может с ним сделать?

РАСКРОЙ СВОЙ ПОТЕНЦИАЛ! — напомнил ей рекламный Санта-Клаус.

Рита взглянула на мощный пилон моста, скользнула взглядом по цепи и остановилась там, где к цепи крепился ближайший к ней трос-держатель. Она представила себе, что боль, разрывающая ее голову, — это река, и все, что сейчас нужно, — это перенаправить эту реку боли в другое русло. Заставить поток чуждой, разрушительной, злой энергии течь в нужном ей направлении. Нужно только сосредоточиться. Но как это сделать? Мысли разбегаются. В голове калейдоскоп образов.

Нужно на чем-то сконцентрироваться! Когда балерины делают фуэте, они выбирают в зрительном зале одного человека и фиксируют на нем свой взгляд. Это помогает избавиться от головокружения.

Рита представила себе, что цифры, которые она видела на рекламном плакате, это мысли, на которых ей нужно сконцентрироваться.

— Ноль-восемь-один-один-пять-ноль... — машинально зашептала она.

— Что вы задумали? — подозрительно спросил Кальпиди. — Куда вы смотрите?

Что-то заскрежетало у него за спиной. Кальпиди быстро обернулся, но было поздно — раздался оглушительный грохот, лопнувший стальной трос черной молнией взрезал сумрак ночи и со свистом обрушился на голову Кальпиди. В тот же миг последний, разрушительный залп боли раскаленной пулей пронзил голову Риты, что-то вспыхнуло у нее перед глазами, и она отключилась.

12

Это был не лес и не парк, а скорее фруктовый сад, ухоженный, прохладный, пахнущий яблоневым цветом. Среди ветвей, густо покрытых белыми цветами, стоял невысокий худой мальчик.

— Саша? — изумленно проговорила Рита. — Сынок, это ты?!

Он улыбнулся:

— Да, мама.

Рита бросилась к сыну, опустилась перед ним на колени, обняла его, покрыла его лицо поцелуями, а потом прижала к себе крепко-крепко и прошептала:

— Не отпущу. Теперь мы снова вместе. Навсегда!

— Нет, мама, — проговорил он негромким, мягким голосом.

Она отпрянула и удивленно посмотрела на худое личико сына.

— Саша, почему ты так говоришь?

— Мы не можем быть вместе, — сказал он. — Не сейчас. Твое место не здесь.

— Но я так виновата перед тобой, — со слезами на глазах сказала Рита.

— Ты ни в чем не виновата. — Саша улыбнулся. — Мам, правда. Никто не виноват. Позаботься о младших. О Лешке и Лизе. Ты нужна им.

Рита хотела возразить, но он сделал предостерегающий жест, потом опустил ладонь Рите на голову и нежно погладил ее по волосам.

— Все будет хорошо, мама, — сказал он. — Пожалуйста, поверь мне.

Рита взяла руку сына и прижала к губам. Кожа у него была теплая, живая.

— Тебе пора, мама, — сказал Саша.

Он осторожно и мягко высвободил свою руку. Рита попыталась удержать его ладонь, но он отрицательно покачал головой. Пальцы Риты замерли в пустоте, по щекам ее покатились слезы.

— Я не смогу без тебя, — сказала она.

— Сможешь, — негромко сказал Саша.

— Я не хочу тебя забывать!

— Не забудешь, — с улыбкой сказал он.

Глядя на Риту спокойно и ласково, он стал отдаляться. Рита хотела бежать за ним, но что-то удержало ее.

— Саша! — крикнула она в последний раз.

Он улыбнулся ей и растаял в темноте.

...Рита приоткрыла глаза, но тут же снова зажмурила их от света. Она услышала мерный писк сердечного монитора и ровный, негромкий шум какого-то аппарата. Рита снова открыла глаза, на этот раз осторожно. Посмотрела на белые плиты потолка с рядами черных вентиляционных отверстий. Скосила взгляд на монитор. И пробормотала:

— Я жива.

* * *

Врач — солидный, седоусый, похожий на Эйнштейна — проведя осмотр и пожелав ей скорого выздоровления, ушел. А вместо него в палату вошел Артем. Подошел к кровати, сел на белый табурет и с улыбкой посмотрел на Риту.

— Ну, что сказал наш эскулап? — поинтересовался он.

— Что я почти здорова, — ответила Рита.

— Значит, так и есть, — кивнул Артем. — Твой врач — дядька солидный, зря говорить не станет. Кстати, минут через десять приедут Лешка с Лизой. Они уже в пути. Лешка купил тебе букет тюльпанов. А Лиза вышила салфетку.

Рита улыбнулась.

— Астры.

— Что?

— Это будут астры, а не тюльпаны. Они у меня молодцы, правда?

— Не то слово, — с легким замешательством проговорил Артем.

Рита помолчала, разглядывая его лицо, потом сказала:

— Врач сказал, что мое сердце не билось целых три минуты.

— Было дело, — кивнул Артем.

— Я была мертва. По-настоящему. Страшно, правда?

— Да нет. — Артем пожал плечами. — Такое часто происходит.

— И тебя это не пугает?

— Меня? Ничуть. — Артем улыбнулся. — Мне всегда нравились зомби.

Рита засмеялась, но тут же оборвала смех и чуть скривилась — голова все еще побаливала.

— Все в порядке? — насторожился Артем.

— Да, — ответила она. — Все хорошо.

— А дальше будет еще лучше, — пообещал ей Артем.

— Да, — сказала Рита. — Я знаю.

Она выпростала из-под одеяла руку и неторопливо погладила его ладонью по щеке.

— Хочешь, я расскажу тебе, как все будет? ...Мы с тобой поженимся. Ты будешь хорошим отцом для Лизы и Лешки. Через полтора года у нас родится дочка. Мы назовем ее Мария — в честь твоей матери. Машка вырастет и будет увлекаться танцами, а ты будешь смотреть, как она танцует, покачивать головой и по-стариковски ворчать: «И это называется «танцы»? Вот в наше время были танцы. А это... это просто обезьяньи скачки какие-то».

— Обезьяньи скачки? — засмеялся Артем.

— Да, — сказала Рита. — Это будет твоя любимая фраза. Мы с Машкой будем смеяться, глядя на твое сердитое лицо. Ты снова начнешь ворчать, а потом не выдержишь и тоже засмеешься. И это будет здорово!

— Будем надеяться, что все действительно так и будет, — сказал Артем, нежно поглаживая пальцами ее руку.

— Так и будет. Я это знаю. А с Ниной я помирюсь. И она даже будет приходить к нам в гости.

— С какой Ниной? — не сразу понял Артем.

— С моей подругой. Ты с ней уже встречался, помнишь?

— Смутно.

— Ничего. Сегодня ты познакомишься с ней получше.

— Сегодня?

Рита улыбнулась:

— Прямо сейчас.

В дверь негромко постучали.

ГЛАВА 1

Психотерапевт Иван Кравцов сидел у окна в мягком плюшевом кресле. Из открытой форточки доносился уличный гул; дерзкий весенний ветер трепал занавеску и нагло гулял по комнате, выдувая уютное тепло. Джек (так его величали друзья в честь персонажа книги про доктора Джекила и мистера Хайда) чувствовал легкий озноб, но не предпринимал попыток закрыть окно. Ведь тогда он снова окажется в тишине — изматывающей, ужасающей тишине, от которой так отчаянно бежал.

Джек не видел окружающий мир уже месяц. Целая вечность без цвета, без света, без смысла. Две операции, обследования, бессонные ночи и попытки удержать ускользающую надежду — и все это для того, чтобы услышать окончательный приговор: «На данный момент вернуть зрение не представляется возможным». Сегодня в клинике ему озвучили неутешительные результаты лечения и предоставили адреса реабилитационных центров для инвалидов по зрению. Он вежливо поблагодарил врачей, приехал домой на такси, поднялся в квартиру и, пройдя в гостиную, сел у окна.

Странное оцепенение охватило его. Он перестал ориентироваться во времени, не замечая, как минуты превращались в часы, как день сменился вечером, а вечер — ночью. Стих суетливый шум за окном. В комнате стало совсем холодно.

Джек думал о том, что с детства он стремился к независимости. Ванечка Кравцов был единственным ребенком в семье, однако излишней опеки не терпел абсолютно. Едва научившись говорить, дал понять родителям, что предпочитает полагаться на свой вкус и принимать собственные решения. Родители Вани были мудры, к тому же единственный сын проявлял удивительное для своего возраста здравомыслие. Ни отец, ни мать не противились ранней самостоятельности ребенка. А тот, в свою очередь, ценил оказанное ему доверие и не злоупотреблял им. Даже в выпускном классе, когда родители всерьез озаботились выбором его будущей профессии, он не чувствовал никакого давления с их стороны. Родственники по маминой линии являлись врачами, а дедушка был известнейшим в стране нейрохирургом. И хотя отец отношения к медицине не имел, он явно был не против, чтобы сын развивался в этом направлении.

Ожесточенных споров в семье не велось. Варианты дальнейшего обучения обсуждались после ужина, тихо и спокойно, с аргументами «за» и «против». Ваня внимательно слушал, озвучивал свои желания и опасения и получал развернутые ответы. В итоге он принял взвешенное решение и, окончив школу, поступил в мединститут на факультет психологии.

Ему всегда нравилось изучать людей и мотивы их поступков, он умел докопаться до истинных причин их поведения. Выбранная специальность предоставляла Джеку широкие возможности для совершенствования таких навыков. За время учебы он не пропустил ни одной лекции, штудируя дополнительные материалы и посещая научные семинары. К последнему курсу некоторые предметы студент Кравцов знал лучше иных преподавателей.

Умение видеть то, чего не видит большинство людей, позволяло ему ощущать себя если не избранным, то хотя бы не частью толпы. Даже в компании близких друзей Джек всегда оставался своеобразной темной лошадкой, чьи помыслы крайне сложно угадать. Он никогда не откровенничал, рассказывал о себе ровно столько, сколько нужно для поддержания в товарищах чувства доверия и сопричастности. Они замечали его уловки, однако не делали из этого проблем. Джеку вообще повезло с приятелями. Они принимали друг друга со всеми особенностями и недостатками, не пытались никого переделывать под себя. Им было весело и интересно вместе. Компания образовалась в средних классах школы и не распадалась долгие годы. Все было хорошо до недавнего времени...

Когда случился тот самый поворотный момент, запустивший механизм распада? Не тогда ли, когда Глеб, терзаемый сомнениями, все-таки начал пятый круг? Захватывающий, прекрасный, злополучный пятый круг...

Еще в школе они придумали игру, которая стала их общей тайной. Суть игры заключалась в том, что каждый из четверых по очереди озвучивал свое желание. Товарищи должны помочь осуществить его любой ценой, какова бы она ни была. Первый круг состоял из простых желаний. Со временем они становились все циничней и изощренней. После четвертого круга Глеб решил выйти из игры. В компании он был самым впечатлительным. Джеку нравились эксперименты и адреналин, Макс не любил ничего усложнять, а Елизавета легко контролировала свои эмоции. Джек переживал за Глеба и подозревал, что его склонность к рефлексии еще сыграет злую шутку. Так и произошло.

Последние пару лет Джек грезил идеей внушить человеку искусственную амнезию. Его всегда манили эксперименты над разумом, но в силу объективных причин разгуляться не получалось. Те немногие пациенты, которые соглашались на гипноз, преследовали цели незамысловатые и предельно конкретные, например, перестать бояться сексуальных неудач. С такими задачами психотерапевт Кравцов справлялся легко и без энтузиазма. Ему хотелось большего.

Чуть меньше года назад идея о собственном эксперименте переросла в намерение. Обстоятельства сложились самым благоприятным образом: Глеб, Макс и Елизавета уже реализовали свои желания. Джек имел право завершить пятый круг. И он не замедлил своим правом воспользоваться.

Они нашли подходящую жертву. Подготовили квартиру, куда предполагалось поселить лишенного памяти подопытного, чтобы Джеку было удобно за ним наблюдать. Все было предусмотрено и перепроверено сотню раз и прошло бы без сучка и задоринки, если бы не внезапное вмешательство Глеба.

Он тогда переживал не лучший период в жизни — родной брат погиб, жена сбежала, отношения с друзьями накалились. Но даже проницательный Джек не мог предположить, насколько сильна депрессия Глеба. Так сильна, что в его голове родилась абсолютно дикая мысль — добровольно отказаться от своего прошлого. Глеб не желал помнить ни единого события прежней жизни. Он хотел умереть — немедленно и безвозвратно. Джек понимал, что если ответит Глебу отказом, тот наложит на себя руки. И Кравцов согласился.

К чему лукавить — это был волнующий опыт. Пожалуй, столь сильных эмоций психотерапевт Кравцов не испытывал ни разу. Одно дело ставить эксперимент над незнакомцем и совсем другое — перекраивать близкого человека, создавая новую личность. Жаль, что эта новая личность недолго находилась под его наблюдением, предпочтя свободу и сбежав от своего создателя. Джек утешился быстро, понимая: рано или поздно память к Глебу вернется, и он появится на горизонте. А чтобы ожидание блудного друга не было унылым, эксперимент по внушению амнезии можно повторить с кем-то другим[1].

Джек поежился от холода и усмехнулся: теперь ему сложно даже приготовить себе завтрак, а уж об играх с чужим сознанием речь вообще не идет. Вот так живешь, наслаждаясь каждым моментом настоящего, строишь планы, возбуждаешься от собственной дерзости и вдруг в один миг теряешь все, что принадлежало тебе по праву. Нелепое ранение глазного яблока — такая мелочь для современной медицины. Джек переживал, но ни на секунду не допускал мысли, что навсегда останется слепым. Заставлял себя рассуждать здраво и не впадать в отчаяние. Это было трудно, но у него просто не оставалось другого выхода. В критических ситуациях самое опасное — поддаться эмоциям. Только дай слабину — и защитные барьеры, спасающие от безумия, рухнут ко всем чертям. Джек не мог так рисковать.

В сотый раз мысленно прокручивал утренний разговор с врачом и никак не мог поверить в то, что ничего нельзя изменить, что по-прежнему никогда не будет и отныне ему предстоит жить в темноте. Помилуйте, да какая же это жизнь? Даже если он научится ориентироваться в пространстве и самостоятельно обеспечивать себя необходимым, есть ли смысл в таком существовании?

К горлу подступила тошнота, и Джеку понадобились усилия, чтобы справиться с приступом. Психосоматика, чтоб ее... Мозг не в состоянии переварить ситуацию, и организм реагирует соответствующе. Вот так проблюешься на пол и даже убраться не сможешь. Макс предлагал остаться у него, но Джек настоял на возвращении домой. Устал жить в гостях и чувствовать на себе сочув-

---

[1] Читайте об этом в романах Татьяны Коган «Только для посвященных» и «Мир, где все наоборот», издательство «Эксмо».

ствующие взгляды друга, его жены, даже их нелепой собаки, которая ни разу не гавкнула на незнакомца. Вероятно, не посчитала слепого угрозой.

Вопреки протестам Макса, несколько дней назад Джек перебрался в свою квартиру. В бытовом плане стало труднее, зато отпала необходимость притворяться. В присутствии Макса Джек изображал оптимистичную стойкость, расходуя на это много душевных сил. Не то чтобы Кравцов стеснялся проявлений слабости, нет. Просто пока он не встретил человека, которому бы захотел довериться. Тот же Макс — верный друг, но понять определенные вещи не в состоянии. Объяснять ему природу своих страхов и сомнений занятие энергозатратное и пустое. Они мыслят разными категориями.

В компании ближе всех по духу ему была Елизавета, покуда не поддалась неизбежной женской слабости. Это ж надо — столько лет спокойно дружить и ни с того ни с сего влюбиться. Стремление к сильным впечатлениям Джек не осуждал. Захотелось страсти — пожалуйста, выбери кого-то на стороне да развлекись. Но зачем поганить устоявшиеся отношения? Еще недавно незрелый поступок подруги, как и некоторые другие события, всерьез огорчали Ивана. Сейчас же воспоминания почти не вызывали эмоций, проносясь подвижным фоном мимо одной стабильной мысли.

Зрение никогда не восстановится.

Зрение. Никогда. Не восстановится.

Джек ощущал себя лежащим на операционном столе пациентом, которому вскрыли грудную клетку. По какой-то причине он остается в сознании и внимательно следит за происходящим. Боли нет. Лишь леденящий ужас от представшей глазам картины. Собственное сердце — обнаженное, красное, скользкое — пульсирует в нескольких сантиметрах от лица. И столь омерзительно прекрасно это зрелище, и столь тошнотворно чарующ запах крови, что хочется или закрыть рану руками, или вырвать чертово сердце... Только бы не чувствовать. Не мыслить. Не осознавать весь этот кошмар.

Джек вздрогнул, когда раздался звонок мобильного. Все еще пребывая во власти галлюцинации, он автоматически нащупал в кармане трубку и поднес к уху:

— Слушаю.

— Здорово, старик, это я. — Голос Макса звучал нарочито бодро. — Как ты там? Какие новости? Врачи сказали что-нибудь толковое?

— Не сказали.

— Почему? Ты сегодня ездил в клинику? Ты в порядке?

Джек сделал глубокий вдох, унимая внезапное раздражение. Говорить не хотелось. Однако, если не успокоить приятеля, тот мгновенно явится со спасательной миссией.

— Да, я в порядке. В больницу ездил, с врачом говорил. Пока ничего определенного. Результаты последней операции еще не ясны.

В трубке послышалось недовольное сопение:

— Может, мне с врачом поговорить? Что он там воду мутит? И так уже до хрена времени прошло.

— Макс, я ценю твои порывы, но сейчас они ни к чему, — как можно мягче ответил Джек. — Все идет своим чередом. Не суетись. Договорились? У меня все нормально.

— Давай я приеду, привезу продуктов. Надьку заодно прихвачу, чтобы она нормальный обед приготовила, — не унимался друг.

Джек сжал-разжал кулак, призывая самообладание.

— Спасибо. Тех продуктов, что ты привез позавчера, хватит на несколько недель. Пожалуйста, не беспокойся. Если мне что-то понадобится, я тебе позвоню.

Максим хмыкнул:

— И почему у меня такое чувство, что если я сейчас не отстану, то буду послан? Ладно, старик, больше не надоедаю. Вы, психопаты, странные ребята. Наберу тебе на неделе.

— Спасибо. — Джек с облегчением положил трубку. Несколько минут сидел неподвижно, вслушиваясь в монотонный гул автомобилей, затем решительно встал и, нащупав ручку, закрыл окно.

Если он немедленно не прекратит размышлять, то повредит рассудок. Нужно заставить себя заснуть. Завтра будет новый день. И, возможно, новые решения. Перед тем как он впал в тревожное забытье, где-то на задворках сознания промелькнула чудовищная догадка: жизнь закончена. Иван Кравцов родился, вырос и умер в возрасте тридцати трех лет...

Содержание

Литературно-художественное издание

ДЕТЕКТИВ-ЛАБИРИНТ Е. и А. ГРАНОВСКИХ

Евгения Грановская, Антон Грановский

КОД ОТ ЧУЖОЙ ЖИЗНИ

Ответственный редактор *А. Антонова*
Редактор *М. Красавина*
Художественный редактор *С. Груздев*
Технический редактор *Г. Романова*
Компьютерная верстка *О. Шувалова*
Корректор *В. Назарова*

ООО «Издательство «Эксмо»
123308, Москва, ул. Зорге, д. 1. Тел. 8 (495) 411-68-86, 8 (495) 956-39-21.
Home page: **www.eksmo.ru** E-mail: **info@eksmo.ru**

Өндіруші: «ЭКСМО» АҚБ Баспасы, 123308, Мәскеу, Ресей, Зорге көшесі, 1 үй.
Тел. 8 (495) 411-68-86, 8 (495) 956-39-21
Home page: www.eksmo.ru E-mail: info@eksmo.ru.
Тауар белгісі: «Эксмо»
Қазақстан Республикасында дистрибьютор және өнім бойынша
арыз-талаптарды қабылдаушының
өкілі «РДЦ-Алматы» ЖШС, Алматы қ., Домбровский көш., 3«а», литер Б, офис 1.
Тел.: 8 (727) 2 51 59 89,90,91,92, факс: 8 (727) 251 58 12 вн. 107; E-mail: RDC-Almaty@eksmo.kz
Өнімнің жарамдылық мерзімі шектелмеген.
Сертификация туралы ақпарат сайтта: www.eksmo.ru/certification

Сведения о подтверждении соответствия издания согласно
законодательству РФ о техническом регулировании можно получить
по адресу: http://eksmo.ru/certification/

Өндірген мемлекет: Ресей
Сертификация қарастырылмаған

Подписано в печать 09.06.2015. Формат 84x108 $^{1}/_{32}$.
Гарнитура «Гарамонд». Печать офсетная. Усл. печ. л. 16,8.
Тираж 7 000 экз. Заказ №3936

Отпечатано с готовых файлов заказчика
в АО «Первая Образцовая типография»,
филиал «УЛЬЯНОВСКИЙ ДОМ ПЕЧАТИ»
432980, г. Ульяновск, ул. Гончарова, 14

ISBN 978-5-699-81620-0